DEMAIN TU VERRAS

tome 2

André Mathieu

DEMAIN TU VERRAS

tome 2

roman

*''Les passions dont on a peur
ne s'apprivoisent pas!''*

Chapitre 1

1978

Alain avait pris froid. Des poussées de chaleur s'élançaient par vagues successives à l'assaut de son front, assiégeaient sa tête et dardaient ses yeux. Un liquide épais, lourd comme du plomb courait dans ses veines. La fatigue d'un sommeil tardif se ruait dans chaque membre pour le tordre et l'arracher. Et pourtant il arrivait que des frissons sauvages parcourent son épiderme en le hérissant comme les coups de dents d'une bise d'automne sur la surface d'un lac.

Un cerveau si mal en point, si harassé par cet amas de malaises confus, aigus et incessants aurait dû être accaparé tout entier par les seuls désagréments de la grippe. Au contraire, la mémoire projetait dans la pensée, en un jet puissant et incontrôlé, des souvenirs se bousculant, des images au souffle court, des propos perdus depuis l'instant même où ils avaient été prononcés.

Tout juste après la prise de conscience de l'oppression qui écrasait ses poumons, de l'enchifrènement qui piquait ses bronches, c'est l'image nette du curé du village de l'époque de son enfance et de son adolescence qui avait ouvert cet album-souve-

11

nir dont les pages emportées par un vent capricieux allaient vagabonder plus d'une heure avant que le rêveur éveillé ne se décide à quitter ce lit auquel il avait été cloué depuis tôt le jour précédent.

Le prêtre-monument à qui une solennelle dignité conférait des allures de pérennité était assis de l'autre côté du grillage, repu dans son sacerdoce, frottant sa barbe rugueuse de son étole de taffetas pourpre et or, dans un bruit créant la chair de poule sur les bras du pénitent et, par-delà les années, sur ceux de l'homme évoquant son lointain passé.

Le curé pencha la tête et entama un léger balancement pour chuchoter à travers une senteur de tabac fort que sa bouche exhalait généreusement:

— Combien de fois?

— Une… fois par… jour, hésita le jeune garçon. Puis il accéléra le débit en ajoutant:

— Depuis ma dernière confession…

Le prêtre ferma longuement ses gros yeux mystérieux sous les verres épais et ronds de ses lunettes à montures fines. Il esquissa un bâillement qu'il chercha à étouffer sous l'étole dans le bruit d'une vessie qui se dégonfle.

Décidément l'oxygène se faisait rare dans cet étroit confessionnal! Mais Alain le prit pour un sifflement réprobateur, pour un avertissement du geste avant les mots, avant la menace… Il se sentait fondre de honte. Depuis ce jour terrible où sa main pécheresse n'avait pas su résister à l'appel obscur nouvellement venu des profondeurs de sa chair, il avait, chaque soir, envahi par une grande attrition, pleuré de peur à la pensée que la mort eût pu le précipiter au fond des flammes inextinguibles.

Un jour, il était allé jusqu'à mettre la main sur une 'bordiche' brûlante afin d'avoir une idée juste des tourments impossibles infligés par le bon Dieu aux âmes des méchants morts en état de péché mortel, ce qui incluait les adolescents à doigts irrespectueux et en faisait même des chambreurs de choix pour l'hôtel infernal. Geste vain! La chaleur entre ses jambes avait bien vite eu raison des impressions cuisantes et aussi des pénibles promesses de l'instrument de métal. Ni l'anathème frappant le plaisir de la chair ni les intimidations des soeurs, aussi voilées que leur propre corps, n'avaient empêché les épanchements coupables d'une nature trop ardente et indomptable.

— Pour bien purifier ton coeur, mon garçon, il faudra que tu pries fermement la Vierge Marie. Elle seule peut te venir en aide. Ta bonne mère du ciel saura te protéger, t'éviter de chuter à nouveau, enlever d'au-dessus de ta tête les risques du châtiment éternel qui y planent...

Le prêtre fit une brève pause pour trouver la suite: d'autres mots aptes à séparer carrément le bien du mal et à faire visualiser l'un et l'autre par son petit pénitent.

Poussé par un incommensurable désir de se justifier et, inconsciemment, de se donner une excuse pour le cas où, malgré son ferme propos, il en vînt à trébucher à nouveau dans l'épouvantable piège de l'impureté, Alain échappa une phrase qu'il eût bien voulu rattraper aussitôt:

— Mais, monsieur le curé, j'ai prié la Sainte Vierge plusieurs fois et ça n'a pas réussi.

Le ton avait été si spontané, si entier que le dernier mot avait jailli sonore et aigu.

Dépanné par cette invervention, le prêtre souffla de côté en poussant sur ses lèvres à l'aide de l'étole entortillée autour de ses doigts:

— Mon garçon, il faut persévérer, persévérer, persévérer. Chaque fois que la tentation frappe, ferme bien tes yeux et pense très fort à la belle dame en bleu qui, là-haut, veille sur toi sans cesse. Elle te délivrera du mal tout comme elle a écrasé la tête du serpent avec son pied. Pense à sa beauté céleste... et la tentation s'en ira, s'évanouira. Et sa pureté de mère coulera en toi. Et si la mort te frappait demain, ta bonne mère du ciel t'accueillerait là-haut, te prendrait dans ses bras, te presserait sur son coeur...

Le curé avala de la salive, poursuivit:

— Sur son coeur... pur. Puis elle te conduirait vers le Seigneur qui, à son tour, t'embrasserait et te garderait auprès de lui dans son beau paradis... Par contre, si tu ne sais pas résister, si tu continues de faire sur ton corps des attouchements...

illicites, Dieu veuille que tu ne meures pas sans sa grâce car alors, c'est Satan qui t'attendrait avec ses... avec sa... avec ses chaînes... rougies par le feu de l'enfer... pour te tourmenter, te torturer toute l'éternité... Réfléchis à cela mon garçon quand tu sentiras la faiblesse grandir en toi. Si tu luttes bien, le mal s'en ira et le Malin qui harcèle ta chair sera vaincu. Et tu connaîtras la joie. Ton coeur alors sera si plein de la pureté de Marie que... que... si tu en venais quand même à succomber, tu pourrais toujours venir te confesser... au presbytère...

— Oui, monsieur le curé.

— Pour ta pénitence, tu réciteras deux dizaines de chapelet. Et maintenant, dis ton acte de contrition.

Alain obéit à paupières closes, à mains jointes et à coeur ardent. Il ne pensait pas aux mots que sa mémoire lui mettait mécaniquement derrière les lèvres, mais à l'irrévocable décision de ne plus jamais toucher à son corps. Mieux, quand il se nettoierait, n'ayant pas été circoncis, il le ferait sans regarder... Et il utiliserait une débarbouillette trempée d'eau froide. Et pour amoindrir encore les risques, il ne se laverait là qu'une fois toutes les quinzaines.

— Va maintenant, ton coeur est pur! fit l'homme en surplis avant de claquer le guichet au visage de son pénitent.

Les yeux remplis de lumière malgré la pénombre, Alain écarta le rideau vert et fit un pas tout en se relevant. Son pied accrocha le petit banc qui se renversa bruyamment et culbuta hors du confessionnal. L'adolescent remit nerveusement sur ses pieds le meuble agaçant puis il retourna vers sa place sous le regard amusé de ses camarades de classe.

Quand il fut à réciter son premier ave, quelqu'un lui souffla dans le dos:

— Tu sais pas marcher, Martel!

À cause de ce maudit bruit qui avait attiré l'attention de tous sur lui, il avait le sentiment que chacun avait deviné ce qu'il avait avoué à la confesse. Il se boucha les yeux avec le revers de ses doigts pour mieux venir à bout de cette deuxième vague de honte à lui envahir le front en moins de cinq minutes.

*

Toute la scène s'effaça subitement de l'esprit de l'homme couché. Il porta la main à son front brûlant, entreprit de le masser en douceur, cherchant ainsi à en atténuer quelque peu l'incessant malaise.

Vingt-cinq ans avaient coulé sous les ponts du monde depuis l'époque de sa prime adolescence. Et peut-être bien une cinquantaine sous les ponts du Québec. Dans un sourire composé, blasé, il entreprit de réfléchir une fois encore sur son identité générale d'homme vernaculaire.

Lui et ceux de sa génération avaient été obligés de s'inventer eux-mêmes, sans prototype pour les guider. S'observer les uns les autres. Imiter. Faire de l'introspection. Ne jamais être sûr de rien. Sans cesse patauger dans le doute. Les voies simples, tracées d'avance, balisées, s'étaient estompées alors même qu'ils étaient à l'âge de s'y engager. Quant à lui dans tout cela, il avait dû composer avec un tempérament de feu, une insatiable soif de liberté et des glissades émotionnelles répétées.

Il ouvrit des yeux égarés, les promena dans leurs orbites entourées d'ombre, leur fit explorer la chambre dépouillée. Sur la gauche, une commode haute qu'il avait recouverte de tissu pour s'illusionner sur son âge: face-lift criard et inefficace. Et ce bureau triple là en face, plus jaune encore de par la clarté s'infiltrant dans la chambre sous forme de raie derrière la toile abaissée! Le miroir qui le surmontait lui renvoya l'image en cube des deux coins de la pièce au-dessus de sa tête où trois lignes de néant aboutissaient à rien. Ou plutôt à l'impasse. Car voilà où il en était arrivé avec sa vie: dans un coin de chambre d'un coin de bâtisse.

Seul!

Viviane vivait maintenant ailleurs, quelque part au loin dans cette même maison. Mais le plus souvent à l'extérieur. La foi qu'elle avait longtemps mise en lui était morte. Remplacée par une autre. Tout aussi grande. Mais insultante car en dehors de lui. Et donc apeurante. Pour trouver de nouvelles bouées, d'autres points de repère, elle avait emprunté la voie de son corps. Ses sens lui avaient fourni les preuves qu'elle avait eu raison de faire des choix, de remplacer des chaînes devenues insupportables par d'autres plus épanouissantes.

Combien de fois avait-il recommencé son analyse depuis ce jour où elle avait jeté sur lui un regard rempli du plus profond mépris? Des centaines, des milliers? Dieu seul savait. C'est à ce moment précis que le doute avait fondu sur son âme. Chaque jour, chaque nuit, ce regard était revenu s'inscrire clairement dans sa tête pour l'assommer, la rapetisser, l'enchaîner dans la terrible geôle du doute.

Avec la foi en lui-même, l'espérance l'avait déserté aussi. Une phrase à la fois fielleuse et triste avait ouvert et fermé toutes ses discussions avec lui-même:

— Suis-je donc si mauvais, si petit?

Il se la redit une fois de plus en ramenant son regard devant lui, vers la porte fermée. Puis les yeux remplis d'intensités douloureuses, il pensa: "Elle est là qui dort dans son indifférence tranquille, dans son monde à elle, dans sa chambre!" Pour distraire son attention, il se mordit une lèvre jusqu'à la souffrance en se disant, blasé: "Une douleur de plus ou de moins!"

Alors, comme ça lui arrivait de plus en plus, il s'évada vers le passé. Vers un lointain plus profond encore que celui de sa précédente rêverie. Plus beau aussi et qui, à coup sûr, pourrait le délivrer de ces sentiments si abominables qui l'étreignaient toujours quand il pensait à celle qu'il n'arrivait plus à appeler sa femme mais désignait selon le besoin par 'ma chère épouse' dit avec ironie ou 'ta mère' comme pour rendre sa fille coupable d'être aussi celle de Viviane.

*

Les derniers restes noirâtres d'une neige polluée s'écoulaient dans les rigoles et fossés, fuyaient bruyamment dans des ruisseaux pressés. Le sol était mou, gluant, détrempé. En maints endroits dans les champs, l'eau restait emprisonnée en surface car le gel maîtrisait encore les profondeurs trois pieds d'avant. La fonte des neiges avait été subite et rapide.

C'est à l'écoute d'un fossoyeur musculeux qu'Alain avait appris comment la vie s'apprêtait à renaître.

— On pourra pas creuser avant trois, quatre jours, avait dit

16

cet homme au visage tout en rides à son curé fumant lors d'une conversation au magasin général.

— Faudrait aller ouvrir les portes du charnier, avait rétorqué le prêtre dans son nuage bleu. Sinon avec le doux temps, ça va vite commencer à sentir.

— Moi, j'pense pas que les corps vont dégeler avant la terre, objecta l'autre sur un ton dubitatif.

— Voilà six ans, c'est bien arrivé, protesta le prêtre. Et je peux te dire que les odeurs de cadavre accompagnaient nos repas en plein presbytère.

Le fossoyeur leva les mains, hocha la tête, répliqua d'une voix chantante:

— Monsieur le curé, c'était pas moi le gardien du cimetière dans ce temps-là. C'était Alphée.

— Faut dire que le printemps avait été hâtif cette année-là.

Le dos appuyé aux manches des balais emprisonnés dans leur présentoir, Alain avait glané chaque mot de l'échange qui avait duré déjà un bon quart d'heure. Il se demanda pourquoi les deux hommes devaient s'entretenir si longtemps d'une question pour la régler et clore le sujet. Leurs plaisirs d'une conversation superficielle tintaient à son esprit comme des bruits tout aussi inutiles que celui des cloches de l'église appelant à la messe des fidèles déjà agenouillés dans leur banc.

Derrière lui, une longue table centrale était occupée par une quinzaine d'hommes assis, gambillant dans l'attente de leur courrier que le maître de poste était en train de dépaqueter dans le bureau situé au fond du magasin du côté du comptoir des dames.

Pour rire et se chamailler en sécurité, les gamins se tenaient d'habitude près de la porte menant à l'extérieur en un endroit qu'ils pouvaient fuir vite quand le marchand excédé leur courait au cul pour le botter, ce qu'il arrivait au pauvre homme de faire deux, trois fois l'an, histoire de remettre dans la place un ordre qui se perdait un quart d'heure plus tard.

On laissait au curé la chaise à bras mise à côté du grillage de la fournaise de la cave. Il s'y installait tôt après le souper, discutait avec une autorité et une éloquence que décuplait le bouquin de sa bouffarde par les mouvements giratoires ou indicatifs qu'il leur imprimait au rythme de ses dires. Et c'est ainsi qu'il accaparait pour lui seul une bonne partie de la chaleur venue d'en bas par grosses vagues s'engouffrant sous sa soutane, semblait-il pour n'en jamais ressortir.

— Poléon, je te dis ça pour éviter que la même chose que du temps d'Alphée se reproduise.

— Pas de danger! Jeudi matin, je creuse.

— T'en as huit dans le charnier cette année. Ça fait des coups de pelle à donner, ça.

— Craignez pas, j'ai quasiment avalé la moitié d'un lard à moi tout seul durant l'hiver.

L'homme montra ses bras enveloppés dans l'épaisse flanelette carreautée de sa chemise, poursuivit:

— Là-dedans, y'a du mordant!

Plusieurs fois au cours de la semaine, Alain rôda aux environs du cimetière, fasciné par la conversation entendue concernant les cercueils du charnier.

Il avait connu plusieurs des morts qui s'y trouvaient. Philémon Veilleux emporté par un chancre de pipe. Ozias Champagne, un pépére qui avait oublié de mourir pendant longtemps mais qui avait fini par se décider lors d'une banale épidémie de grippe. Théophile Dubé, mort de Dieu savait quoi. D'autres.

— S'y trouvait aussi un bébé mort-né. ''Un infirme,'' avait dit un bruit courant dans le village. Ce n'était pas le premier dans cette famille. Les parents avaient tâché de tenir secrète cette malédiction. Mais les murs avaient parlé. Et les gens aussi à voix basse dans les portiques de l'église.

''Du monde si catholique!'' se chuchotaient les petites vieilles avec des regards en biais comme pour mieux s'assurer qu'on n'écoutait pas à la porte.

''Celui-là a-t-il seulement pu être ondoyé?'' avait demandé discrètement la mère d'Alain à sa voisine, la grand-mère du bébé.

''Non,'' avait soupiré tristement la vieille dame en se signant.

Toute cette étrangeté, tout ce mystère, qu'était-ce? On avait dit que le bébé serait enterré dans la partie non bénite du cimetière. Pourquoi? Quelle épouvantable infirmité avait donc pu le tuer avant même qu'il ne vienne au monde?

Alain avait vu naître des animaux; on ne le dupait plus avec les histoires de cigognes et de sauvages. Mais il ne l'aurait pas fait voir sans mourir de honte. Surtout il désirait en connaître plus. Savoir la mort comme il savait la vie. Il avait eu beau voir des morts exposés dans leur cercueil, cela lui paraissait un long sommeil paisible. Quoi après? Des réponses à toutes ses questions émaneraient du charnier et c'est pourquoi il passait chaque jour, dans les environs, guettant le moment où la porte serait déverrouillée.

Vint le jeudi avec une matinée de giboulées. À la récréation du midi, sur le chemin du retour à l'école, il fit un crochet vers le cimetière. Un tas de terre neuf lui fit comprendre que le fossoyeur avait commencé son travail du printemps. Et la porte du charnier était ouverte, invitante. Il fut sur le point de s'y rendre et de réaliser le projet qu'il nourrissait d'ouvrir un des cercueils. Néanmoins la peur le retint assez longtemps pour que la cloche de l'école se fasse entendre et vienne lui ordonner de partir. Dans l'après-midi, il défia un compagnon. Et le lendemain, à l'heure du dîner, les deux gamins profitèrent de l'absence du fossoyeur pour pénétrer dans le charnier.

Huit boîtes grises reposaient sur des chevalets. En fait, elles avaient la teinte que leur donnait une faible clarté venue d'un pan de lumière brillante tombé en travers de la sortie. À droite, quatre cercueils étaient empilés deux sur deux. Même alignement à gauche. Au fond, au milieu, seule dans sa blancheur douteuse, la petite boîte concernant le corps du bébé longeait un mur suintant.

Les yeux des enfants s'ajustèrent à la pénombre. Alain écoutait les pirouettes de son coeur. Il se sentait les jambes comme de la tire molle. Toutes les menaces de la terre planaient au-dessus de sa tête. Les gros yeux protubérants du curé le regardaient comme s'il avait été Caïn en personne. Il entendait les imprécations du fossoyeur. Une larme de sa mère noya son âme. Et ses fesses imaginèrent le coup de courroie que lui administrerait son père quand il saurait le mauvais coup. Pourtant rien ne l'arrêterait. Le défi, il l'avait lancé plus à lui-même qu'à son petit copain. Il saurait, lui, ce que tous les autres ignoraient, ce qui lui donnerait l'ivresse de posséder un trésor secret. Il était paralysé de plaisir à l'idée de plonger tête première dans une aventure insolite.

— Allons-nous en! marmonna son compagnon.

— Vieille mémère peureuse! grommela Alain pour tisonner son propre courage.

— Ça pue! pleurnicha l'autre d'une voix aiguë se répercutant sur les pierres des murs.

— C'est la terre qui pue, dit Alain pour les rassurer tous les deux.

— Je m'en vas, moi.

— Si tu pars, je vas te sacrer une volée, Luc Bélanger, t'as compris?

Le gamin garda le silence tandis qu'Alain s'approchait de la boîte blanche. Ses pieds calaient dans la boue, flacotaient dans l'eau, mais l'enfant ne s'en préoccupait guère puisqu'il portait des bottes étanches lui allant aux chevilles. Il hésita quelques secondes, se demandant si le couvercle ouvrait en direction du mur ou bien depuis le mur auquel cas il ne lui serait pas facile de voir à l'intérieur à moins de bouger la boîte. Le regard de feu du curé lui revint en tête. Il le dirait peut-être à Mère Supérieure qui lui donnerait une sévère punition? Sa peur fut balayée par l'idée que le prêtre avait menti sur l'odeur. Il y avait bien une senteur de lait caillé mais rien d'aussi terriblement nauséabond que ce relent se dégageant des entrailles chaudes des cochons fraîchement saignés à l'abattoir du village ou des vapeurs issues d'une carcasse de cheval laissée aux nécrophages près d'un boqueteau où il jouait parfois l'été avec ses amis.

— Moi, j'ai peur, dit le petit geignard alors même que le curieux s'apprêtait à toucher la boîte.

— Si t'arrêtes pas de chialer, menaça Alain, je vais te renfermer ici et tu vas rester avec les morts... à noirceur.

La tête engoncée dans des épaules pointues, atterré, ratatiné près de la sortie, les yeux enfuis à l'extérieur, l'autre continua à gémir. Mais il le faisait dans un silence relatif de sorte qu'Alain put poursuivre son exploration sans trop se faire distraire. Il toucha le petit cercueil. D'une seule main tremblante tout d'abord, il apprivoisa la texture du bois, poussa un peu. Il lui sembla que le couvercle se déplaçait, alors il augmenta la pression. C'est toute la boîte qui bougeait à cause de son support bancal. Il le perçut. Sa main gauche rejoignit l'autre. Les deux pouces s'introduisirent dans l'interstice sous le couvercle. L'enfant prit une longue inspiration puis il vida ses poumons et en même temps, d'un coup sec, il ouvrit la boîte.

Il crut défaillir tant son coeur lui sautait fort dans la poitrine et jusque sous les tempes. Mais le spectacle de l'enfant mort eut pour effet de faire diminuer la chamade. Car il ne vit là rien de plus qu'un objet semblable à une poupée de cire qui, pourtant, dévoilait son terrible secret. La chose n'avait pas de nez ni de bouche. En fait, elle avait son poing soudé en plein milieu du visage, là même où auraient dû se trouver les orifices permettant la respiration. L'autre main aussi était syndactyle. Le reste du petit corps était enfoui dans du satin. Aucune odeur particulière. Rien de si terrible. Alain examina longuement.

Heureux de sa victoire, soulagé, il referma la boîte et marcha vers la sortie, ce que voyant, son ami s'empressa de le précéder. Mais il fut retenu par un bras. Alain lui désigna la longue boîte sombre et inquiétante au pied de laquelle ils se trouvaient tous deux et annonça:

— On va regarder dans celle-là.

Il mit son autre main sur la tête du poltron, la fit tourner sur son axe pour obliger l'autre à la même découverte que lui du cadavre.

— Bouge pas de là si tu veux pas le regretter.

Il ne pouvait encore se passer de Luc pour ce qui restait à accomplir. Enhardi, déjà habitué, cette fois il souleva le couvercle beaucoup plus vivement.

En même temps que son regard, un flot de lumière tomba sur la face du mort. Un gros oeil entouré de mousse verdâtre aux paupières vaguement dessilées donnait l'air de se poser grotesquement sur son visiteur. Noircie, ouverte sur trois dents jaunes, la bouche se perdait sur un côté en un gros trou à contours luisants, purulents. Affaissée, l'autre joue était piquée des poils blancs d'une barbe posthume.

L'espace d'un éclair, une ombre anima le visage décomposé. Alain sentit toute sa substance envahie par des araignées dévoreuses tandis qu'un frisson furieux se figeait en froidure sous chaque pore de sa peau. Il fallut à sa pensée un effort titanesque pour dessouder ses mains du couvercle qui, en retombant sourdement, projeta sur l'enfant un souffle indescriptible.

Des milliards d'atomes d'air chargés de particules du corps en état de pourrissement se jetèrent sur le gamin, envahissant ses bronches, ses poumons et jusqu'à son cerveau. Cette puanteur de la chair putride se transforma en des mains hideuses qui se ruèrent sur son estomac et ses tripes, les triturant, cherchant à les arracher.

Au repas du midi l'enfant avait mangé un hamburger. Quand donc pourrait-il avaler la moindre nourriture après avoir senti ça? Et malgré l'écoeurement, son estomac torturé n'arrivait pas à se libérer.

Il se tourna. Le compagnon avait lâché, disparu. Alain resta planté là, les pieds dans une boue-ciment, prisonnier vivant de ces infectes vapeurs de mort, le coeur dans la bouche. Heureusement les automatismes imprimés en lui depuis déjà plusieurs années reprirent leurs droits lorsque le son faiblard de la cloche de l'école vint le sortir de sa torpeur.

Il s'élança hors du charnier et courut à toutes jambes, moitié pour échapper à l'emprise du terrible spectacle et des émanations, moitié pour éviter un retard et une punition.

Il eut beau se gaver d'air frais à grands respirs profonds, l'abominable relent collait à ses vêtements, à sa peau et le harcela si fort qu'en milieu d'après-midi, il vomit son dîner sur le parquet luisant de sa classe, au grand déplaisir de la titulaire qui le renvoya chez lui.

Et le jour suivant, premier vendredi du mois, il fut demandé au presbytère pour donner des explications. Car son compagnon d'aventure l'avait dénoncé à Mère Supérieure qui avait elle-même averti le curé.

Il admit avoir visité le charnier mais se défendit d'avoir ouvert les cercueils. Le prêtre lui fit une bienveillante remontrance avant de lui donner congé, et du presbytère et de l'école.

Il profita du temps où son frère aîné se trouvait en classe pour lui emprunter sa voiturette et en jouer à se rassasier. Puis il se rendit en exploration dans les entrepôts du magasin général. Quelle chance! Dix grosses caisses de biscuits venaient d'être livrées. Des planches à laver, des tartes aux fraises, des biscuits au thé, à la guimauve, au chocolat... Il ouvrit la moitié des boîtes, bourra ses poches, monta à l'étage des grains de semence et se coucha sur une montagne d'avoine.

Au troisième biscuit, son sourire disparut. La répugnante odeur du charnier lui revint en mémoire, et si intensément qu'il ne put avaler une bouchée de plus. Il se laissa glisser au pied du monticule, s'agrippa au rebord de la cloison basse pour se remettre sur pieds. Quand son nez eut dépassé la plus haute planche, il aperçut dans le parc voisin, pris au piège, le cadavre sanglant d'un énorme rat à la tête éclatée.

*

L'homme ouvrit grand les yeux. Mais ce n'était pas pour chasser ces souvenirs macabres qu'il ne trouvait aucunement pénibles. Tout au contraire, ils l'aidaient à se rassurer un peu sur lui-même, sur sa propension à plonger dans toute expérience apte à lui en apprendre un peu plus sur l'âme humaine, sur la sienne d'abord puis sur celle des autres. Il passa en revue d'autres caractéristiques le concernant. Peu enclin à expérimenter les sensations purement physiques, il n'avait jamais été un grand amateur des plaisirs de la table. Il avait vite laissé tomber les minces satisfactions apportées par l'alcool, s'était débarrassé du tabac. Et l'odeur de la mari lui rappelait nettement celle du charnier de son enfance. La danse? Piétinement. Les bains de soleil? Source de rides prématurées. Le sable et la mer? Saleté, microbes, pollution, sel dans les yeux...

Toute sa sexualité en avait été une de curiosité, de recherche. Il avait jugé et condamné la stérile routine du couple, convaincu que la sexualité est porteuse d'un étonnant pouvoir caché, en partie même insoupçonné, et qui dépasse de loin tous les phantasmes freudiens. Pouvoir étrange né d'une concoction d'intensités sises quelque part aux confluences du désir et de la souffrance. Pouvoir créateur capable de donner naissance à l'âme elle-même? Malgré Dieu. À moins que Dieu ne soit ce pouvoir?

Rien de raisonné en ces perceptions; que du senti!

"C'est vrai que ça sent le renfermé dans cette chambre!" pensa-t-il en aspirant profondément exprès pour évaluer. Il se rappela que Viviane avait vaporisé du désodorisant la veille. Elle avait brusquement ouvert la porte, pressé le bouton de l'aérosol, était repartie sans dire un seul mot. Ç'avait été humiliant pour lui. Peut-être que la chambre manquait d'air? Il avait bien calfeutré la fenêtre pour bloquer le vent coulis. Trop sans doute! Et puis il tenait la porte fermée le plus possible. Caché dans sa coquille. C'est elle qui avait déserté la chambre conjugale. Il faudrait qu'au moins elle frappe à la porte pour la réintégrer.

Elle l'avait fait une fois. Le dernier jour de l'année.

"Si c'est pour accomplir ton devoir annuel, tu peux retourner dans ta chambre," lui avait-il déclaré avec amertume.

Elle avait sifflé un juron et claqué la porte, mécontente d'avoir fait pour lui cet autre effort.

Aussi la porte cachait ses larmes. Le regard de mépris brutal, intolérable avait laissé en lui une profonde entaille de laquelle jaillissaient de plus en plus souvent les pleurs honteux d'une faiblesse à taire.

Des questions se percutant sans arrêt, se bousculant de son coeur à son esprit, de son esprit à son coeur, alternaient avec d'incessantes analyses du passé aux fins de trouver quelque chose qui éclairât. Une réponse. Des réponses.

Et alors les réponses venaient à grands flots. Elles ne suffisaient jamais à tout expliquer. Mais pis, elles se contredisaient d'un jour au suivant, d'un sentiment à l'autre.

Deux faits importants brouillaient toutes ses pistes. Il ne les comprendrait que bien plus tard. Il y avait tout d'abord sa douleur de nuit qui se transformait invariablement au matin en profonde agressivité sous l'action d'un puissant catalyseur: la contradiction systématique de ses propos par sa femme. Elle s'inscrivait en faux devant tous ses avancés même ceux au sujet desquels l'humanité entière aurait été d'accord avec lui. Ce qui faisait de lui un faux atrabilaire.

Chaque nuit, les yeux ouverts et braqués sur un noir d'encre, il s'était promis de lui parler en douceur le jour venu, de commencer une reconquête, une reconstruction. Il n'avait pas aussitôt ouvert la bouche qu'elle se hérissait, dénonçant sa hargne, sa morosité, ses cheveux raides, son passé inacceptable. Une fois par semaine depuis plusieurs mois, ils s'étaient rendus aux confins de la violence verbale.

Sa deuxième erreur avait été de croire qu'en matière d'âme, ce qui était bon pour lui l'était forcément pour elle. Depuis un an qu'il s'était raccroché à l'illusion du mariage ouvert, ç'avait été l'enfer. De son point de vue à lui, la condition du succès d'une telle entreprise était la franchise. Il lui en voulait de ne pas avoir joué le jeu honnêtement. Elle avait déserté leur lit, coupé les confidences, s'était retranchée dans son univers fermé dont il était tout à fait exclu. De la sorte, le contrôle lui avait glissé entre les doigts.

Chaque nuit il s'en prenait à lui-même d'avoir voulu forcer Viviane à assumer sa propre liberté. Et ses raisonnements fantaisistes le menaient parfois jusqu'à l'abolition de l'esclavage qui avait rendu malheureux tant d'esclaves ainsi privés de leurs chaînes aimées. D'autres fois, il se disait que la fidélité à un seul mâle était une nécessité inscrite dans toute substance femelle et que seuls des fous d'humains idéalistes pouvaient prétendre y changer quelque chose.

Il voulut une fois encore rationnaliser le mot liberté. Notion propre à chacun tout comme l'amour, puisque pas deux personnes n'en peuvent donner la même définition. Liberté de capitaliste: quelle commune mesure avec une liberté de communiste? Liberté de séparatiste, de fédéraliste. Liberté de femme qui aime; liberté de femme qui hait. Masculine; féminine. Liberté de l'esclave; esclavage de l'homme libre. Qui a su, sait ou saura jamais?

Il sourit tristement. Non, il s'agissait plutôt d'une tristesse souriante car son amertume était en train de s'édulcorer à l'ébauche d'autres souvenirs que la vue sur sa jambe droite d'une cicatrice aussi vieille qu'étendue, évoquait.

*

Dans un boisé à un mille du village se trouvait un petit lac vaseux bourré de sangsues. S'en disputaient les eaux brouilles, des poissons dont personne ne connaissait le nom. Carpes pour d'aucuns; goujons pour d'autres. Immangeables de toute façon donc certes pas des truites. Qu'importe au jeune Alain puisque le plaisir anticipé d'en attraper lui donnait des ailes pour aller là-bas chaque après-midi après la classe les jours de beau temps afin d'hameçonner les poissons! Parfois il se trouvait un compagnon d'aventure mais le plus souvent il s'y rendait en solitaire.

"Ça prendrait un cageux pour aller de l'autre côté dans la pointe," avait soutenu quelqu'un lors d'une excursion à plusieurs la semaine d'avant.

Le projet d'en construire un avait germé puis grandi dans sa tête. Dans les outils de son père, il dégota une hachette dont on ne risquait pas d'avoir besoin donc de chercher. Quant à la permission de l'emprunter, pas plus que celle d'excursionner chaque soir, jamais il n'aurait eu la pensée même de la demander. Sa liberté lui appartenait tant que la nuit n'était pas tombée; seules la faim et la brunante pouvaient lui faire mettre le cap vers chez lui. Et s'il était trop tard alors pour partager le repas familial, sa mère lui disait de se faire une beurrée de lait-sucre. Il se servait lui-même dans le garde-manger de plusieurs tranches de pain imbibées de lait et arrosées de sucre blanc ou d'érable selon les saisons.

À l'école, ce vendredi, il fut distrait presque tout le temps, rêvant à la pêche fructueuse qu'il ferait à l'autre bout du lac. Dès la fin de la classe, il courut chez lui, jeta son sac de livres sur la galerie de la maison au passage de la cour, se rendit prendre sa hache et un rouleau de corde dans un hangar. Ainsi outillé de l'attirail du parfait pêcheur, sur sa même fine épouvante, il courut au lac.

Le bleu du ciel sautait dans ses yeux bruns, les purifiait. Parfois il cessait de courir pour reprendre son souffle ou bien pour enjamber une clôture de perches. Alors il prenait quelques secondes pour écouter son coeur battre et se plaire d'en entendre les coups si forts qui lui redonnaient ses ailes.

Il avait roulé le bas des jambes de ses pantalons pour ne pas les tremper au passage des fossés de ligne. Souvent il jetait un coup d'oeil à sa petite hache dont le taillant fraîchement aiguisé brillait de mille promesses.

Sur un button près du boisé du lac, il s'arrêta afin d'explorer du regard tous les horizons. Au sud, à un demi-mille, peut-être davantage, commençait une immense forêt qui se rendait Dieu savait où. À l'orée de ce bois, tout à fait aux confins de la prairie, paissait un troupeau de bêtes trop éloignées pour être entendues et dont les mouvements étaient à peine perceptibles. À l'ouest, les lointains américains n'étaient pas visibles, dissimulés par des collines chevelues. Au nord, s'alignaient le long de la route principale granges grises et maisons blanches. Et à l'est, c'était la clôture à deux pas, avec, derrière, des reflets d'argent courant jusqu'à ses yeux à travers des aulnes et des arbres malingres.

Pour la dixième fois, il toucha sa ligne à pêcher enfouie dans sa poche de fesse, à gauche. Dans son autre main, il tenait son rouleau de corde à moissonneuse, indispensable pour attacher les billes et ainsi assembler le radeau.

Il sourit à l'ordre des choses: le sien.

Puis il sortit de sa ceinture la hache qui y pendait, la jeta de l'autre côté de la pagée avec le rouleau de corde. Alors il s'élança obliquement, à pleines enjambées, vers la clôture où il mit sa main sur la perche la plus haute pour prendre son envol. Il sentit tout son être devenir léger, aérien. Maître de son corps, le monde entier lui obéissait.

Il maîtrisait son univers mais non sans effort. Il n'était plus à l'âge de croire au Père Noël et il savait bien que les désirs ne trouvaient pas satisfaction par le biais de quelque tour de magie. Par contre, il s'émerveillait chaque jour de constater qu'en y mettant le prix, on pouvait atteindre un but raisonnablement fixé. C'est ainsi qu'à l'école il avait toujours bien écouté, bien étudié afin d'obtenir les notes les meilleures. Et sa diligence l'avait payé de retour.

Une fois réinstallé dans son équipement, il poursuivit sa marche par un sentier familier. Un porc-épic s'éloigna en dandinant son lourd arrière-train. Il faisait chaud et sec. Des bruits d'ailes s'entendaient parfois. Le lac se rapprochait, luisant, dardé par un soleil toujours haut.

Vis-à-vis d'un énorme rocher, il s'arrêta, le coeur s'accélérant. Entre gamins, on s'était raconté que de très gros péchés y avaient été commis. Histoire inventée? Qu'avait-elle de fondé? On avait dit qu'au temps des fraises, en début de vacances estivales, un gamin étranger en visite chez sa tante y avait conduit sa cousine et qu'à l'abri de la roche impure, ils s'y étaient mis complètement nus.

Quelque diable rôdait-il encore par là? Alain s'approcha, grimpa sur la roche, s'y tint debout, droit comme un I. Il ferma les yeux, chercha à imaginer la fillette nue, mais il n'y parvint pas car il ignorait comment une petite fille pouvait être faite... là... Différente, il le savait bien à cause des propos entendus, mais comment? Une idée prit consistance dans son esprit. La soeur de Luc, son compagnon de classe, lui permettrait de découvrir le mystère caché. À la prochaine partie de cache-cache, il s'arrangerait pour la faire se déshabiller quelque part dans une grange ou un hangar.

''Dans un fenil rempli de foin,'' se dit-il. ''Comme dans la grange derrière chez Luc.'' Facile de s'y cacher le temps qu'il faudrait. La lumière se ferait grâce à la noirceur. Que vienne le jour et il saurait bien ce qu'elles ont là, les braillardes!

Des lueurs de détermination espiègle fusèrent de ses yeux rieurs. Une émotion vague tournoya au creux de sa poitrine.

Pour l'heure, une invitation plus pressante lui était adressée par l'eau scintillante, sombre au bord du lac mais d'un beau bleu transparent vers la pointe. Il vit une aulne qui pourrait lui servir de canne à pêcher. Il la coupa, l'émonda à l'aide de son couteau de poche puis il y attacha sa ligne. Alors seulement il réalisa qu'il avait oublié à la maison le plus important: les vers. La boîte était restée sous la galerie. Il maugréa. Il avait fallu au moins trente coups de pioche à la base d'un tas de fumier pour trouver ces appâts et à cause de son bête oubli, il risquait de ruiner son excursion.

À l'idée que la terre tout entière était véreuse, il décrocha sa hache et entailla le sol en maints endroits. Mais la récolte fut bien mince. Il y avait une terrible dénatalité en ce coin du pays des lombrics. Et quand d'aventure il repérait un vers, il le trouvait toujours en deux bouts purpurins, bien petits pour recouvrir un hameçon et fort peu frétillants pour attirer le poisson.

En outre, il ébrécha sérieusement le taillant de son outil. Cela à son insu pourtant car il se servait de l'instrument pour la première fois.

À force de véroter, il réussit quand même à ramasser une douzaine de demi-vers qui, dans sa poche de pantalon, mélangèrent leurs restes de chair et d'humeurs gluantes. Voilà qui suffirait au moins pour quelques prises. Rendu à l'eau, il prit position sur une motte de terre qui s'avançait dans le lac et il lança sa ligne.

Chaque minute vit son espoir descendre d'un cran. Il retira la ligne, examina l'appât devenu lambeau blanchâtre. Il rechargea l'hameçon, ne piquant que légèrement le dernier bout de ver pour lui laisser un peu de vigueur. Peine perdue; rien ne mordait. Il planta donc sa canne dans une couenne molle, se proposant d'y accourir si sa ligne venait à bouger fort. Et il entreprit de construire son cageux.

Il explora du regard les environs immédiats. Quelle sorte d'arbre fallait-il? Cèdre? Bouleau? Épinette? Grosses aulnes? Il lui était bien arrivé de monter sur un de ces radeaux mais il n'avait pas remarqué en quel bois ils étaient faits. Il commença par des aulnes, abondantes et faciles à couper puis il se rabattit sur le cèdre dont la quantité requise lui apparaissait plus raisonnable. Il y en avait un beau gros à deux pas. Pour le couper il lui faudrait marcher dans l'eau, mais comme il avait déjà les pieds mouillés...

Il fut bientôt à frapper l'arbre qui ne se laissait pas facilement entamer. Au troisième coup, la hachette glissa et lui frappa la jambe au ras de l'eau. Léger pincement vite disparu. Son pantalon lui parut intact; il poursuivit son travail. Les coups eurent beau grêler, endommager un peu la surface, l'arbre, à part un grand frisson à chaque attaque, restait opiniâtrement intouchable au coeur de son essence.

Alain dut prendre un peu de répit. Il vérifia sa ligne et pour cela il dut retourner à sa motte, laissant sa hache plantée dans l'aubel du cèdre grâce à un dernier coup impatient. C'est alors qu'il sentit une curieuse chaleur couler sur sa jambe. Il tira un peu sur le pantalon, aperçut des coulisses de sang lui rappelant le coup de hache manqué.

— Maudit de maudit! gémit-il en retraitant vers un sol plus ferme où il s'assit pour examiner sa blessure.

Il retroussa sa jambe de pantalon. L'horreur alors lui sauta au visage qui devint olivâtre. Trois énormes sangsues gonflées de sang grouillaient sur sa jambe là où devait se trouver la plaie.

— Maudit de maudit! pleurnicha-t-il en arrachant rageusement les repoussantes hirudinées suceuses.

Une ouverture noire, sanglante, large, restait à mi-jambe, en travers. Mais ce n'était pas tant la blessure qui l'effrayait que l'action sur lui de ces bestioles dont il avait entendu dire tout le mal. Elles peuvent vous vider un homme de tout son sang; elles injectent une sorte de venin; elles font pourrir la chair: toutes ces idées préconçues virevoltaient, prenaient des dimensions énormes dans son esprit affolé. Une seule pensée ne le quitta plus ensuite: rentrer à la maison. Sa mère saurait bien le guérir comme elle le faisait toujours quand il était malade.

Comme si de boîter eût pu faire savoir aux arbres et aux choses le désarroi qui l'étreignait et aussi bloquer l'hémorragie, c'est ainsi qu'il parcourut le petit sentier jusqu'à la clôture séparant le boisé du champ. La vue du troupeau de vaches le soulagea d'un gros poids. Elles arrivaient à hauteur de la butte et vraisemblablement se dirigeaient sans ordre vers le lieu de la traite. Bêtes familières, maternelles, bienveillantes: comme elles gratifiaient son âme d'une chaude protection!

À peine eut-il franchi la clôture qu'un jeune taureau fonça vers lui, tête baissée, renâclant, toutes cornes dehors prêtes à éperonner l'intrus. Alain n'eut que les secondes requises pour trouver refuge de l'autre côté de la pagée où il se mit à tourner en rond en rechignant. Puis la douleur morale et la peur se transformèrent en rage pure.

— Mon maudit boeuf, j'vas t'assommer à coups de hache! hurla-t-il à l'endroit de la bête hargneuse. Attau! Attau!

Mais il n'avait plus ni sa hachette, ni son rouleau de corde, ni sa ligne à pêcher: rien du tout sauf une fricassée de vers au fond d'une de ses poches.

— Va t-en, va t'en! Attau! Attau! cria-t-il à la bête qui restait là à le menacer sous l'oeil lourdaud et tout à fait absent des vaches occupées à brouter dans leur progression erratique vers les bâtisses, heureuses sous la protection d'un mâle aussi mâle.

Longer la clôture à travers des broussailles écorcheuses et sans pouvoir courir: voilà tout ce qui lui restait à faire. Si au moins il avait pu mettre la main sur des pierres à lancer à ce sale animal! Il pensa arracher une perche de la pagée pour frapper le taureau. Mais l'entreprise lui parut impossible à cause du fil de fer la retenant à l'ensemble.

Tant d'impuissance devant tant de méchanceté gratuite jetait l'âme du petit dans un noir profond. Force lui fut d'entreprendre une marche pénible, parsemée d'obstacles, le long de la clôture, pleurant de dépit, pestant contre ce taureau qui, à l'instar des autres mâles mais à l'insu du garçonnet, défendait farouchement son territoire sexuel.

Tant que dura la marche, l'enfant oublia presque sa blessure. Il aboutit à une autre clôture devant lui, en travers de son chemin et qui donnait sur un champ où paissaient d'autres bêtes. Il les examina entre les jambes d'un oeil inquisif et, pour son plus grand malheur, il y découvrit un autre taureau à grosse poche basse.

— Maudit de maudit! geigna-t-il en franchissant l'obstacle, le sang figé au coeur du coeur.

Pour la première fois de son existence, il prit conscience de l'agressivité du sexe mâle et cela l'irrita au plus haut point malgré qu'il ne fît aucun lien encore entre lui et cette race dominatrice.

Celui-ci semblait plus calme et moins irritable. Ou bien n'avait-il pas encore constaté l'invasion de son domaine? Alain progressa lentement sous les incessantes menaces de l'un sans pourtant s'éloigner de la clôture longitudinale pour ne pas alerter l'autre. Hélas! cela ne devait pas tarder à se produire et, bien qu'en plus sage lenteur que son voisin, le gros chef, brimbalant de son sac flasque, s'approcha en rejetant derrière lui, de temps à autre, une patte avertisseuse.

Le garçon était traqué.

Et seul au monde!

Un désespoir tranquille s'empara de son âme. Il se jeta au pied d'une pagée et attendit sans bouger, la tête cachée dans les bras. Qu'on frappe, il se laisserait faire! Qu'on le tue, qu'importe puisqu'il aurait les yeux clos!

Les deux taureaux se jaugèrent, réévaluèrent la séparation de leurs royaumes respectifs puis s'éloignèrent. Chacun disparut, se perdit dans son domaine herbeux, entouré de ses femelles reconnaissantes et dociles.

*

L'homme somnolait la tête entre les bras comme dans ses souvenirs. Il maudissait celui qui lui avait ravi sa femme, laissant se transformer en lui une douleur rageuse en le plus irréductible des racismes.

"Ces chiens d'immigrés... On ne va prendre qu'une toute petite place, déclarent-ils en arrivant chez nous. On ne vient pas prêcher la révolution. On va vivre discrètement, tranquillement, sans faire de bruit... Cinq ans plus tard, ils sont pleins aux as et vont jusqu'à se permettre de vous voler vos femmes... Et les salauds, ils cachent bien les leurs..."

De semblables idées troublèrent longuement son esprit. Puis il s'en prit aux femmes, excusant du même coup les ravisseurs d'épouses qu'il rapprocha des taureaux de ses souvenirs. L'instinct se trouvait du côté masculin; l'imbécilité du côté féminin.

"Ce sont des vaches, esclaves dociles du plus grand dominateur rencontré. L'histoire le démontre. La femme ne sait pas être libre. Elle ne veut de liberté que par des mots stériles ou des déclarations de principe. Son seul grand besoin viscéral et auquel tous les autres sont sous-jacents est celui de servir un maître, un seul maître dont elles changent au besoin. Elles sont des vaches avec l'instinct du chien. Les Grecs l'ont bien compris, eux qui conduisent leurs bonnes-femmes au doigt et à l'oeil... Pas mal plus intelligents que nous qui leur laissons la bride sur le cou... Pouah! qu'elles aillent au diable toutes!"

Sa pensée revint aux sangsues de son enfance. Il sourit à l'effroi qu'elles lui avaient causé, alors qu'elles lui avaient peut-être sauvé la vie. Il savait maintenant comme elles avaient pu être bénéfiques, désinfectant la plaie, empêchant les microbes d'y pénétrer et suçant ceux qui s'y trouvaient déjà.

Il y en avait à la tonne, des bestioles qui rôdaient par tout son corps. Il disséqua ses malaises, les soupesa, trouva que c'était le mal de tête qui l'embarrassait le plus. De larges lames lui tranchaient le crâne d'avant en arrière, de son front brûlant jusqu'à sa nuque raide.

Le silence oppressant qu'il écoutait en balayant les murs sombres de son regard malade ajoutait à son effondrement physique et mental. Cette maison tout entière lui faisait mal: meubles, tapis, l'air même. C'était là l'une des bonnes raisons qui l'avaient poussé à la mettre en vente.

*

Les yeux fermés, il revit ce moment où dans la petite ville de sa région natale, deux ans plus tôt, il avait planté son écriteau indiquant que la demeure était à vendre.

Le crachin de printemps lui picotant la peau ce jour-là lui avait donné l'illusion que son geste pourrait le laver d'un passé mal mené, tout plein de bavures et de ratures. Mais ce ciel d'alors avait eu beau être fumeux, il regorgeait quand même d'espérance.

Deux années noires avaient passé. Deux printemps difficiles, douloureux. Pas de travail. Pas d'argent. Pas d'amis. Adaptation à un milieu froid, baigné d'indifférence.

À peine quelques semaines et Viviane s'était sentie chez elle. Pas lui. Et pas une seule fois, selon l'analyse qu'il en avait faite, elle ne lui avait tendu la main pour rendre moins pénible son adaptation. Arrange-toi, lui avait-elle laissé voir du haut de sa force nouvelle.

Et dès lors son pouvoir de mari avait commencé à s'effriter sans qu'il ne se rendît trop compte qu'il n'était qu'un parmi des centaines de milliers d'autres au Québec ou ailleurs cherchant à se rafistoler une vie ébranlée par l'émancipation déconcertante de leur compagne.

C'est après cent engueulades, par un jour venteux d'automne où Viviane était rentrée à huit heures du matin, qu'il avait planté dans la pelouse morte devant la maison l'écriteau de mise en vente.

— Où est-ce qu'on s'en va? avait-elle demandé d'une voix lâche après avoir vu l'affiche.

— Toi, tu iras où tu voudras.

Elle avait haussé des épaules parfaitement indifférentes: rejet aussi blessant que celui de l'inoubliable regard de mépris toujours le harcelant lors de ses longues méditations nocturnes et jusque dans ses cauchemars.

*

Il repoussa avec violence les couvertures qui lui recouvraient encore une partie du corps en même temps qu'il émit un souffle profond, stridulant, douleureux. S'il ne pouvait se guérir de la souffrance de l'âme, au moins essaierait-il de combattre l'autre!

Il se rendit à la chambre de bains, s'installa sous la douche, ajusta la pression de l'eau au maximum et, une main accrochée au tuyau d'arrivée, il se laissa frapper en pleine tête par le jet tiède. Qu'il éclate donc, ce crâne dur!

Il se laissa étourdir par un autre déluge de souvenirs qui le reconduisit à un de ces soirs peu après la partie de pêche ratée.

C'est lui qui avait proposé aux copains de jouer à cache-cache aux alentours et dans les bâtisses de chez Luc, son petit compagnon soumis.

L'on se retrouva huit dans la cour des Bélanger à discuter des règles du jeu: Alain et son frère, trois petits Boutin et trois Bélanger dont Jeannine qu'Alain s'était proposé de déculotter si la chance s'en présentait.

Pendant que Clément Boutin débitait le "mi-ni-mi-ni-ma-ni-mo" servant à désigner le chien de garde de la boîte de conserve, Alain observait la timidité de Jeannine emprisonnée dans sa blondeur entre une queue de cheval emmêlée dans un ruban noir et un nez pointu et rubigineux. Quel secret découvrirait-il sous sa robe à fleurs jaunes, décousue en arrière à hauteur de hanche? Cette pensée et la fragilité de la fillette lui firent plisser les paupières.

La petite tenait dans une main une aulne crochue qui lui servirait à renverser la boîte si elle parvenait à courir plus vite que le gardien et si le hasard ne l'avait pas désignée elle-même comme le chien courant auquel cas les projets vicieux d'Alain eussent été bousculés. La tâche ingrate de chercheur incomba à Marcel Bélanger, un petit blondin à grosse tête ronde.

— Dépêchez-vous, je compte jusqu'à cent, cria le garçonnet en mettant sur une boîte de bois la boîte de fer blanc que chacun devrait tâcher d'abattre. Les enfants s'élancèrent dans toutes les directions. Alain laissa tomber son bâton pour donner à Jeannine le temps d'entrer dans la grange à la suite de Claudette, la seule autre fille du jeu.

Il les suivit, courut dans l'allée entre des parcs vides, les aperçut ensemble au fond de l'un d'eux.

— Pas là, dit-il. Marcel va vous trouver tout de suite. Montons sur le fenil.

— Jeannine, elle est pas capable de grimper dans l'échelle, objecta Claudette.

— Je vas monter le premier et ensuite lui donner la main. Toi, tu pousseras sur elle.

35

Aussitôt fait. Mais Claudette n'avait pas terminé son ascension qu'une voix hurla au pied de l'échelle:

— Claudette Boutin, turlututu! je t'ai vue; un, deux, trois, je cours te tuer...

Alain était aux anges. Claudette ne pourrait jamais courir assez vite et devancer Marcel pour taguer son but. L'occasion se présentait dix fois plus vite que prévu.

Un tourbillon pervers naquit au creux de sa poitrine, s'atomisa jusqu'à ses jambes. Dans tout le fenil, la clarté manquait car seulement deux étroits puits de lumière y déversaient au compte-gouttes quelques rayons poussiéreux.

Alain tenait fermement la main de la fillette qui ne cessait de regarder peureusement vers le trou de la trappe, guettant en vain l'arrivée de sa compagne.

— Je ferme la trappe; ensuite on va aller se cacher dans le foin. Et jamais Marcel va réussir à nous trouver, dit le garçon sur un ton de complicité espiègle.

Jeannine le regarda de ses petits yeux inquiets. Il donna un coup de talon à la trappe qui s'abattit dans un nuage de brindilles et de balle odorante. Puis il indiqua le mulon de foin qui montait jusqu'à la cloison en disant:

— Viens, on va aller se faire un trou.

Ils coururent gauchement jusqu'en haut. Alain tira quelques brassées de foin jusqu'à obtenir un creux qui les cacherait. Ils plongèrent, s'ajustèrent dans un confort relatif puis le garçonnet ramena du foin pour les bien camoufler.

Il y faisait chaud et noir.

— Y'a pas un chat qui va nous trouver... Et on va gagner la partie, dit-il à voix basse.

Longuement ils interrogèrent le silence entrecoupé de cris lointains. Alain pensa qu'il ne pourrait rien voir de la fillette dans une aussi profonde obscurité car c'est à peine s'il lui entrevoyait le visage. Qu'à cela ne tienne, il verrait avec ses mains!

Il lui toucha la tête, les cheveux, flatta sa queue de cheval puis son dos jusqu'aux reins par des mouvements irréguliers d'une main droite émoustillée.

— Moi, j'ai envie de pisser, déclara-t-il soudain après avoir pensé qu'il pourrait s'agir de la bonne voie pour l'amener à baisser ses culottes. Car il savait bien que les filles ne pouvaient faire pipi comme les garçons et qu'en fait, tout le mystère, c'était ça justement.

L'urine chuinta dans le foin sec.

— T'as envie, toi? demanda-t-il en se secouant si vigoureusement que des gouttelettes lui tombèrent sur les bras.

Il perçut qu'elle bougeait, donnait l'air de s'accroupir. Tâtonnant, il lui prit un bras et la fit se relever.

— Attends, je vais t'aider.

Il se mit à genoux, passa ses mains sous la robe, explora. À son tour Jeannine approcha sa main pour écarter sa jambe de culotte. Au moment même où elle allait commencer son pipi par l'ouverture ainsi créée, le garçon fit courir ses doigts sur le sexe nu. Quelle affaire bizarre! Rien, mais rien du tout! Il eut beau chercher vers le ventre, vers les fesses: rien de rien.

L'exploration décupla l'envie de la fillette qui relâcha ses muscles. Alain sentit alors ses doigts éclaboussés du chaud liquide et il les retira vivement.

Et voilà! Il savait maintenant. Sans savoir vraiment. Il avait vu sans rien voir. Il y avait là bien présente une grande absence. Comme Adam au paradis terrestre, il se sentit alors envahi par un immense sentiment de culpabilité. Il avait découvert une chose cachée, interdite, mauvaise. Il avait commis un gros péché. Il fallait se mettre à l'abri pour ne pas mourir de honte.

— Dis jamais ça à personne, toi, là, hein? Parce que pisser dans le foin, ça le fait pourrir. Ça fait que... pas un mot. On se ferait punir tous les deux.

Soulagée du ventre mais accablée du coeur, la petite dit, boudeuse, comme demandant une permission d'avance refusée:

— J'veux m'en aller.

— O.K. on s'en va. Mais ferme ta boîte... Dis pas que t'as pissé dans le foin.

Ils arrivèrent au bas de la meule. La trappe s'ouvrit brusquement et livra passage à une grosse boule chevelue.

— Alain Martel, je t'ai vu... Jeannine itou...

Et le gardien de la boîte de conserve disparut.

Saisi par le goût du jeu et le désir de gagner, Alain calcula qu'il pouvait devancer le chercheur en courant à l'autre bout du fenil et en sautant par un carreau ouvert. Il s'élança aussitôt, laissant derrière lui son bâton et la petite. À croupetons, il évalua d'un coup d'oeil la hauteur le séparant du sol, se rappela avoir déjà sauté de plus haut et se laissa tomber.

Au même moment, l'autre arrivait sous lui. Les pieds d'Alain touchèrent les épaules du coureur, ce qui fit basculer tout son corps vers l'horizontale. Il s'écrasa sur le côté sur le sol dur, un bras lui enfonçant les côtes et le coude lui piquant le ventre.

Il se releva aussi vite qu'il était tombé et, cassé en deux, le visage crispé, désespéré, il courut jusqu'au milieu de la cour. Plus la moindre goutte d'air ne lui parvenait. Son système respiratoire était aussi bloqué qu'avant le jour de sa naissance. Il tournait, tournait sous les regards amusés, voulait se plaindre, gémir, crier au secours: rien, inexorablement rien, aussi rien que dans les culottes de Jeannine.

Et il continua de tourner, sans jamais s'arrêter, le visage figé dans une grimace atroce et grotesque.

"Je vais mourir," se dit-il en même temps qu'une peur impensable se ruait sur son âme. Une peur venue des viscères. Pas une seconde il ne songea à regretter les attouchements qu'il venait de faire à Jeannine. Pas un seul instant il n'attribua cet accident à quelque punition du Seigneur. Et il ne pensa aucunement à prier pour que Dieu lui vienne en aide. Rien n'avait la moindre importance à part l'oxygène.

Un soupçon finit par l'atteindre quelque part au milieu du ventre, se fraya un chemin bien étroit et fort court sous forme de plainte qui lui ressurgit par la bouche. Un deuxième gémissement, juste un peu plus long, suivit. Puis d'autres.

— Ça marche, Alain! demanda Marcel qui commençait à s'inquiéter sérieusement.

Le blessé aphone souffla un "heu" finissant péniblement en oui.

Tous les enfants riaient encore jaune bien que soulagés de

voir leur ami prendre du mieux car ils avaient pu lire le mal indicible sur le visage et dans les gestes du blessé.

La vie reprit son cours normal quand on entendit d'autres gémissements, ceux de la fillette prisonnière du fenil.

*

L'homme se frotta vigoureusement le cuir chevelu que le jet d'eau ne massait pas assez fort à son goût. La porte de la salle de bains s'ouvrit. Il sut par les ombres qu'on venait de s'asseoir sur les toilettes. Il se mit à hocher la tête d'impuissance et de déception. Passer des jours, des semaines, des mois près de quelqu'un et ne plus savoir que s'enguirlander. Crier. Pleurer. Comment donc deux êtres humains pouvaient-ils en arriver à ça? Seuls des êtres humains pouvaient en arriver à ça.

Il eut comme le désir d'une effusion de tendresse. Il lui vint à l'esprit l'idée folle de lui dire bonjour, de secouer une main au-dessus du rideau pour l'éclabousser joyeusement comme dans le temps, au début de leur mariage au-delà de ces quinze années tourmentées. Mais...

Il haussa les épaules, se tourna vers le mur, y appuya son bras et mit son front sur son avant-bras. L'eau lui frappait les épaules. Des gouttes sautaient par-dessus le rideau. Une voix dure, éraillée se fit entendre:

— Mets donc moins de pression; ça mouille partout.

Il se contenta d'avancer le torse.

Alors il laissa flotter sa rêverie vers une époque plus heureuse de leur vie de couple.

*

— Va répondre au téléphone; moi, je donne le bain de la petite, lui cria Viviane après avoir frappé deux fois à la porte du salon.

Allongé sur le divan à l'écoute des nouvelles télévisées, Alain n'avait pas entendu la sonnerie retentir dans la cuisine. Il s'enfermait après le souper devant le téléviseur pour ne pas entendre les bruits de chaudrons et laisser Viviane vaquer à ses occupations de femme: vaisselle, bain du bébé et autres travaux qu'il ne soupçonnait même pas.

— Réponds donc, toi! fit-il impatient.

— J'peux pas, la petite est dans l'eau.

— Maudit, faut que je fasse tout ici, maugréa-t-il en se levant brusquement.

Il s'approcha du vieil appareil mural à long bec avec cornet-récepteur accroché sur le côté, posé par la petite compagnie locale en attendant des boîtes plus modernes. Malgré les pressions de Viviane, il n'avait pas osé insister auprès des responsables pour qu'on installe enfin une boîte à cadran chez eux. "Appelle-les toi-même," disait-il pour se débarrasser.

Une voix mielleuse, étudiée, ferme, l'identifia après qu'il eut décroché:

— Alain, salut! C'est J. André Rodrigue, ton assureur favori. Ça va bien?

Aussitôt sur la défensive, Alain se fit sec:

— Pas pire!

— Rien que pas pire?

— Ça pourrait être mieux; ça pourrait être pire.

— Moi, je sais ce qu'il te faut pour que ça marche toujours comme sur des roulettes.

— Ah oui? fit Alain, sceptique.

— La sécurité financière.

— C'est sûr qu'avec plus d'argent, ça irait peut-être un petit peu mieux.

— Ça, mon cher ami, c'est pareil pour tout le monde. Pour les autres, pour toi, pour moi.

— Je te dis que le salaire...

— Tut, tut, tut, grand gâté! T'es dans les mieux payés, tu le sais.

— Voyons donc!

— Tu fais un bon cent clair par semaine, non? T'appelles ça embarras d'argent?

— Minute! Es-tu fou? Me reste pas une vieille cenne de plus que quatre-vingt-cinq piastres et quarante-deux.

— Aujourd'hui en 1964, y'a personne qui fait mieux à part les docteurs et les avocats.

40

— Le plus petit commerce vaut le meilleur salaire: c'est bien connu, non?

— Plus maintenant, plus maintenant. Ça fait faillite de tous les côtés. T'as vu Jos Blais la semaine passée: banqueroute de vingt mille. Ruiné. Le cul sur la paille. Obligé de recommencer à zéro. À moins que zéro...

— Il l'a fait exprès: il buvait comme un trou.

— En dernier il buvait parce que ses affaires allaient mal... Tandis qu'un professeur comme toi, c'est toujours sûr des lendemains.

— Tu te contredis: tu viens de dire que j'avais besoin de sécurité financière.

— C'est que tu peux tomber malade demain matin... Une malchance, un accident... Écoute, c'est pas au téléphone qu'on peut discuter de tout ça. As-tu un petit quart d'heure? Qu'est-ce que tu fais à soir?

— Sais pas!

— Écoute, je suis en bas au restaurant. Viens donc souper avec moi...

— J'ai soupé.

— Ah! je le savais que je t'invitais trop tard! Tiens, viens au moins prendre un café.

— Sais pas trop.

— J'espère que t'es pas obligé de faire la vaisselle au moins, fit la voix en s'esclaffant.

— Pour qui tu me prends?

— On sait jamais... Bon... viens donc, on va piquer une jasette. J'aime bien ça parler avec toi. T'as des opinions qui se tiennent. Ça paraît que t'as de l'instruction!

Flatté, Alain commençait à fléchir. Mais il eut un dernier soubresaut de résistance:

— Y'a ma femme...

— Quinze minutes. Elle s'en apercevra même pas. Descends, je t'attends dans la salle à dîner.

— Ouais...

Le déclic se fit entendre. Alain raccrocha à son tour, gonfla la poitrine, se promit fermement qu'on ne lui vendrait pas un sou d'assurance ce soir-là. Il irait prendre un café, trouverait une bonne excuse et remonterait chez lui.

Il se rendit à la chambre de bains. Viviane était agenouillée, le derrière appuyé aux talons. Elle avait mis son cendrier sur le comptoir du lavabo et surveillait le bébé qui pataugeait dans l'eau en gazouillant.

— Ta cigarette brûle toute seule, fit-il remarquer.

— J'ai les mains mouillées, dit-elle sans se retourner.

— Au prix que ça coûte, tu devrais au moins les fumer.

— Oui, dit-elle en s'empressant d'essuyer ses doigts pour prendre la cigarette. Elle en aspira une longue bouffée, histoire de le contenter.

Le bébé leva la tête, regarda son père, esquissa un sourire, Alain dit:

— Allo la petite fille à son papa! On a ses petites fesses dans l'eau?

Elle battit des mains comme pour montrer qu'elle avait compris. Alain s'étonna. Il se rappela comme la naissance de la fillette l'avait fait paniquer. Quelle chaîne il avait senti s'appesantir sur son souffle déjà comprimé par le mariage le soir où il l'avait aperçue, cette intruse, dans ses boursouflures de petite vieille. Mais, avec la complicité de sa mère, elle avait bien fini par l'avoir, par l'apprivoiser, ce père sauvage. Peu à peu, pouce à pouce, Viviane avait attiré son attention sur la petite puis elle l'avait mise dans ses bras avec un bon prétexte; puis d'autres fois encore, prenant soin de ne le faire qu'aux moments où le bébé était à son mieux, qu'il sentait le propre et portait de beaux atours.

Et un jour, quelques semaines plus tôt, ç'avait été la séduction totale quand le bébé lui avait souri en marmonnant papa.

— Je vais rencontrer J.A. Rodrigue au restaurant.

— Reviens pas tard, dit-elle, contrariée. Faut que tu passes la balayeuse; y'a de la poussière partout à cause de ton sciage.

— Y'a peut-être de la poussière mais j'ai gagné vingt piastres à le faire moi-même, le meuble.

Elle ne fit pas de commentaire, remit la cigarette dans le cendrier et commença à frotter la grosse tête chauve du bébé avec une débarbouillette savonneuse.

— Tiens, je vais la finir, dit Alain en prenant la cigarette et tournant les talons.

— Pour la balayeuse, attends pas à demain, hein? C'est sale partout.

Elle s'inquiétait plus d'être laissée seule que de la poussière. Il jouait aux cartes avec ses amis tous les vendredis et samedis; s'il fallait qu'il commence à sortir aussi les soirs de la semaine!

Le quinze novembre faisait sentir sa froidure charriée par un vent agressif et sans discipline. Alain dut pousser fort pour ouvrir la seconde porte donnant sur l'extérieur car l'air musclé l'avait plaquée dans son cadre. Mais dès qu'il y parvint, il dut la retenir, le vent contrarié cherchant à la rejeter dans l'autre sens. Il la remit à sa place non sans efforts tandis qu'un vague sentiment de désolation pour Viviane traversait son esprit. Pouvait-elle se sentir enchaînée elle aussi? Mal d'être emprisonnée là-haut dans cet étroit logis, sept jours sur sept, à faire cuire, à faire net, à faire l'amour entre deux soleils, quatre murs et une douzaine d'appareils électriques, rattachée à l'air libre par le seul fil du téléphone à la boîte antique.

Mais à peine fut-elle conçue, cette idée, qu'elle s'envola avec un coup de bise venu de la direction de l'église installée comme un sphynx dans son assurance tranquille de l'autre côté de la rue.

Il pensa que si quelqu'un savait bien à quoi s'attendre avant de courir au pied de l'autel, c'était bien Viviane qui le connaissait son métier de femme pour l'avoir exercé depuis son adolescence. Et puis elle n'avait plus maintenant qu'à se laisser vivre puisque c'est lui qui devait porter les lourdes responsabilités de gagner la vie et conduire le foyer.

Il descendit le long escalier chambranlant accroché au mur de la bâtisse. À la dernière marche, il se rappela que c'est là qu'il avait relevé Viviane alors qu'elle avait chuté sur de la glace et dévalé plusieurs marches vers la fin de l'hiver précédent, trois mois avant l'arrivée du bébé. Curieux que ce jour-là il ait pensé un moment qu'elle avait pu, sans le savoir, chercher à provoquer un avortement accidentel que personne, pas même elle, n'aurait jamais pu lui reprocher. Mais elle avait tenu le coup, leur petite, s'agrippant solidement aux rampes de la matrice...

Et puis non, quelle idée folle! Croire qu'une femme puisse prendre de tels risques pour se libérer d'une maternité qu'elle ne veut pas assumer.

Il regarda le vieux couvent, là où il enseignait. Le second étage était ceinturé d'une luminosité tombant jusque dans la cour où elle s'évanouissait dans l'obscurité d'une nuit encore jeune. Quelqu'un certainement y travaillait. Sans doute la directrice. Une religieuse qui se donnait corps et âme à son boulot. Mais elle sortait trop souvent des sentiers battus et on jasait dans le village. Elle en chouchoutait trop certains au goût de ceux qui n'étaient pas ses préférés.

Alain frissonna, remonta le col de son veston sous des cheveux embroussaillés. Poussé par deux, trois bonnes claques du vent, il s'engouffra dans le restaurant où l'accueillit l'odeur sucrée d'une sauce à spaghetti. La meilleure au Québec soutenait fièrement le restaurateur doctement approuvé par le député fédéral.

L'estomac occupé à digérer un pâté chinois, Alain n'avait pas faim. Il eût aimé offrir un de ces gueuletons à Viviane un bon soir mais il n'en avait pas les moyens. Jusqu'à la commande d'épicerie qu'il fallait reviser à la baisse car Viviane exagérait toujours et le salaire ne permettait pas ses fantaisies.

La section avant était déserte. Il la traversa, emprunta le couloir de la salle à dîner, bandant ses muscles pour étoffer sa détermination de ne pas céder aux pressions du vendeur. Il n'avait pas fini d'ordonner ses pensées qu'il débouchait à l'autre extrémité.

— Salut Alain! s'écria son hôte installé à la première table près du couloir. Maudit que ça me fait plaisir de te voir! déclama-t-il en se levant pour accueillir son visiteur.

— Tire-toi une bûche, on va se conter des menteries, poursuivit-il en désignant la chaise en face de lui. Comme tu peux voir, j'ai commencé à manger; ça t'offense pas?

— Non, non, dit Alain en s'asseyant.

J. André avait une bonne tête ronde, d'un blond igné avec une moustache à bouts pointus, fendue en pointe comme un coeur par le milieu et qu'il faisait frétiller chaque fois qu'il partait à l'offensive d'un portefeuille. En parlant, il donnait à sa voix de fréquentes inflexions qu'il appuyait du geste.

— J'allais dire qu'on va se parler dans le brun des yeux, mais comme les miens sont bleus, on va se parler dans le blanc des yeux.

Et il émit un petit rire complice tandis que s'approchait la serveuse, une jeune femme mince enrobée de blanc comme une infirmière et dont le nez gamin pointait haut.

— On peut te servir quelque chose, Alain? fit-elle, sachant d'avance la réponse.

— Faut pas te gêner, c'est moi qui paye, dit le blondin personnage qui entortillait une énorme boule de spaghettis sur sa fourchette.

— Un café pas plus.

— Cécile... ta sauce... la meilleure au monde, assura l'assureur, la bouche pleine.

Elle ne retint pas un rire coquin. Le compliment se faisait aussi vieux que sa recette mais tout aussi agréable.

— C'est à cause de la viande, dit-elle en battant des cils.

— Mais faut que tu saches quoi faire avec la viande. Non, c'est un je-ne-sais-quoi qu'elle a.

Alain regardait tour à tour la serveuse-patronne et son cousin-vendeur s'échangeant d'autres banalités sur la recette. Il en profita pour retravailler sa détermination. Ce n'est pas un café et un beau discours qui l'ébrécheraient. Il ne lui devait rien à ce drôle.

— Et toi, comment ça va, Alain? demanda l'assureur en ramenant le focus sur son client.

— Comme je te l'ai dit: pas pire.

Ce n'était pas d'assurance-vie dont le jeune homme avait le plus besoin mais d'assurance-incendie. Faute de moyens, il n'en possédait pas encore sur ses meubles. Elle coûtait trop. Prime annuelle d'au moins cent dollars. Trop de monde dans cette bâtisse. Ce restaurant, un atelier de plomberie, trois familles. Il mettait deux dollars par semaine de côté pour ça. Après tout, la bâtisse avait presque l'âge de l'église et tenait donc debout depuis soixante ans; elle ne brûlerait pas le jour suivant.

Il tint bon devant tous les assauts du cousin. Pas un sou supplémentaire pour de l'assurance-vie. Peut-être quand son enveloppe d'assurance-incendie serait complète, aux environs d'avril prochain?

— Mon ami, c'est primordial, essentiel même d'avoir au moins cinq mille sur ta vie maintenant que t'es père de famille, conclut le vendeur en clignant de son oeil de rapace caché derrière une fourchette menaçante.

— D'accord, mais...

— Un accident demain, hein? Une mort subite. T'es en santé, c'est évident. Mais... on sait jamais, on sait jamais. T'as vu Victor Poulin: une branche sur la tête et, casque de sécurité tant que tu voudras, il est monté vers le Seigneur.

— Moi, je travaille de l'autre côté de la rue et en plus, avec un crayon.

— Sais-tu de combien de manières un professeur ordinaire comme toi pourrait se faire tuer dans sa journée d'ouvrage? On a des rapports d'enquête sur tout ça, nous autres.

— C'est sûr que je pourrais dégringoler un escalier et me casser la colonne.

— Ça en fait une, tu vois! Dans l'enquête, ils en parlent même pas de celle-là. Mais y'en a d'autres; réfléchis, tu vas en trouver, je te le dis...

— Bah!... En traversant la rue... Mais faudrait que je sois pas mal épais.

— C'est pas épais de se faire écraser sur un chemin où il passe chaque jour des dizaines de camions pleins de bois.

Se sentant bien engagé sur une voie gagnante, l'assureur insista:

— Dis-moi une autre manière pour un professeur ordinaire de se casser la gueule, dis...

— Accident d'automobile comme pour tout le monde.

— Certain, fit l'autre en se rejetant le corps vers l'arrière pour mieux revenir en avant et s'accroupir sur la table, la tête seule visible, inquisitrice.

— Cherche, cherche...

— Un gros glaçon tombé du toit...

— Et encore.

— La chaudière qui saute.

— Tu vois, tu vois? Ça fait combien de possibilités qu'on vient de passer en revue, hein? Deux? Quatre? Dix? Et c'est pas fini...

— Dans la cour en jouant avec les élèves... La tête sur une roche ou à travers une vitre.

— Ça aussi, ça s'est vu. Comme tu peux voir, le métier de professeur est peut-être plus dangereux que bien d'autres.

— Y'a aussi quand on reçoit notre paye... On risque un infarctus chaque fois.

— Ah non, tu vas pas recommencer tes jérémiades!

S'engagea la discussion à la mode aux fins de déterminer qui du cultivateur, du commerçant, de l'enseignant ou du journalier devait obtenir le plus pour son travail, toutes dépenses payées. Elle fit place à une série de blagues grivoises. Puis, sur un ton à la bienveillance exagérée, J. André dit:

— Si tu veux un autre café, faut pas te gêner, hein! C'est moi qui te l'offre...

Mais Alain se sentit obligé de refuser puisqu'il n'avait rien acheté.

Plus tard, en dodelinant le bébé pour l'endormir, il réfléchit aux paroles inquiétantes du vendeur. À tout prendre il devrait se procurer plus d'assurance-vie quitte à puiser un peu dans sa provision pour l'assurance-incendie.

Sept jours s'écoulèrent.

Au coeur d'une nuit glaciale, quelque part au sous-sol de la bâtisse, un fil électrique surchauffa et le feu éclata. En fait, il se fit tout d'abord plutôt discret, courant en traître dans les murs et planchers avant d'avertir par une fumée qui mit tout le temps à s'épaissir.

Au matin, le feu embrasait toute la bâtisse. Pour les protéger, il fallut arroser abondamment les constructions avoisinantes et particulièrement l'église.

Après avoir conduit les siens chez des parents, Alain avait voulu sauver quelques meubles. Peine perdue: il n'avait réussi qu'à se faire mouiller par des jets d'eau.

Le jour suivant, il tomba malade. Moins de la grippe que de la honte d'avoir dû avouer qu'il n'avait pas d'assurance-incendie pour couvrir ses biens.

On fit une quête dans la paroisse. Il reçut trois cents dollars et des couvertures de laine.

*

— Non, mais de ce qu'il fallait être tarte pour agir comme je l'ai fait! marmonna-t-il tout haut en se retournant pour exposer sa poitrine au jet d'eau.

Il était seul à nouveau dans la pièce remplie de vapeur. Emporté par les souvenirs, il n'avait pas entendu sa femme repartir. Autant en emporte le vent! Ils n'avaient rien à se dire.

Puis les embarras d'argent lui vinrent en tête. Il eut un sourire d'impuissance désabusée à l'idée qu'après l'incendie, en 1964, il était reparti à zéro tandis que maintenant, quinze ans plus tard, il était cousu de dettes.

— Plus on avance, plus on recule! dit-il en comptabilisant la sinistre farce de ses progrès financiers.

Où donc était-il passé son grand rêve du million, son rêve américain qu'il n'avait même plus les moyens de nourrir avec des billets de loterie? L'argent libérateur l'avait trahi. Il en était réduit à ce que sa femme voulait bien mettre au réfrigérateur. Elle ne lui laissait même plus faire l'épicerie.

Ce n'était pas de dépendre d'une autre personne qui le brisait dans toutes ses composantes mais le fait que l'autre, le maître, était une femme. Cette déroute honteuse ne pouvait s'exprimer que par une profonde introversion.

La pose de l'écriteau devant la maison avait constitué en bonne partie un coup de bluff, un coup de pied au fond de l'eau pour refaire surface. Mais ça n'avait pas marché. Et il ne pouvait pas l'enlever sans se sentir chuter jusque dans les bas-fonds du ridicule.

Et pourtant il avait trouvé un prétexte la semaine d'avant, disant que les agents d'immeuble lui collaient aux fesses comme des sangsues, que l'hiver était un mauvais temps pour bien vendre, qu'aux premières lueurs du printemps, il planterait à nouveau l'affiche.

Il avait parlé dans le vide ce jour-là. Pas de réponse de Viviane. Pas un mot, ni un geste, ni même un regard ou un soupir. Ce mutisme l'irritait au plus haut point et elle savait l'utiliser au bon moment comme artillerie lourde de leurs batailles verbales.

Il coupa l'arrivée de l'eau, entreprit de s'essuyer. En asséchant sa taille, il esquissa un sourire. Ce ventre plat n'était-il pas une de ses rares victoires de l'année? Trente livres disparues, fondues à force de volonté. Elle ne pouvait plus ni critiquer sa ligne ni se plaindre de ce qu'il coûtait en nourriture.

Mais il avait payé pour ses privations exagérées. Au Jour de l'An, il avait eu une première crise d'un mal étrange. Une douleur aiguë, immense au creux de l'estomac, sorte de ballonnement irrémissible. Six heures d'affilée de douleurs insupportables d'une poitrine cherchant à éclater. Ça se rapprochait du mal d'après sa chute sur les épaules de Marcel au temps de ses jeux d'enfant. Et ensuite, une crise hebdomadaire. Une frite ou deux et une heure plus tard, des gouttelettes de souffrance se mettaient à suinter par tous les pores de sa peau. Il lui fallait marcher, courir, se coucher pour se relever aussitôt, s'allonger sur le dos pour se ramasser de suite en foetus: rien n'y changeait rien.

"Le foie... Des pierres," disaient certains.

"T'as déjà passé un électrocardiogramme?"

"Du gravois dans la vésicule, c'est pire qu'une pierre grosse comme ça dans le foie."

"Moi, les ulcères, ça me connaît et c'est pareil."

"Les nerfs, les nerfs... C'est psychologique," conclut son médecin de famille.

Examens, radiographies, électro: néant. Ni problème de foie, de vésicule, de coeur, d'estomac...

"Ça y est, je suis en train de devenir complètement déboussolé,'' se dit Alain à l'annonce des résultats transmis par le médecin de son ton le plus laconique.

Pour ajouter un peu de sel sur la plaie, Viviane avait déclaré un matin après qu'il lui eut confié les propos du médecin:

— Je te l'ai dit que ça ne tournait pas rond là-dedans.

Et elle s'était montré la tête pour, en fait, désigner celle de son mari dans une sorte d'antiphrase gestuelle.

Cela avait marqué le point de départ d'une autre dispute qui s'était arrêtée net quand elle s'était barricadée dans la salle de bains. Pour qu'elle ouvre, il avait menacé d'aller pisser dehors au vu des voisines. Peine perdue: la porte était restée close. Alors l'envie physique autant que l'orgueil l'avaient forcé d'accomplir son dessein sous des regards furtifs et embarrassés.

*

Il finit de s'assécher, torchonna le bain, retourna se coucher. Ses jambes flageolaient bien encore mais son corps se faisait moins douloureux qu'au réveil. Il avait le goût de relaxer mais pas celui de dormir. Et il ferma les yeux.

*

Il fit alors une longue rétrospective des événements de l'année 1978 qui prendrait fin dans moins de deux mois.

C'est en janvier qu'il avait pris conscience du fait que son vieux rêve de partir pour la Californie ne se réaliserait pas. Il y avait trop de conditions difficiles voire impossibles à remplir. Il lui eût fallu une compétence particulière, très spécifique. Quel besoin là-bas d'un ex-enseignant ne sachant rien faire d'autre que d'enseigner? D'autres renseignements lui avaient appris qu'un investissement de cinquante mille dollars dans un petit commerce là-bas lui donnerait le droit de s'y établir.

Il en avait pleuré de dépit au lendemain d'une tempête qui avait enterré son entrée de garage sous une montagne de neige dure.

''Pelleter sa misère, ses rêves, sa vie, son temps, ses forces, ses idées...'' Il maugréait intérieurement quelque notion chaque fois qu'il soulevait sa pelle chargée, ce qui lui donnait plus de nerf pour en projeter le contenu aussi loin que l'eût fait un chasse-neige.

À son insu s'approcha son voisin haïtien venu l'aider. Alain sursauta donc quand l'autre, la tête enveloppée d'un casque aviateur comme lui-même en avait longtemps porté dans son enfance, chantonna joyeusement:

— J'ai décidé de veni' vous donner un coup de main... A vwai di' un coup de pelle.

Alain eut tout d'abord un mouvement de réticence. Cette irruption n'était pas la bienvenue. Il chercha à se retrancher en protestant:

— C'est pas la peine: j'ai toute la journée pour déblayer.

Il se sentait coupable de n'avoir, lui, jamais offert son aide à ce bruyant voisin qui, à tout moment, quand il travaillait autour de la maison, débitait des airs populaires d'une voix tonitruante. L'homme avait une ribambelle d'enfants qui, chaque matin de semaine, alignaient leur joyeuse litanie à l'arrêt tout proche de l'autobus scolaire.

"Comment peut-il, seul de sa race dans le voisinage, emprisonné dans de 'certaines' contraintes familiales, plongé dans notre froidure avec sa peau d'été, trouver moyen de faire des vocalises à tout propos?'' se demandait Alain, sombre d'assister aux joyeusetés de l'homme noir.

Mais l'occasion était bonne de pouvoir se vider le coeur sur ce maudit pays de glace qu'il faudrait séparer du Canada non pas à la manière péquiste mais pour le remorquer jusque dans la mer des Antilles ou mieux jusqu'au large de la côte californienne. Cet Haïtien ne manquerait pas de l'approuver.

— J'ai toute ma jou'née aussi, fit l'arrivant, en clignant de ses yeux rouges de son métier de soudeur.

— Comme vous voulez!

— C'est la plus gwosse tempête depuis que je suis awivé au Canada.

— Ce qui veut dire combien d'années?

— Cinq ans bientôt.

— Vous aimez, ici? demanda Alain en s'appuyant sur sa pelle pour regarder l'autre qui avait déjà commencé à travailler.

"Ils sont paresseux comme des ânes; c'est juste pour me prouver le contraire qu'il est venu," songea le Blanc.

"Ce pauv' homme, il a l'ai' si malheuweux sans emploi," pensa le Noir.

"Comment ça se fait qu'il a du travail, lui, et moi pas?" rumina le Blanc.

"Pa' chance que sa femme gagne le pain quotidien!" se consola le Noir.

Et il répondit à la question posée:

— Mais c'est le plus beau pays du monde! C'est vwai que c'est le seul que j'ai vu... A pa' le mien, bien su'.

Chatouillé de ne pouvoir obtenir de suite sa complicité, Alain insista avec autorité:

— Hier, aujourd'hui, tout l'hiver de novembre à mai, c'est un pays... de merde. De la grosse crotte dure, poudrée, voyez ça... Quand c'est pas de la morveuse ou de la sale.

L'Haïtien se fit suppliant:

— Monsieur Ma'tel, la neige, mais c'est la plus belle chose de vot' pays peut-êt'.

Et l'homme en rejeta une grosse pelletée bien découpée, tranchée net, ciselée comme il eût aimé la modeler avec sa torche à acétylène.

"Pou'quoi il se lamente comme ça?" se désola le Noir.

"Il a mangé assez de vraie merde par chez lui qu'il est bien content de venir manger de la neige par ici!" se dit le Blanc.

— Sans vouloir vous offenser, moi, je voudrais avoir vu le jour dans un pays de soleil. Et je pense même que je ne serais jamais venu par ici...

— M'offenser?... Moi?...

Et le Noir s'esclaffa en poursuivant sa tâche, méthodiquement, fidèlement.

— Je dois quasiment la vie à vot' pays; comment pouwais-je le mépwiser?

— Les gens et l'argent, c'est pas pareil... L'argent et la neige, c'est pas pareil non plus.

L'Haïtien ne sachant plus sur quel pied danser, incapable de critiquer sa patrie d'adoption et pourtant soucieux de ne pas froisser ce sombre voisin, se réfugia derrière un long palabre nébuleux qui finit par n'avoir aucun lien avec le sujet initial.

"Ça possède l'intelligence d'un enfant de huit ans," réfléchit le Blanc.

"Le pauv' monsieur, son bonheu' est en voie de développement," déplora le Noir.

"Pas me retenir, je lui casserais ma pelle sur le dos!" ragea le Blanc.

"Je vais twavailler plus vite et il sewa content," décida le Noir.

"Si c'est pas drôle de voir travailler ça comme un n... comme une femme... une femme de ménage..." ricana le Blanc dans son sac à malice grand ouvert.

— J'ai remarqué que vous êtes un homme courageux: grosse et belle famille.

— C'est enco' la mode chez les Haïtiens.

— Comme ici dans le temps.

— Vous savez, nous ne sommes pas twès évolués...

— Ce n'est pas ce que j'ai voulu dire... Ils ont l'air heureux, vos enfants.

"Insouciants et inconscients comme le père," se disait intérieurement le Blanc.

— Oh, comme tous les enfants, ils aiment jouer.

"Ça wime à 'ien de toujou' bwailler!" conçut le Noir avec une détermination qu'il imprima aux mouvements de sa pelle tandis que son voisin continuait de se reposer en observant durement cet importun au bonheur provocant.

— Parfois je vous entends chanter l'été; vous auriez dû faire carrière.

"Carrière dans une mare à grenouilles... Non, une crapaudière, c'est plus noir," jugea le Blanc.

— Cwoyez-vous? se surprit l'autre.

"Il veut se moquer de moi, mais ça fait wien... Apwès tout, si ça peut le soulager de se payer ma tête, moi, je veux bien..."

Alain donna un coup de pelle, ne charriant que des grenailles. Et il retrouva sa position relâchée avec en plus, un pied appuyé sur le métal de l'outil.

Alors il plongea dans une opinion qui, une bonne fois pour toutes, traquerait l'étranger:

— En tout cas, qu'on me donne l'argent nécessaire et je vais débarrasser le coin pour le reste de la mienne, ma carrière. Je m'en irais en Californie pour n'en jamais revenir.

— Chacun l'a en soi-même, sa Californie, échappa l'Haïtien. Mais il se rattrapa:

— Moi, j'ai twouvé la mienne et c'est ce pays de blanc... je veux di' de blancheu'.

"Né pour un petit pain!" songea le Blanc.

"Mon pauv' gars, tu n'as pas fini de pleuwer," s'attrista le Noir dans un mouvement plus lent que les précédents. Puis il dit naïvement pour remplir un vide dans la conversation:

— À p'opos de cawiè', c'est quoi au juste vot' métier? Vous twavaillez à la maison?

Alain se sentit tranché dans le vif comme par un coup de pelle en pleine âme. Le bec soudé, il se retira dans son cagibi d'amertume.

*

Jusque là, février avait été fécond en verglas dont la sèche, cassante et froide harmonie s'était installée en l'âme d'Alain en même temps, d'autre part et pourtant, qu'un projet qui lui paraissait grandiose.

Tout d'abord, il avait eu avec sa femme une autre discussion mal engrenée et qui avait tourné au vinaigre. La dispute avait pris fin au-dessus d'une table d'après repas où vaisselle et ustensiles voisinaient dans un désordre à l'image des propos échangés. Elle avait les yeux sombres, le teint blafard d'une autre nuit pour lui douteuse. À minuit, elle n'était plus sur les lieux de son travail: il avait vérifié. Elle n'était revenue à la maison que passé quatre heures.

La pénible attente, une somnolence à peine engagée qu'un soubresaut inquiet la brisait, le doute, ce terrible virus de l'émotivité, et la tristesse coléreuse avaient servi de feu lent à ce plat hargneux qu'il avait mijoté et devait lui servir au repas du midi.

Coupable d'avoir vu son amant, d'avoir vécu trop pleinement sa liberté, elle-même n'avait pu empêcher le ton de monter. Après les habituelles passes d'armes sur leur ménage brisé par la faute de l'autre et sur des problèmes d'argent, il laissa bruyamment tomber sur la table la seule question qui l'intéressait vraiment ce jour-là:

— Où as-tu passé la nuit? Et tu as fait quoi?

Elle baissa les yeux, inquiète. Et elle fit tourner un doigt autour de l'anse de sa tasse de café noir et refroidi.

— Ça ne te regarde pas. Pas du tout. C'est ma vie. Ma vie. Et je l'utilise comme je veux.

— T'auras beau avoir un amant, faudra pas que t'oublies que je suis toujours le mari.

— Tu n'es que... le mari!

— Hostie d'hostie!

— Ça te sert à rien de me jurer par la tête, je vais te répondre de la même manière: hostie d'hostie...

Entendre une femme, sa femme utiliser des mots si orduriers dans pareille circonstance l'irrita au plus haut point. Il recula violemment sa chaise, sauta sur ses pieds, roula un poing, siffla:

— Pas me retenir...

— Retiens-toi sinon je fais venir la police...

— Tu pourras pas les voir arriver; tu vas avoir un oeil noir.

En proie à une tension poussée à son paroxysme tant dans son esprit que dans ses muscles, l'homme saisit un récipient contenant un sac de lait et il le projeta de toute la force de son bras contre une armoire. Le liquide éclaboussa les alentours. Restée maître d'elle-même bien qu'effrayée, la femme dit posément:

— Faut pas compter sur moi pour nettoyer les dégâts, hein?

— T'as pas trop de temps pour te laver de tes souillures de la nuit, cria-t-il, penché au-dessus de la table afin que ses invectives portent plus durement.

Elle feignit un petit rire en disant:

— Qu'est-ce que c'est? Des souillures? Travailler pour gagner ton lait? Du lait que tu garroches sur les murs? Et tu me trouves sale?

— J'en ai gagné, du lait, cent fois comme toi dans le passé et sans te le renoter et sans lésiner non plus.

— Non, parce que j'en gagnais cinquante pour cent par mon travail dans la maison, dans ta maison. Ce que tu ne fais pas...

— Tu sais très bien que j'ai pas le temps pour tenir la maison comme une femme le ferait. J'ai pas l'habileté, les connaissances. Et puis c'est pas le sujet...

— C'est aussi important que les minutes qu'il m'a fallu pour rentrer la nuit dernière.

Il se rassit, croisa une jambe, les bras, montra par l'intensité des gestes qu'il se reprenait en mains et entendait dominer à nouveau la situation.

— Oublions tout le reste et réponds simplement à ma question. Si tu le peux bien sûr.

— Quelle question?

— Tu étais où de minuit à quatre?

— Avec Louisette... On a fini à minuit et ensuite on a pris un verre au bar...

— Quel bar?

— Le bar Acropolis.

— Et ça t'arrive combien de fois par semaine de flâner en chemin comme ça?

Elle haussa les épaules et jeta avec une moue de total désabusement:

— Quand ça me plaît! Comme toi, tu bois ton lait...

''La maudite, la maudite!'' retint-il derrière ses lèvres. Mais il dit à ton retenu et sceptique:

— Et tu vas me faire croire que c'est toujours avec ton amie Louisette?

Elle resta muette. Il rompit le silence dans un souffle douloureux et vindicatif:

— Réponds, mais réponds donc!

Transie, elle souffla à son tour:

— Tu le sais très bien qu'il y a quelqu'un dans ma vie. Tu l'as accepté. Et tu as même déjà donné l'exemple...

Il l'interrompit:

— Pas dans le mensonge!

— Tu veux rire, non? Qui donc a introduit le mensonge dans cette maison?

— Il fallait que je mente. Tu n'avais pas l'esprit assez ouvert. Tu passais ton temps à me surveiller... à tirer sur la queue de mon veston... comme si j'avais été un objet... ta chose...

— Tu me prêches depuis des années que le bien suprême, le bien des biens à posséder, c'est la liberté...

— Pour ceux qui savent s'en servir.

— Laisse-moi la mienne. Tu as vécu tes expériences: laisse-moi vivre les miennes. Si dans ta tête les choses sont difficiles à saisir, sors un peu de la maison. Va t-en sur le marché du travail et tu seras un peu moins morose. C'est devenu invivable ici parce que tu croupis dans... dans l'inutile.

L'homme se prit la tête à deux mains, dit:

— Morose? Moi, morose? Ça, c'est la meilleure, vraiment, la meilleure de toutes.

— Ou bien tu me cries après ou bien tu te lamentes sur toi-même.

— Y'a de quoi!

— Un homme est moins bâti qu'une femme encore pour vivre à longueur d'année entre les quatre murs d'une maison. Tout le monde vivra mieux ici quand tu t'en iras travailler à l'extérieur.

— Quand le ton monte, c'est à cause de toi, pas parce que je suis morose.

Elle se radoucit un peu, espérant qu'il en fasse autant et pour l'inciter à se chercher du travail.

— Tu m'as dit cent fois que de travailler rendait plus libre.

— Je ne perds pas mon temps et tu le sais.

— Pas ici, entre ces quatre murs, dans ce camp de concentration en miniature. Tu soutenais qu'une femme enfermée voit ses horizons se rétrécir, qu'elle devient vulnérable, peurcuse, dépendante, soupçonneuse, jalouse. Et tu l'excusais en accusant les circonstances. Tu te rappelles du discours que tu m'avais fait après un film sur les camps nazis à partir des mots sur l'affiche qui disaient...

— C'était au-dessus de la grille d'entrée, coupa-t-il avec un air de lui reprocher son ignorance.

— Quelle importance? Les mots, je m'en souviens... Le travail, c'est la liberté...

Il coupa à nouveau avec une surprise feinte dans la voix:

— Mais ma pauvre enfant, j'ai pas changé d'idée là-dessus... Sauf que c'est pas mon cas. Y'a pas de barbelés autour de la maison que je sache!

— Ils sont invisibles, mais il y en a. Pour un homme surtout. Tu te souviens aussi quand je te reprochais de trop sortir ce que tu répondais? Tu disais que depuis l'âge de pierre, l'homme avait besoin d'explorer. Fallait qu'il sorte de la caverne pour quérir de la nourriture. Fallait qu'il se retrouve avec d'autres pour aller attaquer ses semblables pour éviter de se faire attaquer lui-même.

— Je me demande ce que tu connais dans l'histoire, toi?

— Ce que tu m'en as montré.

Elle se mit debout. D'une main levée, elle fit, loin devant ses yeux, le geste d'une citation, doigts écartés traçant une double ligne imaginaire, espérant qu'il saurait en rire:

— L'homme est bâti pour les grands espaces.

Elle se rassit en ajoutant:

— Faut que tu bouges sinon la sclérose va s'emparer de ton esprit... Et tout ça va te conduire à une vraie maladie physique.

Il se retrancha dans de l'amertume:

— Madame a des choses à cacher et la meilleure façon, c'est de se débarrasser du gêneur qui l'observe de trop près, qui l'épie, qui l'empêche de tourner en rond. Quoi de mieux que de l'envoyer sur le...

Elle fit une grimace suppliante, dit:

— Ça nous aiderait au point de vie strictement financier.

— Évidemment puisque t'es pas capable d'assurer le pain quotidien. Chose que moi, j'ai faite pendant quinze ans.

Elle se cambra.

— De quoi tu te plains?

— De ce que je doive faire les paiements de la maison en m'endettant. De ce que tu laisses vide la petite caisse tandis que dans mon temps, elle était toujours pleine. T'as laissé quoi dedans, toi? La section des vieilles cennes noires. Pour m'affamer. Pour me faire sentir que je quête. Pour te moquer.

Elle garda le silence. Laisser la caisse vide était en son esprit le meilleur moyen pour l'amener à retourner sur le marché du travail.

Et lui, bien qu'il l'eût deviné dès le départ, n'avait pas voulu dénoncer le moyen de pression. Car en son for intérieur, il lui donnait raison. Mais ce jour-là, il ne retint plus le fond de sa pensée et le livra:

— Jamais je ne ferai plus ce que je ne veux pas faire. Je pourrais retourner enseigner parce que je suis reposé du métier maintenant; mais toutes les portes sont fermées. J'ai même tenté ma chance à trois reprises. Des profs, il en pleut.

— Où as-tu essayé? demanda-t-elle, incrédule et du même coup un peu encouragée par son effort.

— Tu me crois pas évidemment.

— Je ne t'ai pas trop vu te chercher quelque chose ces deux dernières années.

Les mots firent en lui office de ressorts. Il descendit à son bureau et en revint avec trois lettres de refus de ses offres de services qu'il jeta devant elle sur la table.

— Tiens, lis...

Elle lut la première attentivement, les suivantes en diagonale, conclut à mi-voix:

— Y'a pas que l'enseignement!

— T'en veux d'autres? J'aurais pu travailler en milieu carcéral, à la S.A.Q. J'ai posé ma candidature à des agences de voyage, à des stations de radio... auprès de journaux. Participé à des concours à plusieurs ministères...

— Refusé partout?

— J'ai eu des offres mais, après réflexion, je les ai refusées, dit-il en exagérant puisqu'il n'avait reçu aucune proposition ferme.

Elle devint nerveuse, se sentit contrariée. Elle n'arrivait pas à concevoir qu'un chômeur puisse repousser des offres d'emploi, elle qui avait toujours considéré le désoeuvrement comme le lot des fainéants.

— On peut savoir pourquoi?

— Je te l'ai dit: je ne veux pas faire n'importe quoi pour faire quelque chose à tout prix. Je ne vais pas pitonner sur une caisse enregistreuse à la S.A.Q. tout de même...

— C'est moins honteux que de chômer, non?

— C'est pas une question de honte mais d'ennui. Me faut quelque chose de... de...

— De quoi?

— Où je me sentirai pas esclave d'un patron, de l'horloge, de tout...

— Liberté toujours!

— En plein ça! Un métier qui n'attache pas avec des grosses chaînes... libérateur... Et si possible, payant.

— Ça n'existe pas.

— Il y en a...

— Pense à n'importe quoi... Notaire, ingénieur...

— J'ai pas les qualifications.

— Chacun est prisonnier: l'homme d'affaires, le camionneur, le petit commerçant, le cultivateur, le politicien. Et chacun est libre. C'est dans la tête que ça se passe. Suffit que tu aimes ce que tu fais. J'ai un horaire très dur et je ne me sens pas prisonnière de mon travail; j'aime ce que je fais, c'est tout.

— C'est ce que j'ai toujours dit: on ne me fera pas faire ce que je n'aime pas faire.

— Bon, alors c'est quoi ton rêve? Tu cherches quoi? À trente-six ans, faudrait que tu commences à te faire une idée...

— J'en ai une...

— Laquelle?

— J'en parle pas.

— Si t'en parles pas, c'est que t'en as pas.

— Tu verras.

— Tu verras... Demain tu verras... Demain, la semaine prochaine, le mois prochain... Mais jamais maintenant, aujourd'hui.

— Donne-moi le temps.

— Cinq, dix, vingt ans? Pourquoi pas un siècle? suggéra-t-elle avec un rire vinaigré.

60

Il resta coi, analysant l'évolution de leur discussion. Une fois encore elle avait réussi à le clouer au pilori, à retourner la situation contre lui. Habilement. Fémininement. En spécialiste du croc-en-jambe. Il avait mis sa conduite au banc des accusés et en bout de ligne, c'est lui qui s'y retrouvait. Et il lui fallait encore supporter l'odieux de leurs propos à l'emporte-pièce.

Il se demanda comment une femme peu scolarisée et qui avait passé tant d'années dans sa cuisine pouvait arriver à tout coup à le traquer dans un échange verbal. Surgie d'un mysté rieux atavisme, une idée effleura soudain son esprit et il se dit que les femmes avaient peut-être après tout quelque chose de diabolique.

Elle poussa plus avant, chercha la phrase à la fois prudente et provocante, rompit le silence:

— Des fois, je me demande... Si je ne te connaissais pas, je penserais que tu fais un peu de paresse... Parce que depuis deux ans, c'est pas trop le travail de maison qui t'a fait perdre ta santé, hein?

— J'ai perdu aucune minute de mon temps depuis deux ans et tu le sais.

Elle fit un geste démonstratif, fit des grands yeux pour questionner:

— Mais... tu fais quoi au juste?

— J'écris...

— Quoi?

— Des choses.

— Lesquelles?

— Des souvenirs.

— Et ça rime à quoi?

— Tu verras.

— Et voilà!

Il soupira puis dit sur un ton exprimant le regret:

— Si tu me faisais le moindrement confiance peut-être que les choses iraient mieux et plus vite. Mais tu m'as lâché la main et tu m'as tourné le dos...

— Si je t'avais laissé tomber, je serais partie, tu ne penses pas, non?

— Depuis combien de temps couches-tu seule dans l'autre chambre?

— Un mois...

— Non... Quatre exactement.

— Tu te plaignais de mes ronflements.

— La belle excuse! Tu pourrais montrer de temps en temps que t'es encore une femme mariée.

— Au Jour de l'An, tu m'as repoussée.

— Tu sais fort bien pourquoi.

— Oui, c'est que t'es jaloux.

Il hocha la tête de découragement. Elle insista:

— Pire que toutes les femmes additionnées. Un homme est incapable d'accepter ce que lui, monsieur, peut se permettre pendant cinq ans.

— Là n'est pas la question.

— Elle est là.

— Si tu agissais autrement... Si tu allais chercher ailleurs pour rapporter au couple, pour l'enrichir. Mais non. C'est tout là qu'est la différence entre un homme et une femme. S'il a une maîtresse, il n'est pas moins aimant à la maison. Mais elle, elle devient folle comme le balai. Incapable de vivre ça comme un être intelligent. Il lui faut un maître à tout prix. Bon Dieu ce que les bonnes-femmes peuvent être masochistes! Esclaves professionnelles!

Il leva la tête sur ces mots pour voir la réaction qu'elle aurait. C'est à ce moment-là qu'il sentit fondre sur lui cet indélébile regard qu'il comprit aussitôt et qui jeta pourtant la confusion et la peur dans son âme. Elle avait au fond des yeux les lueurs d'un indéniable et total mépris. Il se sentit diminué, rapetissé, comme passé dans un hachoir. Son cerveau devint une masse pâteuse faite de douleur, de colère et d'angoisse. Ses idées chutèrent dans des ravins profonds, firent des tonneaux, des culbutes. "Il fait mieux l'amour, je suppose. Et le petit monsieur travaille, lui. Je vais les tuer, les salauds. C'est vrai que ma vie ne vaut rien aujourd'hui, mais demain. Je lui passerai au nez avec des petites jeunes bien plus jolies. Tout ce que j'ai fait pour elle... Jusqu'à la pousser à se libérer et à se tenir debout... Pourquoi elle m'a fait ça, à moi? Je ne l'ai jamais abandonnée malgré tout... C'est une salope..."

Chacune de ses pensées décuplait son état de nervosité. Il avait froid au front mais c'est un feu qui dévorait sa poitrine. Des mots... Il fallait des mots pour enterrer tout ça, ces idées folles, ses yeux qui lui avaient plongé au coeur comme un couteau dans le cou d'un animal qu'on égorge. Il ne devait plus se sentir enterré vif...

— On se parle depuis une demi-heure et j'attends toujours que tu me dises une phrase qui tienne debout. Tu cherches une seule chose: me poignarder encore et toujours.

Elle accentua son regard. Il augmenta le débit, haussa le ton mais voulut garder un certain contrôle pour mieux cacher son intérieur:

— J'ai ma petite idée sur ce qui te trotte par la tête. Tu voudrais que je parte, que je te laisse la maison pour que tu puisses bambocher plus librement avec tes petits amis, hein? Jamais! Aux premières lueurs du printemps, je la remets en vente.

— Demain, demain, demain, demain...

Il sauta sur ses pieds, cracha des mots espacés:

— Mange donc de la 'bullshit' d'abord que t'as pas la moindre jugeote!

Il se dirigea vers le couloir menant à sa chambre, s'arrêtant un bref instant dans l'embrasure de la porte pour jeter avec, dans sa tête, l'image d'un pied-de-nez:

— Petite maudite tête de femme!

Elle rétorqua aussitôt:

— Grosse maudite tête d'homme!

Il claqua la porte de sa chambre, s'assit au pied de son lit, mit sa tête entre ses poings et adressa les insultes les plus longues et les plus appuyées à tous les saints du ciel et à toutes les femmes de la terre.

*

Une fois calmé, il se trouva ridicule comme après chaque tempête de ce genre. Se pouvait-il qu'un être humain doué de raison soit aussi emporté? Et s'il avait eu tort? Et s'il avait eu tort depuis que le ménage boîtait? Et s'il avait eu tort depuis le début?

— Hostie, j'ai toujours pas eu tort de venir au monde! se dit-il, la tête enveloppée de ses mains aux doigts écartés.

Quand elle fut partie, il s'enferma dans son bureau et entreprit de relire toutes les notes qu'il avait jetées sur papier depuis plus d'un an. Souvenirs d'enfance. Folies d'adolescence. Vie de ménage. Vie professionnelle. Huit cents pages autobiographiques.

En cours de lecture, revint le harceler une idée qu'il avait eue au tout début de ce travail-loisir mais qu'il avait aussitôt repoussée au chapitre de ses inaccessibles: en faire un livre, une sorte de roman-confidences. Si proche de la réalité que le lecteur ne puisse jamais déceler le fictif à travers le reste et que lui-même finirait peut-être par croire à l'instar de ces petits vieux mythomanes de son village qui en arrivaient à prendre pour la pure vérité, à force de les raconter, les fruits de leur imagination.

Une longue discussion avec lui-même à coups d'arguments et de sentiments le plus souvent dictés par le vécu de l'heure avait rapproché le rêve d'une réalité possible. Il la résuma, toute sa cogitation, dans un échange que se firent les deux hémisphères de son cerveau.

"Qui donc pourrait s'intéresser à ce fatras?"

"Mets-le au propre."

"Ça n'a aucun intérêt pour un autre que moi."

"Qu'en sais-tu? T'es un parfait exemple de Québécois moyen: ça risque de coller à la réalité de chacun."

"Les femmes voudront me tuer; ça paraît misogyne tout ça."

"Il faut bien que tu fasses réagir ton lecteur, non?"

"Ce serait trahir l'homme québécois, le mettre à nu?"

"Il se rhabillera."

"Ce serait l'insulter."

"Il s'en relèvera bien."

"La pudeur va en prendre pour son rhume."

"C'est quoi la pudeur? Dire que la sexualité est chose naturelle, bonne, belle mais la cacher comme chose honteuse?"

"Minute... le respect de la femme, lui?"

"La femme se prête-t-elle à des gestes maudits quand elle fait l'amour?"

"Bien sûr que non! Mais... faut user de... discrétion, de... modération. Y'a des choses qui ne se montrent pas, voyons! C'est de la porno..."

"Mais de la porno, y'en a partout, dans les restaurants, dans les centres d'achats..."

"Qu'est-ce que c'est que ça?"

"La porno, c'est l'excès... Dans le boire, le manger, la consommation, l'usage du tabac. Et aussi la sexualité..."

"Pas forte, ta définition!"

"Est-ce avilissant que de montrer l'amour?"

"Ce n'est pas bien. Peut-être que dans cinquante ans, les moeurs y seront faites, mais les tabous sont encore trop puissants."

"Qui décide ce qui doit se faire ou ne pas se faire en cette matière? Où est le guide, le vrai bon guide?"

"Tu le sens au fond de toi-même. C'est une sorte d'instinct."

"Comment toucher à la vie du couple sans que le sexuel ne soit présent dans la grille d'analyse?"

"Tiens, voilà qu'on affiche un petit air supérieur?"

"Admettons que je te donne le dernier mot là-dessus. Mais réfléchissons ensemble à autre chose. Tu sais qu'un livre rapporte moins à son auteur que le papier que ça lui coûte pour l'écrire?"

"Une galette obscure d'intellectuel à l'esprit tordu mais pas un livre qu'on lit."

"Un écrivain, ça mange de la galette plus souvent qu'à son tour."

"Peut-être que ça m'ouvrira des portes."

"Par hasard, c'est pas ça, le métier libérateur que tu cherches? Tu travailles à l'heure que tu veux, là où tu le veux, au Pôle Nord ou en Polynésie, sans aucune contrainte et au plus pur gré de ta fantaisie?"

"Peut-être mais..."

"Mais?"

"Mais semble qu'on ne puisse pas en vivre."

"C'est ce que je disais."

"Peut-être qu'en faisant bouger le lecteur, en lui donnant des coups de poing..."

"C'est aussi ce que je disais."

"Qui a dit quoi?"

"On fera traduire pour le marché américain."

"Les autres sont plus modestes, ils se contentent de rêver à la France."

"Et ça ne suffit pas, hein?"

"Hélas, la France n'est que la France!"

"Donc le marché américain."

"Rêve toujours; c'est des gars comme toi qui font la fortune des éditeurs."

"Et toi, côté droit, va au diable. Je finirai bien par te mettre du plomb dans la tête."

"Je suis coriace."

"Et moi aussi."

Il avait pris la décision d'organiser ses notes, de les structurer, expurgeant des chapitres, nuançant les phrases, maquillant, peaufinant...

*

Février attendrait aussi longtemps qu'il n'aurait pas fini de dactylographier ses chapitres transformés. Trente, quarante pages par jour. Une fébrilité frôlant la folie furieuse. Les tiges d'acier claquaient sans arrêt sur le papier, faisaient un bruit d'arme automatique, entretenaient au rouge un zèle brûlant.

Le temps avait disparu. L'homme était plongé, le jour, le soir, la nuit dans des hiers lointains dont il faisait une seconde découverte, celle-là passionnante et non pénible comme la première lors de la rédaction originale.

Émerveillement devant chaque trouvaille. Chaque matin à la lecture du texte pondu la veille, il s'exclamait comme un jeune père devant son nouveau-né:

— C'est moi qui ai fait ça?

Et il disait intérieurement à son bébé:

— Tu iras loin, toi.

Comme pour tous les néophytes de l'écriture, gloire et fortune dessinaient déjà leurs courbes invitantes sur un horizon s'éclaircissant.

Quand il percevait le ronflement d'un moteur d'auto devant la porte, il coupait court à son travail pour s'éviter des questions. Une semaine avait passé. Deux cents pages remplies d'impatience attendaient l'univers.

Un soir, il n'entendit pas Viviane rentrer. Soudain, elle frappa durement à sa porte en disant:

— Tu pourrais pas continuer à taper demain? Depuis deux heures que j'essaie de m'endormir... Ce bruit de dactylo me claque sur les nerfs.

Il perdit son sourire, un sourire de détermination qui lui allait des cheveux cotonnés jusqu'aux dents rivées derrière des lèvres entrouvertes, un sourire de "Californie, j'arrive!"

Après le dernier coup d'oeil du maître, il laissa sa page en plan. Puis il coupa la luminosité blafarde de la pièce faisant ainsi se fondre dans la nuit l'image du littérateur conquistador et la scène aux allures de film français d'avant-guerre, fumée en moins.

Le midi suivant, attablée devant un café froid, tirant sur une cigarette brûlante, Viviane posa carrément la question:

— Tu travailles sur quoi au juste toutes tes journées et jusqu'aux petites heures du matin? Une autre invention pour nous faire perdre de l'argent?

Il ouvrit les mains, fit une moue d'ironie et d'impuissance pour lui répondre:

— T'as le don de tout deviner...

— Chaque fois que tu trames quelque chose, ça nous coûte mille dollars, pas moins.

— Ça prend du front pour soutenir ça, hein! fit-il, le ton rogue.

— T'en as eu cinq, dix idées du tonnerre qui ont coûté une

fortune et aucune ne s'est jamais rendue jusqu'au bout. Tu as toujours trouvé une bonne excuse pour laisser tomber.

— Parce que j'ai découvert des éléments nouveaux qui m'ont fait rebrousser chemin.

— L'argent, lui, ne rebrousse pas chemin.

— T'as jamais su compter de l'argent et tu ne le sauras jamais.

Elle émit un rire sec, sarcastique.

— Qui sait le mieux compter ici?

— J'ai réussi des choses; ça, tu l'oublies. En fait tu ne veux pas y penser.

— Une sur dix.

— Exactement.

— Bonne moyenne!

Il sourit en lui-même. Il avait trouvé moyen de la faire trébucher cette fois. Il dit sur un ton de fausse humilité:

— C'est vrai que j'ai perdu cinq ou six mille dollars depuis deux ans.

— Plutôt neuf ou dix...

— Supposons!

— Ton affaire de jouets.

— C'est vrai.

— Celle des meubles... Cinq mille?

— Moins trois que j'ai récupérés.

— Y'a de quoi se mettre riche.

— En affaires, dans les débuts, c'est normal de perdre un peu. C'est comme ça!

— C'est pour cette raison qu'il faut tenir jusqu'à obtenir du résultat.

— Tu admettras que tu n'y connais pas grand-chose en business.

— Je sais comme tout le monde que deux mille dollars de gain moins trois mille dollars de perte, ça donne une perte nette de mille...

— Bravo! Génial! C'est exactement ce que je voulais t'entendre dire. Une vraie Howard Hugues! Maintenant fais la somme de ce que j'ai gagné et soustrais ce que j'ai perdu et tu auras quarante mille dollars à peu près.

— T'as fais de l'argent avec une seule affaire parce que tu ne l'as pas abandonnée avant qu'elle commence à fleurir.

— Et ça recommence!

Il sortit un stylo d'une poche de chemise et aligna des chiffres sur une serviette de table qu'il lui mit ensuite sous le nez, trop près pour qu'elle puisse lire confortablement. Elle lui repoussa la main.

— Lis... Ça t'apprendra à calculer sans oublier le plus important.

— L'important, c'est que tu perds ton temps à taper sur ta dactylo tandis que tu pourrais aller travailler.

Elle n'avait pas le droit de s'en prendre à ce qu'il faisait. Son travail avait trop d'importance pour cela. Toutes ces réflexions qu'il susciterait chez les couples! Tout le coeur, toute l'énergie et la persévérance qu'il avait investies dans son projet!

— Ce que je fais va peut-être changer ta vie et la mienne, répliqua-t-il, la tête haute.

— Nous faire reculer d'un autre dix mille dollars.

— Nous faire avancer et très loin, dit-il avec un regard de défi.

Pour qu'il en dise plus, elle fit une moue d'incrédulité. Il fit alors maladroitement le lit de sa victoire en déclarant:

— Surprenant que tu ne saches pas déjà ce que je fais, toi qui as toujours eu l'habitude de mettre ton nez dans mes papiers!

— Pour ce que ça m'intéresse!

— Il fut un temps où tu écorniflais pas mal...

— Prends pas d'inquiétude!

— J'écris un livre.

— C'est rare que j'ai fouillé dans tes affaires.

— J'ai dit que j'écrivais un livre.

— J'ai entendu. Je ne suis pas sourde... Une femme met un peu d'ordre dans le fouillis de son mari et elle se fait accuser de fouiner...

— Je te redis que je suis en train d'écrire un livre, clama-t-il plus haut.

— Oui, oui, oui... Et ça va donner quoi?

— De l'argent... Un métier...

— Une idée loufoque, encore, ça!

Il leva les bras au ciel, en biais, pour déclarer:

— Bon Dieu, qu'est-ce que j'ai donc fait pour avoir mérité la punition d'une femme aussi bornée?

Et il se laissa retomber sur sa chaise en signe de découragement.

— Mais explique-toi un peu plus, Alain. Qui sait, peut-être que je vais comprendre? Un livre? Quelle sorte de livre? Sur quoi? Sur l'art de faire de mauvaises affaires?

Il hocha la tête, souffla du nez à trois reprises avant de jeter sur un ton traînant:

— Sur ma vie... romancée...

— Ah ben cristi!

— Arrête de dire ce patois-là; ça me perce les tympans.

— Je le dis quand j'entends des cloches.

— Un roman sur le quotidien avec ma vie comme canevas, comme toile de fond... Pourquoi pas?

— Qui va s'intéresser à ça?

— N'importe qui... parce que ma vie peut ressembler à celle de n'importe qui...

— J'espère bien que non... pour les autres femmes.

— Bon, picosse, blesse, détruis: c'est ta spécialité depuis que tu sors.

— C'est une autre lune que tu t'es mis à courir.

— Je vais l'atteindre. Il est déjà à moitié écrit, si tu veux savoir.

— Et quand t'auras fini, tu vas faire quoi avec?

— Quelle histoire, mais je vais le vendre!

— À qui?

— Au public.

— Des feuilles dactylographiées?

— Évidemment non!

— Ça va encore coûter une fortune en frais d'imprimerie comme la dernière fois avec ton idée de...

— Écoute, chez G.M., ça coûte beaucoup d'acier pour fabriquer des autos. Il faut du matériel de base pour faire un produit fini.

— T'as le don de me faire passer pour une idiote. Dis-moi clairement ce qui va arriver après que tu auras mis le point final.

— Je trouverai un éditeur qui lui en fera un livre qui se vendra un peu partout.

— Et si tu ne trouves pas d'éditeur?

— Ça, c'est bien québécois: battu avant de commencer au cas où.... Avec un roman comme celui-là, je peux t'assurer que le premier éditeur va marcher, fit-il avec une prétentieuse assurance.

— Mais supposons que...

— Y'a rien à supposer, rien du tout.

Elle s'alluma une cigarette en utilisant le mégot de la précédente, plissa les yeux pour ne pas laisser passer son état d'âme, demanda:

— Tu dis quoi dans ce livre?

— Si ça t'intéresse, je peux t'en lire des extraits.

— Ben oui, ça m'intéresse.

En lui, toutes les paroles fielleuses qu'ils s'étaient échangées disparurent. Le souvenir même de leur discussion s'estompa. Il avait devant lui son premier lecteur, la première personne d'une série de milliers d'autres qui mettrait son jugement à l'épreuve. Et cela seul comptait.

Il courut à son bureau, en ramena les deux cents pages dactylographiées. Il lui ferait prendre connaissance des meilleurs paragraphes.

Par sa façon de tenir les feuilles, sa précipitation, son ton surexcité, elle sut qu'il avait perdu pied, emporté par l'enthousiasme d'une nouvelle foi, d'un autre plan.

— Tu veux en lire? dit-il en tendant des feuilles qu'il avait choisies.

— Non... Fais-le, toi. J'écoute.

Il lut un extrait montrant son personnage central, son alter ego à l'âge de seize ans et qui, à grands coups de maladresse, découvrait le corps d'une jeune fille.

— C'est idiot! s'exclama-t-elle quand il eut terminé.

— Qu'est-ce qu'il y a d'idiot là-dedans? se surprit-il.

— Ben, je veux dire naïf.

— Pas étonnant: c'est comme ça que nous étions à cette époque. T'aurais peut-être voulu que le gars fume du pot et qu'on y fasse des échanges de partenaires?

— Non... mais...

— Tiens, écoute: notre première rencontre... je veux dire celle des personnages...

— Mais c'est faux, ça! s'écria-t-elle après sa lecture.

— Je me tue à te dire que c'est un roman. C'est pas la vérité vraie. Écoute, je te raconte un pique-nique...

— Ah, ça, par exemple, c'est arrivé, fit-elle, intéressée.

— Tu te souviens?

— Où as-tu pêché tous ces détails-là?

— Dans ma tête, dit-il fièrement.

— Tu peux pas te souvenir de tout ça?

— En me concentrant, tout me revient comme si c'était un film. Suffit d'engrener la pellicule.

Elle réfléchit. Son front se rembrunit.

— Minute! ça fait bizarre, ça: on dirait qu'il n'y a qu'un seul personnage.

— Ben non! T'as vu...

— Je veux dire que tu nous fais voir seulement ce qui se passe dans la tête de l'homme.

— T'es pas mal bonne parce que c'est en plein ça, la grande technique du livre. Le lecteur est forcé de voir tout le monde à travers les lunettes du personnage central.

— Pourquoi ne pas utiliser la première personne?

— J'y ai bien pensé. Mais je suis plus libre face à mon personnage en n'utilisant pas le je.

— Moi, je crois que ça marchera pas, cette histoire.

— Et pourquoi donc?

— Parce que c'est pas de cette façon que ça se bâtit, un livre.

— Qu'est-ce que t'en sais? As-tu déjà lu un roman dans ta vie?

— Je me tiens les pieds sur terre, pas dans les nuages, moi.

— D'accord, on se chicane pas? C'est sérieux, ce que je fais et ça pourra nous aider beaucoup.

— Tu exposes trop de détails... J'y pense: qu'est-ce que ça sera dans les autres chapitres plus loin?

Il se racla la gorge, affirma:

— Je vais aller plus loin, beaucoup plus loin.

— Tu vas raconter tes histoires avec ta maîtresse et tout ça?

— Pourquoi pas? Ça fait partie de la vie, du quotidien...

— C'est l'exception.

— Va donc!

— Et moi dans ça?

— Toi quoi?

— Tu vas dire que j'ai quelqu'un dans ma vie?

— T'as honte?

Elle écrasa sa cigarette, rejeta un long souffle bleu, posa une question crispée:

— Tout ça va te donner quoi en bout de ligne?

— Des choses...

— Comme?

— Rendre service à d'autres.

— Mon oeil! De ce que t'es comique!

— Ne serait-ce que me prouver que je suis capable de faire quelque chose.

— Qui t'a dit que t'étais bon à rien?

— Toi.

— T'es malade.

— Tu vois, tu le me dis encore.

— J'ai pas dit ça.

— Tu me le fais sentir tous les jours et c'est pareil.

— C'est dans ta tête que ça se passe.

— Bon!... C'est une idée que je me fais que tu ne couches plus avec moi?

— Tu te plains que j'arrive tard. Tu dis que je fais du bruit en dormant, que je sens la cigarette.

— De grâce, ne recommençons pas! Finissons-en avec l'histoire du livre. Je l'écris à ma façon. Je vais le faire paraître et ça va me rapporter du fric.

En même temps, il fit le geste des doigts qui rappelle l'argent et demande la complicité; et à nouveau il se croisa les bras.

— Les artistes, les écrivains, c'est un tas de pouilleux. Sont même pas capables de se payer un repas au restaurant. Tout ça va te coûter de l'argent et tu vas te ramasser Gros-Jean comme devant.

— On verra bien, ma chère!

Elle ramena un pan de son peignoir, se leva, dit en menaçant de l'index:

— Je sais que tu vas le faire parce que tu l'as dans la tête mais je ne veux qu'une chose: ne me mêle pas à ça... à des saloperies...

— Très chère, ce ne sont pas des saloperies, c'est de l'art: nuance importante!

*

Il se remit à la tâche, suant jour et soir, parfois nuit jusqu'au petit matin, suivant l'heure de retour de sa femme.

Arriva le moment de la dernière frappe. Il y en avait eu plus d'un million et demi avant celle-là, l'ultime, celle qui résumait toutes les autres, le E de la satisfaction totale. Il la fit, la tête baignée d'une aura lui enfiévrant le coeur.

Il se félicita d'avoir dactylographié son manuscrit en trois copies puis il regretta de n'en avoir point fait le double. En soumettre une copie à cinq éditeurs non pour augmenter ses chances mais pour la surenchère. Qu'importe, il commencerait par un. Mais lequel? C'est la question qu'il se posa le matin du dernier jour du mois.

En consultant le livre du téléphone et au souvenir de ce qu'il avait glané dans des bouquins chez les libraires ces derniers temps à l'occasion de ses rares sorties, il n'en trouva qu'un seul spécialisé dans le roman populaire grand format.

Des maisons éditant des livres de cuisine, des guides de toutes sortes, des livres scolaires ou techniques, des essais... Il semblait que le Québec laissait à l'Europe tout le grand domaine de la fiction.

Il logea quelques appels.

Le premier éditeur à qui il s'adressa lui dit:

— Vous savez, mon cher monsieur, il nous arrive de publier des romans comme vous en connaissez sûrement, mais il s'agit là d'oeuvres de très haute qualité.

"Moi, j'appelle ça des briquettes intellectuelles," pensa Alain. Mais il dit:

— Mon sujet est commercial, je l'avoue; mais j'y ai mis plein de coeur et le meilleur de ma plume.

— Malheureusement, nos priorités sont établies un an d'avance.

— Vous pourriez au moins examiner mon manuscrit?

— Je doute fort que ça convienne chez nous.

Un second lui répondit:

— Vous pouvez toujours nous envoyer votre texte, mais je ne crois pas que ça corresponde au genre que nous publions. Nos auteurs sont des gens connus, voyez-vous, dont plusieurs ont gagné un prix littéraire. Nous ne publions jamais les oeuvres des nouveaux venus. Il y a des maisons pour ça...

Un troisième lui tint un langage plus direct et moins snob:

— Dans ce métier, la matière première est surabondante. Dans chaque région, chaque village, chaque rue, il se trouve quelqu'un ayant écrit le livre du siècle. J'ai le regret de vous dire que nous ne publions pas de romans. La seule maison qui s'occupe de ce type de livres et qui soit facile d'approche, c'est Saturne.

— SATURNE? Mais la qualité n'y est-elle pas un peu...

— Ce qui compte pour un premier livre, c'est de se trouver un éditeur. Après, on avise.

— Mais moi, ce n'est pas la même chose!...

— Chacun dit qu'il est exceptionnel!

La conversation se termina dans l'eau froide.

Par la suite, Alain réfléchit longuement, se hérissa, se révolta. Aller chez Saturne? Jamais! Il n'avait pas écrit un roman à l'eau de rose. Une chronique de la vraie vie, c'était tout le contraire d'un rêve.

Il téléphona à des libraires, questionna, tourna en rond. Des dizaines de fois, il fit le bilan de sa recherche. Puis le compromis commença à prendre consistance en son cerveau.

"Si je dois aller chez Saturne, je vais poser mes conditions."

"Pour un premier livre, le public me le pardonnera bien."

"Si le contenu vaut quelque chose, qu'importe le contenant!"

"C'est plus difficile que je pensais de trouver un éditeur."

"Je ne sais pas combien ça peut rapporter à l'auteur, un livre? Vingt pour cent? Vingt-cinq?"

Les bras croisés derrière la tête, jambes allongées, pieds sur son bureau, chemise ouverte, cheveux en brousaille, il ajustait ses pensées, tâchait de s'adapter aux circonstances malgré des coups déjà à son orgueil.

Il étira le bras, atteignit une rangée de livres sur une tablette derrière sa tête, en prit un qu'il mit devant ses yeux en le tenant avec une fermeté frisant la frénésie. Il dit, le coeur rempli d'une espérance douloureuse:

— Une seule chose compte et c'est le moment où je tiendrai mon livre entre mes mains. On le lira. On aimera, je le sais. Et j'en écrirai d'autres. Et je travaillerai comme mon nègre de voisin, à en crever...

Il laissa tomber le livre, un vieux Lemelin écorné, sur le bureau, murmura:

— Mais si... si c'est mal écrit. J'ai peut-être pas de talent. Je pourrais faire mieux en travaillant un an de plus sur le manuscrit?

Souvent il évait comparé ses pages à celles d'autres romans de catégorie semblable, des connus, des moins réputés, des auteurs du Québec, d'ailleurs. Il en avait trouvé des meilleurs; il en avait trouvé des pires.

"Si je reconnais qu'il y a des tas de meilleurs livres, c'est signe que je ne me berce pas d'illusions et si j'en ai trouvé des pires, c'est que je suis publiable," se répétait-il souvent.

Il resta longtemps, immobile, silencieux, l'âme bousculée d'un bout à l'autre de la gamme des sentiments, allant de la culpabilité que lui donnait occasionnellement le contenu du livre au manque total de foi en lui-même passant par des visions de la grande réussite au pays et à l'étranger, de la peur de tout briser à tout jamais avec Viviane à l'espoir d'empêcher le naufrage au dernier moment. Il eut des larmes tranquilles, des sourires minces, et parfois des lueurs orgueilleuses au fond des yeux.

Ses pensées eurent leur flot interrompu par la rentrée de Viviane. Il consulta sa montre. La date l'offusqua: premier mars. Le moment arrivait vite où il lui faudrait remettre la maison en vente, à moins que... Si ce maudit manuscrit pouvait donc sauver le bateau, le libérer des soucis d'argent, faire de lui un nouvel homme, le remettre à la barre, au monticule.

Elle descendit pour laver un uniforme dont elle aurait besoin tôt le jour suivant. Il crut qu'elle avait trouvé un prétexte pour savoir s'il se trouvait toujours dans son bureau. Elle frappa à sa porte, entendit son oui négligé et entra. Et elle se laissa tomber sur une chaise en soupirant.

À son allure, il flaira qu'elle venait lui faire subir quelque canonnade. Mais mieux valait une bonne chicane que son habituelle indifférence. Et surtout que ses intolérables silences qui en disaient tant sur ses sentiments envers lui.

Elle avait les cheveux décoiffés. Anormalement décoiffés, jugea-t-il. Plus que par une simple soirée de travail. Il sentit un frisson désagréable, familier pourtant, mais auquel il ne s'habituait pas, lui rôder au creux de l'estomac. Comment se faire à une douleur qui s'obstine à cracher de la colère, à des larmes aux airs de poings fermés, à une peur qui fait hurler vengeance, à une folie qui se veut froide, à des regrets qui maudissent la destinée?

Le tremblement se dilua comme un poison liquide dans les phrases qu'elle prononçait, suinta à travers ses mots et, insidieux, s'infiltra dans l'entendement de l'homme.

— Je viens de finir, ça fait tout juste une heure.

"Menteuse!" pensa-t-il.

— Je suis arrêtée quelques minutes en route... chez Acropolis... avec Louisette.

"Et tu penses que tu vas encore me faire avaler ça?"

— On a parlé de ton projet de... livre. Elle n'est pas trop optimiste à ce sujet-là, elle.

"Plus tu insistes à prononcer le mot elle, plus tu te trahis, très chère," pensa-t-il.

— Elle dit que tu rêves en couleur.

— T'en as parlé aussi à ton patron?

— Justement, oui!

— Je vois, dit-il en donnant des ordres sarcastiques aux muscles de ses lèvres. Et... ils croient aussi que je rêve?

— Faut les comprendre: ce sont des gens qui ont les pieds bien à terre, ce sont des hommes d'affaires, eux.

Alain pencha la tête, fit une moue d'incrédulité bienveillante, mit ses pieds à terre pour bien montrer qu'il était prêt à entreprendre un échange sérieux. Il dit:

— Sais-tu ce que c'est, un homme d'affaires?

— Ben... ouais...

— Je ne crois pas que tu le saches.

— J'en vois chaque jour.

— Pour m'en montrer du doigt, ça, oui. Mais dire ce que c'est, voilà une autre histoire.

— Si tu le sais si bien, dis-le.

— C'est quelqu'un qui fait des projets... Comme par exemple tes patrons qui veulent ouvrir un autre restaurant dans un autre quartier de la ville.

— Si tu veux.

— Faire un projet, c'est exactement ça, rêver.

— Non, non...

Il eut une envolée résolue:

— Quelle différence y a-t-il entre faire le plan d'une bâtisse, d'un commerce, d'un échange et celui d'un livre? La réalité de demain est un rêve d'aujourd'hui, rien de plus ni de moins. Un programme électoral, c'est un rêve. Un calcul d'architecte aussi. Appelle ça analyse prévisionnelle si tu veux, c'est un rêve. Et c'est parce que l'homme rêve que l'humanité fait des pas. Et quand je dis l'homme, je veux dire l'homme plus que la femme, hein? Parce que vous autres, les femmes, vous vivez au jour le jour, à la petite semaine. Voir loin et grand, ça vous dépasse. Pas surprenant que les sommets, c'est pas vous autres qui les atteignez.

— Je ne suis pas venue te parler pour me faire bardasser,

Alain Martel.

— Je ne t'attaque pas; je ne fais que me défendre. Tu m'as assommé en arrivant en me traitant de rêveur avec tout ce que ça comporte de péjoratif, d'insultant, comme si j'étais un bohème farfelu incapable d'additionner une piastre avec une autre.

— Je t'ai rapporté ce qu'on m'a dit.

— Ce qui est sacrant chez toi, c'est que tu te laisses influencer par n'importe qui.

— Il est évident que tu cherches encore une fois à provoquer la bagarre...

Elle consulta sa montre, ajouta en soupirant:

— J'ai eu une soirée dure. Je suis fatiguée. Et j'ai pas envie de me chicaner.

— C'est que t'as pas trop dit les mots qu'il fallait.

"Et t'as pas les cheveux qu'il faut," pensa-t-il en utilisant une seconde fois leur désordre comme élément à conviction dans le procès mental qu'il lui tenait.

Comme pour se trahir et avouer sa culpabilité, elle se passa une main sur la tête, redressant des mèches qui ne lui obéirent pas.

— T'es venue pour me dire quoi au juste?

— Je voudrais seulement que tu entendes d'autres sons de cloche avant de te lancer dans une nouvelle aventure comme celle de ton livre.

— Tes amis connaissent quoi sur le sujet? Ils ont travaillé dans le milieu du livre? Ce sont des lecteurs? Des bibliothécaires? Quoi? Qui?

— J'en ai parlé avec des clients...

— Pourquoi pas avec toute la ville?

— Entre autres avec un avocat qui achète une montagne de livres chaque année.

— Et alors? fit-il sur un ton de curiosité défiante, sourcils projetés en avant.

— Un livre, ça ne rapporte rien à celui qui l'écrit.

— C'est bien connu. Et tu veux savoir pourquoi?

— Évidemment!

— Parce qu'un livre ne se vend pas assez, voilà pourquoi. Mille, quinze cents exemplaires... Mais de celui-là, je vais en vendre au moins quinze mille rien qu'au Québec. Et il y a l'étranger. Et il y a les retombées dans d'autres domaines. Rien qu'avec le marché d'ici, ça va me rapporter vingt-cinq mille dollars minimum... et peut-être davantage.

Elle soupira fortement ce qui eut pour effet de couper l'envol de l'auteur enthousiaste qui laissa tomber alors:

— T'es sceptique parce que c'est moi qui le dis. Un autre affirmerait la même chose exactement que tu le croirais sans aucune hésitation.

— C'est que toi, tu vois grand comme tu aimes à le dire. Et ce livre, c'est ton bébé. C'est un peu normal que tu penses qu'il va devenir un géant. Mais les autres...

Il sentit le rouge lui partir du coeur et lui monter en pleine face. C'en était trop. Elle ridiculisait, blessait, en comparant son livre à un bébé. Et pas rien que lui mais aussi et surtout cette oeuvre dont il avait si péniblement accouché.

Il se contint et dit froidement:

— T'inquiète pas, je vais dans la bonne direction. Tout ça ne te coûtera rien à toi de toute manière.

— Bon! Moi, je vais me coucher, je suis à bout, dit-elle en laissant tomber les paupières.

Elle se disait qu'il valait mieux retraiter pour le moment car chaque phrase qu'elle avançait le faisait se câbrer et se retrancher sur ses positions. Elle reviendrait à la charge à mesure qu'elle le verrait se faire taper sur les doigts par les événements.

Effectivement cette rencontre le stimula. Le matin suivant, dès l'heure d'ouverture des bureaux, il descendit au sien et appela les Éditions Saturne. Le directeur de la production avait une voix douce, réceptive, propre à créer la confiance. L'homme s'identifia:

— Je suis Gérard Leroy, directeur littéraire. Puis-je vous être utile?

— Mon nom est Alain Martel. Je termine un livre qui pourrait vous intéresser?

— C'est votre premier?

— Oui… mais…

— Je vous avertis tout de suite: nous ne sommes pas spécialisés dans le genre intellectuel… Ici, c'est du roman populaire à grande diffusion.

— C'est un roman que j'ai.

— Pour le grand public ou bien pour l'élite?

— C'est qui, l'élite? fit Alain sur un ton complice. Je suis ordinaire et je m'adresse à des gens comme moi. Entre nous, je n'ai rien à foutre de l'élite.

— Ça correspond à notre ligne de pensée. Nous faisons de la traduction de produits américains mais je dois vous dire que nous comptons aussi quelques auteurs québécois dans notre écurie…

Malgré ce mot, Alain respirait plus à l'aise. On l'écoutait.

Qu'est-ce que ce serait donc quand on aurait lu? On verrait. On verrait bien.

— Mon cher monsieur, étant donné que j'ai quelqu'un dans mon bureau, je vais devoir vous laisser. Faites-moi parvenir votre manuscrit… Est-il dactylographié?

— Certainement!

— À double interligne?

— N… non… C'est un vice rédhibitoire?

— Pardon?

— Faudrait-il que je le recommence?

— Probablement que non… Ça n'empêche pas notre comité de lecture d'en prendre connaissance, n'est-ce pas?

Après avoir raccroché, Alain se frotta longuement les mains en répétant:

— On va voir ce qu'on va voir! Attachons les ceintures!

Puis il décida de faire une lecture ultime de son texte afin que tout soit fin prêt pour la grande conquête. Il passa le reste de la journée à des retouches, du vernissage.

Quand sa femme revint à la maison, il ne lui adressa qu'une seule phrase, mais sur un ton triomphaliste pour lui faire ravaler ses paroles, ses pensées et jusqu'à son comportement lui-même, mais par-dessus tout son ineffaçable regard de mépris.

— Un éditeur a demandé mon manuscrit; je vais l'envoyer

demain matin.

*

Le soir suivant, il se rendit à ses cours d'italien, des cours qu'il avait décidé de suivre pour une raison dont il n'arrivait plus à se rappeler. Qu'importe puisque la chargée de cours était jolie, qu'il avait entrepris de la séduire et surtout qu'il pouvait rencontrer sur place sa vieille amie d'adolescence, le seul être dont il se sentait écouté de ce temps-là.

La classe lui apparut dans son habituel désordre cégépien bien qu'on fût à l'université: pupitres épars, plancher souillé de mégots et de cendre, portes brisées, tableaux salis et tablettes poussiéreuses. Alain étouffait chaque fois qu'il y entrait et que personne ne s'y trouvait encore. Lieu exigu, plafond haut, moulures anciennes: du 1920 rafistolé.

Le cours qui s'y était donné dans l'heure précédente, dispensé par un nationaliste biaisé, détenteur de toutes les vérités historiques, économiques et sociales, ayant l'habitude de traquer ses étudiants pour les marxiser et leur faire comprendre qu'ils ne seraient jamais acceptés dans l'intelligentsia montréalaise s'ils en refusaient les grands courants d'idées tous chapeautés par celles de l'indépendance et du socialisme, avait laissé dans l'air des relents incolores mais tenaces. ''Le professeur avait dû quitter, précédé de sa grande bouche toujours ouverte en quête d'auditeurs,'' songea Alain, l'oeil méchant, dépité.

Il rangea une dizaine de tables puis il prit place à l'une d'elles en un point où il pourrait tout à loisir se rassasier à examiner le professeur sans qu'elle-même ne s'en rende compte. Il ouvrit son manuel à la page de la leçon qu'il avait négligé d'étudier et lut tout haut:

— Abito con i miei genitori. Ha dei fratelli?

— Fratelli... dit comme en écho une voix féminine qui insista sur la deuxième syllabe, celle de l'accent tonique, alors que l'étudiant avait mis l'intonation sur la première.

La femme marchait entre les tables vers la sienne. Alain fut à la fois contrarié et heureux de l'apercevoir dans sa robe foncée à grands motifs bourgogne sur fond marine, attachée au cou et aux poignets par des frisons blancs, balises d'une pudeur offensante pour l'époque mais défis aux conquérants.

Dans ses devoirs, il lui avait dit des mots évocateurs, dissimulant, mais tout juste, son admiration pour elle. Jamais elle n'avait montré qu'elle avait compris.

Dès le premier cours, Alain avait décidé de la séduire pour ainsi prendre sa revanche sur un autre immigré. La femme cachait tout, jusqu'à ses formes sous des dehors amples et ne montrait d'intérêt que pour la matière à enseigner. Il avait tout son temps.

Car la tâche s'avérait plus longue que prévu. Elle rougissait quand il répondait aux questions adressées à la classe. Et quand elle désignait des étudiants pour répondre, elle l'ignorait systématiquement.

''Bon signe!'' se disait-il. ''Elle n'est pas indifférente et c'est ça, l'important.''

Il lui déclina une formule de politesse qu'il sucra:

— Buon giorno, cara mia. Come va?

Elle répondit dans son français sans accent:

— Vous devriez étudier davantage et surtout travailler la prononciation.

La froideur du ton n'impressionna aucunement l'étudiant qui avait le coeur à la fête et le goût de chanter victoire.

— Je dis peut-être trop ce que je pense, mais je trouve que vous portez une très jolie robe.

Elle demeura imperturbable. Mais ses joues se colorèrent d'un pourpre que seul un vent glacial eût pu provoquer de si évidente façon. Alain le remarqua. Il pensa qu'il s'était peut-être fourvoyé en se rappelant que l'Italienne avait porté cette même robe un cours sur deux depuis le début. Il fallait se rattraper en l'approchant sur un plan moins physique.

— Votre façon de nous enseigner la place des pronoms personnels dans la phrase, c'était très pédagogique. J'ai bien aimé. C'était, comment dire... mnémotechnique...

Elle continua de vider son attaché-case, plus muette qu'une religieuse contemplative.

"Hostie, si tu veux pas me parler, mange un char!" pensa son attaquant. Mais il insista:

— On voit quoi aujourd'hui?

Elle tourna les talons, mit sa main en cornet sur une oreille enfouie sous de longs cheveux noirs, justifiant ainsi tous ses silences.

— Vous dites?

— Quelle leçon aujourd'hui? demanda-t-il en soulevant son manuel.

— Celle qui suit celle de la semaine dernière.

Il fit un sourire de remerciement confus et niais, prenant conscience qu'elle venait de lui servir une mornifle. Elle quitta le local et se rendit appuyer sur le bouton de commande de l'ascenseur à quelques pas dans le couloir.

Ce qui le fascinait au plus haut point et l'attirait chez l'Italienne, c'est l'image qu'il se faisait de son corps nu et particulièrement de son pubis. Les triangles fournis, grands et noirs qu'il avait vus dans ses phantasmes et des films érotiques l'avaient, chaque fois, électrisé. Jamais il n'avait eu l'occasion d'en voir un pareil dans la vraie vie, pas même chez les danseuses nues. La chose lui semblait une petite bête aussi rare que le vison et par le fait même tout aussi désirable.

C'est qu'elle avait les cheveux plantés bas sur le front et si drus! Et surtout de ce noir bleuté rempli de promesses! Si seulement son livre était publié! Comme il se sentirait plus fort, plus confiant en lui-même face à elle! Pour l'empoigner solidement, la sécuriser... comme une femme le requiert.

Il brûlait d'envie de lui annoncer tout de suite? Non, non. Pas maintenant. Ce serait vendre la peau de l'ours. Ce n'était pourtant qu'une question de temps. Et puis il se ravisa. Les femmes ne croient que ce qu'elles voient.

Il reprit son étude et n'en ressurgit qu'au moment où la porte se referma sur le groupe d'étudiants, une vingtaine et tous de moins de trente ans. Pendant les trois heures qui suivirent, son esprit vogua d'un lendemain à l'autre et des avenirs lointains devinrent aussi prochains que les autres.

À la sortie, il ne put emprunter le même ascenseur que l'Italienne. Il manoeuvra pour cela mais, au dernier moment, elle s'esquiva et en prit un autre.

Dans le hall d'entrée du pavillon, une voix joyeuse l'interpella:

— Salut Alain, je gage que tu m'avais encore oubliée. Quelle femme a pris ton attention ce soir?

En une fraction de seconde, il se souvint de ce rendez-vous avec cette amie, une jeune femme qui s'était remise aux études après plusieurs années de ce qu'elle appelait sa servitude domestique. Caprice de bourgeoise qui avait voulu renifler un peu de vent universitaire pour noyer sa nostalgie: elle étudiait à plein temps.

Femme de médecin, elle roulait sur l'argent et en Mercedez. Ils avaient l'habitude, elle et Alain, d'aller vider un pot de Sangria chez Bourgetel le vendredi soir. Et curieusement, ils ne s'étaient pas encore retrouvés dans le même lit.

En fait ce n'était pas si curieux. Elle l'avait proposé dès le début. Cet exemple de monde à l'envers où la femme n'attend pas mais prend, avait effrayé Alain, l'avait désarçonné. Elle était revenue à la charge et chaque fois, il était resté perplexe et pantois; mais il avait toujours inventé prétexte pour éloigner l'échéance.

Dans ce milieu bigarré, la jeune femme frappait par ses allures aristocratiques. Racée comme une jument sauvage, elle s'habillait souvent du rouge superbement vif de son feu intérieur. Ainsi était-elle vêtue ce soir-là. Alain l'enroba d'un seul regard. Il l'imagina en femme-évêque avec qui il commettait tous les péchés au son d'un orgue déchaîné touché par Satan en personne. Nourri par cette infernale et céleste pensée, son verbe y ressembla:

— Flamboyante comme une faute mortelle... luciférienne...

Elle fit une cascade de rire qui attira l'attention de quelques retardataires et lui découvrit une incisive plantée en biais qui, lui disait-on, ajoutait à son charme naturel, ce qui la justifiait de ne pas la faire remettre d'aplomb.

— Le péché m'a lâchée depuis pas mal de temps, dit-elle à travers la fin de son éclat.

— Pourtant c'était si merveilleux d'en commettre, hein? s'exclama-t-il avec un regard pervers.

— Oui... Peut-être... Mais à condition de ne pas avoir été trop bête ou plutôt assez bête pour ne pas en faire.

— Jamais trop tard pour mal faire!

Leurs rencontres se passaient à évoquer les souvenirs de leurs fréquentations prudes de 1960, de soirées dansantes dans le lobby d'une salle de cinéma, des filles qui passaient le plus clair de leur temps aux toilettes, des gars qui allaient pisser dehors pour, en même temps, s'y gorger de la bière qu'ils avaient cachée sous un escalier.

Quand il avait refusé ses avances, bien temporairement avait-il pris soin de souligner, elle avait aussitôt soulevé le bon côté de la chose en disant que le désir ne pourrait que grandir. Il n'aurait qu'à lui faire signe quand il serait prêt. Et lui, pendant ce temps, avait tenté de circonscrire le barrage qui l'empêchait d'arriver jusqu'à elle. Il avait pesé et rejeté bien des pourquoi? L'autopsie de son blocage avait commencé par le bilan des attraits de la femme.

Paupières à léger accent eurasien, longs cheveux forts et noirs comme ceux de l'Italienne mais plus sensuels dans leur coupe fluide imprimée par la main du meilleur coiffeur en ville, lèvres aux lignes savoureuses et toutes ces couleurs depuis le jais de ses cheveux jusqu'à l'écarlate de sa bouche à la volupté dessinée par une ligne foncée, de ce nacre fin piquant ses oreilles à ses doigts effilés aux ongles éclatants dont elle disait qu'ils étaient faits pour la caresse et la griffade.

Et pourtant quelque diable, car Dieu dans sa bonté n'eût pu permettre pareille perte de joie, le retenait de lui faire l'amour. Pouvait-il s'agir d'une impensable fidélité envers sa femme? Lui, le plus infidèle des maris qui avait tranché sciemment, systématiquement tous les liens du mariage fermé, s'était écrié mentalement: "Voyons donc!" chaque fois que cette idée saugrenue était revenue hanter son insomnie.

Peut-être par peur de Micheline qui s'affichait par ses propos osés comme une dévoreuse d'hommes, bien qu'elle eût été incapable d'entreprendre la dure tâche d'en briser un.

Elle était vêtue d'un ample manteau rouge ouvert sur une robe à tons foncés.

— Dommage que tu n'aies pas mis ton vison! dit-il en balayant ses parties sexuelles d'un regard pénétrant.

— Tu sais bien que dans ce trou à rats, faut pas trop en mettre. Ça rend certaines jeunes filles maussades.

— C'est pas des rats, c'est des intellectuels.

— Où est la différence?

Il aimait ces mots-là et elle ne se privait pas pour en dire. Elle lui avait fait part de sa recette pour frayer agréablement dans ce milieu universitaire. "Tu gardes toujours en tête la définition d'un intellectuel, une personne qui exprime par des phrases compliquées ce que tout le monde comprend en des mots simples et qui fait des arrangements verbaux avec des fleurs de rhétorique. Pour dominer ton bonhomme, t'as qu'à dire comme lui au bon moment de la discussion quand il est au maximum de sa performance orale. Tu apaises ainsi les soifs de son orgueil et alors, sous prétexte de le mieux servir, tu lui soutires le pouvoir. Il se sent aimé car tu as salué sa supériorité."

Il ne s'était pas rendu compte qu'elle le classait lui aussi dans la catégorie des pondeurs d'idées. Femme d'affaires, quand elle ouvrait la bouche, c'était pour investir en calculatrice épicurienne.

Alain n'avait donc qu'à dire oui et il s'éternisait à dire non. Ce soir-là, ô merveille! il était mûr pour l'amour et c'est pourquoi il lui avait parlé de fourrure.

— Et pourquoi mon vison? demanda-t-elle curieuse, flairant tout à coup son mûrissement.

— On aurait pu faire des choses... dessus... ou bien dessous... Qu'en dis-tu?

— Tu montes avec moi et je vais le chercher. Et dans moins de vingt minutes, on est au lit.

— Je blaguais. On pourra s'arranger sans le vison.

— Je peux savoir ce qui me vaut cette décision? demanda-t-elle d'une voix déjà empreinte de volupté.

À ce moment précis, Alain aperçut l'Italienne qui passait en trombe derrière eux. Il serra un peu les dents pour répondre:

— À mon âge, faut que je commence... faut commencer à se déballer un peu, tu ne penses pas?

— J'avais hâte de te l'entendre dire, fit-elle dans un rire aussi bref que bruyant.

En route, ils se prirent des hamburgers pour faire plus vite puis ils se retrouvèrent dans une chambre d'hôtel.

Ils s'attablèrent pour manger.

— On devrait se commander une bouteille de champagne, proposa-t-il, pince-sans-rire.

— Scène romantique par excellence: champagne, chandelles et big macs, répliqua-t-elle sur sa lancée.

Une fois de plus ils ressassèrent de vieux souvenirs. Il se retenait de lui annoncer la nouvelle de la parution imminente de son livre dont il lui avait vaguement parlé jusque-là. Il s'en ménageait le plaisir pour après l'amour.

— Si ta mère te voyait! fit-il avec un clin d'oeil.

— Certain qu'elle en ferait un double infarctus.

— Pas méchante, seulement un peu bornée, la mère!

— J'appelle pas ça bornée, c'est bouchée. Elle sait que mon mari est devenu impuissant et elle s'imagine que je vais jeûner le reste de ma vie. C'est mal connaître Micheline. Ça se comprend pour elle qui a toujours pris la sexualité comme une corvée, mais moi, je ne suis pas trop de sa génération.

Il fit tourner le café dans le verre de carton, y puisa sa réflexion:

— Des soirs je me demande si c'est nous autres qui avançons dans la bonne route. On se pense les meilleurs, mais...

— Jamais de la vie! Je veux dire que nous vivons plus intelligemment qu'eux; ils n'ont pas vécu le quart de leur vie.

— Peut-être! Mais ça ne veut pas dire que c'est notre génération qui a inventé le bonheur, hein?

— Tu sais bien qu'on pourrait jamais vivre comme eux autres.

— D'accord, soupira-t-il. Bien que dans dix ou vingt ans, on va peut-être retourner vers leurs valeurs... Pas à toutes, mais à certaines. Et même à d'autres plus anciennes.

— Tu ne crois pas qu'on perdrait beaucoup ce soir d'avoir le cerveau empoté dans l'esprit des années cinquante?

— Il y avait le désir, la subtilité, le sublime, la romance, l'attente...

— La frustration, les refoulements, le dessèchement, la sclérose...

— Qui a raison? Qui a tort?

Elle baissa les yeux pour suggérer dans une sorte de provocation pudique:

— Si on jasait de choses plus... actuelles?

— Volontiers!

— Depuis vingt ans qu'on se connaît, le moins qu'on puisse dire c'est qu'on aura su attendre.

— L'explosion n'en sera que plus forte.

Il se recula sur sa chaise, croisa ses mains derrière sa nuque, lui toisa la poitrine d'un regard insistant. Elle sentit le besoin de le prévenir:

— Si monsieur aime les poitrines opulentes, il risque d'être un peu déçu.

— Je les aime petites. Je ne cherche pas la poitrine maternelle, moi.

— C'est tout de même pas rien que deux bleuets sur un bardeau, fit-elle en les relevant de ses paumes.

— N'en dis rien! Laisse-moi l'agrément de la découverte... tout comme si on était en 1960.

Elle sauta sur ses pieds, annonça qu'elle allait se préparer et se rendit à la salle de bains. Il se leva aussi, s'approcha de la fenêtre, écarta une tenture.

Étoiles modernes par bancs scintillants, les lumières de la ville piquaient de tous leurs blancs, prismes hauts et cubes noirs. Les rues charriaient d'interminables files de phares silencieux sous un ciel jaunâtre et fumeux.

L'esprit de l'homme s'envola vers son village de jadis, de vingt ans auparavant. Si peu de lumière en ces soirs d'encre. Qu'un simple lampadaire chaque arpent! Et quel lampadaire! Un abat-jour en forme de coquille avec, fichée au milieu, une simple ampoule d'un jaune timide. Par chance que la neige était blanche alors! Elle répandait quelques lueurs malingres que voulaient bien lui dispenser fenêtres carrelées et autos perdues en des nuits qui fermaient tôt le bureau de poste, le petit restaurant ainsi que les yeux des villageois.

Il a seize ans. C'est le vingt-cinq décembre. Alain passe devant une immense épinette plantée pour les Fêtes devant l'église paroissiale. Les courants de lumières multicolores n'ont même pas été allumés en ce sombre soir de Noël. L'adolescent retourne chez lui. Le feu de la fournaise doit commencer à frissonner. Il faudra mettre du bois dans la chaudière pour ne pas que l'eau gèle et que les tuyaux fendent. Fernand est parti voir sa blonde. Il reviendra tard en fin de nuit. Peut-être restera-t-il chez elle jusqu'au lendemain? L'adolescent monte sur la galerie, écoute le vent qui gémit entre les bâtisses et dont personne ne veut. Il entre. C'est plus froid encore à l'intérieur de cette solitude que dehors. Il tâtonne, trouve une berçante, s'assied. Pour penser. Dans la grande noirceur. Pour mieux penser.

Il revoit l'image de sa petite amie de l'été d'avant. Il l'a perdue au coeur de l'automne. Un copain se l'est offerte. Elle doit fêter en famille. Sans doute avec un quatrième, un cinquième après lui. Il a pleuré alors; on a ri. Il a cherché de l'aide; on lui a dit: ''Laisse tomber, c'est une garce!'' Il a écrit à son père pour mieux savoir la vie. Son père n'a pas répondu. Pas encore! Fernand est heureux, amoureux, occupé: comment pourrait-il comprendre, ce grand frère qui comprend tout? Une peine d'amour, personne ne comprend ça!

Il ôte ses gants, les jette par terre. Ils tombent dans un bruit léger. Les bras de la chaise glacent ses doigts. Ses pieds ne risquent pas de mouiller le plancher. Il enfouit ses mains dans ses poches, recroqueville ses doigts, engonce ses épaules pour se donner une protection bien futile. Et il écoute la nuit...

Alors il s'entend pleurer. Mais est-ce bien lui dont la respiration fait des soubresauts aussi profondément douloureux? Et si ce n'est pas lui, faudra-t-il qu'il passe toute sa vie avec l'autre? Pourquoi ne pas le faire disparaître, ce solitaire braillard? L'endormir. L'expédier dans quelque monde plus facile et plus accueillant.

90

Un frisson long dont l'épicentre se situe quelque part entre les épaules se répand jusqu'au bas du dos, saute sur les cuisses, hérisse les mollets, se perd dans la froidure des pieds.

Il se dit que deux chaleurs peuvent tuer ce chagrin qui le désarme, le désâme: celle de la fournaise et celle du vin. Pour plus de succès, il les combinera. Un flasque de gros gin est toujours là pour les grippes. Non. Il faut d'abord raviver le feu. Il se lève, frôle le mur d'une main chercheuse, trouve le commutateur, le fait bouger.

La pièce jaune apparaît. L'autre lui-même n'est pas là. Le vieux poêle dort, silencieux. La table attend en vain des plats chauds. Le réfrigérateur se tient coi dans sa blancheur cassée de crainte de réveiller la température autour de lui.

Alain zieute vers l'armoire verte contenant la bouteille de gin. Un miroir fleuri lui reproche d'avoir sali le plancher en lui réfléchissant l'image de ses bottes. Il les ôte, tire un tapis de catalogne, lui fait boire l'eau.

Il va à l'armoire, prend le flacon, un verre, les dépose au centre de la table, pense un instant. Décidément, il faut aller à la cave. Il s'y rend, ouvre la porte de la fournaise, fouille dans les cendres avec un gros tisonnier. Rien. Que des résidus aussi froids que gris! Il faut rallumer. Papier-journal. Le Soleil brûle bien. Écorce frisée. Copeaux. Il cherche d'autres écorces plus durables. Puis croise des bûches pour ne pas écraser tous ses préparatifs. Il tire son allume-cigarettes, met le feu, souffle un peu. La flamme lèche, enveloppe, crépite, crache des escarbilles prématurées. Le bois est bon. Le bois est sec. L'attisée suffira jusqu'au jour. Il regarde sa montre. Minuit. Noël est enfin fini. Bravo!

Il retourne au gin. Réfrigérateur. Armoire. Sucre. Citron. Manque de l'eau chaude pour une bonne ponce. Christ! Faudrait chauffer le poêle aussi. L'eau de son réservoir y est peut-être encore tiède? Vérification. Elle l'est. Ça suffira.

Toujours engoncé dans son mince manteau à la mode, les épaules agitées sporadiquement de longs frissons sauvages, il concocte le mélange puis il s'assied devant pour le regarder, le bien humer avant de le boire. Odeur de joyeux suicide. Comme le parfum aurait pris du corps si l'eau avait été plus chaude! Tout est transparent, limpide: le verre du verre, l'eau du gin, le gin de l'eau, le sucre lui-même n'est plus lui-même.

Il goûte. Saveur de pain, de levure: détestable. Grimace. Frémissement. Onomatopées. Le gin est servi, il faut le boire. Ciguë du misanthrope aux soirs de mélancolie. Il lève le coude, bloque la cloison nasale, ingurgite.

Il a besoin de quatre, cinq secondes pour secouer sa répulsion comme un cheval qui brasse la crinière. Puis il reprend du poil de l'homme, consulte l'horloge au-dessus du réfrigérateur, recommence à souffrir.

Une heure passe. Les gins se suivent mais ne se ressemblent pas. L'adolescent chemine vers l'oubli total, s'arrêtant à peine au bien-être de l'euphorie puis à celui de l'hébétude.

On le touche à l'épaule. On rit pour faire du bruit. Par-delà ses paupières, il perçoit une blancheur douloureuse qui lui tranche le cerveau. La surchauffe de la maison le déchire, le martèle du frontal à l'occipital.

Il bouge. On s'inquiète moins. Il reste là, sa tête effondrée sur ses bras. L'insupportable douleur morale l'a finalement déserté.

Mais une autre souffrance le tient, le tue...

*

"Tout ce temps passé, perdu!" pensa l'homme lorsque le village d'hier se fondit dans la ville à ses pieds.

"Pourquoi donc ne pas être sûr de tout comme cette femme? Savoir s'ouvrir pour mieux prendre..."

Sa réflexion fut brutalement interrompue par un énorme: "Me revoilà!" folichon. Il se retourna et fut sur le point de tomber à la renverse. Micheline s'était mise debout sur un des lits, nue, et elle tanguait tout doucement dans un roulis des hanches capable de faire perdre le nord au capitaine le plus chevronné. Car sans raison particulière, Alain pensait soudain en termes marins. Brusquement découverte, la sexualité devait être remise sous la cape des mots.

— Prête pour l'abordage?

— Si ton canon de proue veut se pointer...

Il cherchait où arrêter son regard. Tout ce neuf à boire. Des plaisirs furibonds se diffusèrent dans toute sa substance. Pourtant son corps ne bougeait pas. Comme s'il eût manqué un accord quelque part... une harmonique. Il sut. C'était le désir. Elle le privait des forces d'attraction de la découverte, des promesses. Trop vite offerte malgré son avertissement d'il y avait quelques minutes. Comment vanter ses formes alors qu'elle n'avait pas donné la chance à son désir de les déifier? Il annonça subrepticement:

— Je vais aussi prendre une douche.

— N'enlève pas trop les odeurs naturelles.

Il rit, commenta en se dirigeant indolemment vers la chambre de bains:

— Elles reviendront bien assez vite, va. T'inquiète pas.

Sous l'eau, il se rappela du corps de la femme, de cette image à peindre, provocante, voluptueuse, florale. Ce fut le choc, le coup au coeur, la culmination du désir.

Elle l'avait, le pubis rêvé: triangle noir, touffu, superbement étendu et qui lui ferait voir tous les sommets.

Il eut aussitôt une réaction formidable, examina son corps, parla à sa chair comme au temps de son adolescence:

"Toi, tu vas en prendre une maudite; tu t'abstiens depuis assez longtemps..."

Alors le visage de Viviane puis celui de l'Italienne lui vinrent en tête.

"C'est par toi que je vais leur répondre... par la bouche de mon canon, comme un militaire." Il eut un sourire narquois en se frottant d'aise.

De retour dans la chambre, il dit n'importe quoi pour détourner son attention car il se sentait embarrassé de la voir détailler sa nudité. Elle s'était enfouie jusqu'au cou sous les couvertures et souriait.

— Je regardais la ville tout à l'heure. Sais-tu que l'artificiel est beau sous certains angles? Ceci pour en revenir aux odeurs naturelles. Moi, je préfère un parfum produit par des procédés chimiques à partir de glandes de civette que l'odeur naturelle de la civette...

Il avait tout dit d'une traite comme on récite un texte appris par coeur. Mais ça lui avait donné le temps d'arriver au lit et l'illusion qu'elle n'avait pas vu grand-chose de son corps. Elle l'accueillit avec des mots contrariants:

— Sais-tu que t'as une belle tache de naissance en bas du nombril?

Il s'arrêta, désigna du pouce sa tache en forme d'Afrique, se cachant ainsi le sexe de sa main étendue.

— Ça?... Quand j'étais enfant, je l'ai lavée dix fois pour la faire disparaître. J'ai même essayé avec de l'eau de javelle. Comme tu vois, elle est tenace.

La femme se mit brusquement sur le ventre en même temps que d'un mouvement tournoyant elle repoussait les couvertures pour se découvrir le corps jusqu'aux jambes.

— Regarde sur ma fesse gauche, j'en ai une qui ressemble à un pénis.

Il constata. Elle ajouta:

— Comme tu peux voir, j'ai été marquée par le signe du mâle avant même de venir en ce monde.

Il s'allongea, ramena les couvertures en se plaignant:

— J'ai froid. On va se réchauffer un peu...

— Donne quelques coups de tisonnier dans la fournaise et ça ne tardera pas.

Il devint songeur. Avait-elle lu dans ses pensées tandis qu'il rêvait à l'observation de la cité? Folie! N'empêche que les mots étaient défiants. Voulaient-ils signifier que le succès de la partie de jambes en l'air reposait sur ses épaules... ou sur une autre partie de son anatomie? Croyait-elle avoir en lui un de ses jeunes amants? Savait-elle seulement qu'aux abords de la quarantaine, il faut à un homme un peu plus que la vue d'un corps nu pour... Et puis, peut-être pas?... Qu'en savait-il vraiment? Il n'avait questionné personne. De toute façon, il n'aurait jamais obtenu la vérité d'un autre homme sur ses performances. Les autres n'étaient pas lui... Qui sait si?... S'il fallait que...

Il chassa le doute, ce pénible doute qui s'était emparé de lui quand Viviane lui avait fait comprendre qu'il n'était pas à la hauteur. Sûr qu'elle avait voulu se venger, le faire souffrir à son tour. Il ne devait pas se laisser dévaloriser par le sadisme d'une femme amère. Que non!

Le corps polypétale se colla au sien qui eut un léger mouvement de recul. Il le camoufla en surprise amusée sous un rire léger. Il se rapprocha aussitôt pour montrer sa confiance en elle, en lui et en l'amour physique.

Il perçut les fleurs qui sculptaient sa chair. Ses cuisses creusant les siennes. Ses seins aux pointes dures et d'une douceur infinie. Son nombril en forme de bourgeon qu'il avait particulièrement remarqué quand elle avait posé nue en sortant du bain. Et son pubis, son pubis incendiaire, frisé, espiègle et qu'il sentait pas le détail sur son sexe écrasé. Il eut un goût fou de le toucher, de l'embraser avant de l'embrasser.

Des ordres complexes voyagèrent de par les voies nerveuses et l'homme sentit son sexe se charger de promesses.

— Hum, hum! fit-elle émerveillée comme si Alain eût été le premier mâle à s'allumer au contact initial. Il lui enveloppa l'arrondi des épaules, frotta doucement.

— Tu sais... je pense que j'ai envie de te transpercer...

— Quand tu voudras, mon grand.

— Non... Je veux dire... Écoute... Pas comme ça, à la mode d'antan...

— Très cher, au lit, y'a pas de mode. C'est de la stupidité de gens qui mélangent l'amour et la cuisine... ou bien qui ne mêlent pas assez les deux parce qu'en amour, c'est ce qu'on aime qui importe. Fais ce que t'as envie.

Il ferma les yeux, murmura:

— Bon Dieu de bon Dieu que j'ai le goût!

— Oui, oui, viens...

— Mais non, il ne s'est encore rien passé.

— Mon grand, tu es plus prime qu'un jeune: c'est extraordinaire.

Il sentit son amour-propre flatté comme par une langue de velours. L'inquiétude suivit de fort près. Érection, oui; mais s'il fallait que ça ne dure pas. Et c'est ce qui se produisit. Sa chair s'amollit pitoyablement.

"Hostie d'hostie!" pensa-t-il.

Il se dépêcha de bourrer son cerveau d'images érotiques: le pubis noir, la pénétration. Il se représenta ses chauds fluides, les va-et-vient exquis, les coups de boutoir, le voyage aux confins de l'intolérable, tout près de la souffrance, le noyant, le noyant, le noyant...

Comme une bruine glaciale, la peur tomba sur sa pensée, l'enroba du voile grisâtre de la désolation. Il lui fallait absolument dire quelque chose, s'excuser:

— Un peu nerveux, tu comprends. La première fois avec une femme, c'est toujours comme ça.

— Rien de plus naturel, mon grand.

— Ne m'appelle pas mon grand, ça me donne une stature que je n'ai pas.

— O.K... Bon... Toi, t'es une montagne de nerfs à vif, je le sens. C'est le propre des hommes qui travaillent trop de la tête. Mais tu es bien tombé parce que Micheline va t'arranger ça. Étends-toi sur le dos. Laisse-toi aller. Relaxe...

— Attends. Laisse-moi te caresser un peu. La guerre est loin d'être terminée même si j'ai perdu une bataille. La paix n'est pas signée, hein! Colle-toi encore que je t'enveloppe. Comme ça, viens...

Il fit une pause puis demanda:

— As-tu toujours la peau aussi brûlante?

— Non voyons! Rien qu'au lit! Et avec... avec toi.

— C'est la première fois qu'elle est si chaude?

— Pour être honnête, je n'ai jamais fait prendre ma température en ces moments-là.

Ils rirent. Lui plus qu'elle. Et plus longtemps. Mais tout à coup, son rire resta accroché, s'évanouit, remplacé qu'il fut par une sensation de douceur impossible venue de son corps tout entier. Il ferma les yeux, crispa les poings, haleta. Imprévisible, la main féminine s'était mise en forme de panier sous le scrotum et les doigts bougeaient, tapotaient comme pour dactylographier, voletaient.

L'érection revint aussitôt. En force. Pour l'éternité. Dieu lui-même ne pourrait l'affaiblir.

Lui aussi voulait la toucher. L'irrésistible tirait sa main au creux de ses cuisses. L'index effleura. Le ventre frémit.

— Oui, souffla-t-elle dans une plainte suppliante.

La main fébrile toucha au but. Tâta. Explora. Doigts fermés. Puis écartés. Deux s'insinuèrent. Les jambes s'ouvrirent doucement, docilement. Fleur de feu. Fraîche. Folle. S'offrant sans frein.

— Ouf! fit-elle en poussant ses hanches vers la caresse. Il s'inquiéta:

— J'y suis allé trop fort?

— Non, non... Continue, c'est parfait, parfait...

L'hésitation avait suffi à chasser du corps de l'homme l'assurance inébranlable qui l'avait animé l'instant d'avant. Micheline le perçut. Son autre main vint à la rescousse de la première, s'empara de la chair flaccide, l'amadoua dans un tournoiement tranquille qui mena l'esprit d'Alain tout droit dans un autre lit où Viviane était la main qui crée, distribue à profusion. Un lit d'un passé déjà lointain.

L'homme fit des gestes plus expérimentés. Mouilla ses doigts sur les parois moelleuses. Remonta vers le bouton de rose, y exerça des pressions tendres qu'il interrompait parfois pour aller emmailloter l'entier appareil génital dans la tiédeur nerveuse de sa paume.

La fièvre revint se lover dans sa verge qu'on manipulait avec un raffinement subtil et une maîtrise étonnante. La main savante variait le degré de pression, le lieu, frôlait comme papillon, happait vigoureusement, contournait, se baladait jusqu'au sommet comme une alpiniste précautionneuse.

L'homme se sentit fier d'être devenu aussi droit qu'un échalas, d'afficher la puissance d'une montagne. Il n'avait pas besoin qu'elle en fasse autant pour lui. Pouvait-elle craindre qu'il soit impuissant parce qu'il avait mis tout ce temps à se décider à coucher avec elle? Cherchait-elle à lui donner confiance? Mais alors ses gestes seraient aussi menteurs que ceux de Viviane dans le temps? Cette pensée l'irrita. Un stress subit fit raidir ses bras et ses jambes. Et son désir, comme un oiseau farouche, s'évada de sa cage, chassé par l'amertume et les regrets.

— Distrait, hein? Tu ne t'abandonnes pas facilement. Est-ce que tu me sens menaçante?

— Non, non... c'est une pensée déprimante qui m'est passée par la tête.

— Comme?

— Difficile à dire.

— T'as pas besoin, je sais.

— Ah?

— T'es comme plusieurs de ta génération: la peur morbide de l'impuissance.

— C'est peut-être ça.

— C'est irraisonné.

— Sûrement!

— Tu ne peux la chasser?

— Non, puisqu'elle est irraisonnée.

— T'inquiète pas, Micheline va arranger ça.

— Ah?

— Je ne te demande qu'une chose...

— Laquelle?

— La même que tout à l'heure: étends-toi, relaxe, respire, laisse-toi aller, abandonne-toi... Oublie-moi.

— Ce n'est que temporaire, tu sais... La fatigue. Les agressions à la maison.

— Je sais, je sais. Une femme mal intentionnée peut très bien démolir la sexualité d'un homme.

— Ça, tu peux le dire.

— Mais une autre peut la reconstruire. C'est précisément à ça que doit servir une maîtresse aussi.

— J'en ai eu une pendant quatre ans et c'était pourtant le contraire: je n'aimais pas beaucoup faire l'amour avec elle.

— Tu veux?

— Quoi?

— M'obéir un petit quart d'heure? Et te taire?

— Pourquoi pas?

— Merveilleux! D'abord, tu me donnes ta bouche...

Elle mit ses mains sur son visage, l'enveloppa puis entreprit de lécher doucement. Sa langue voyagea sur les paupières...

— Il faut garder les yeux fermés, voilà...

— ...sur le front...

— ...et arrêter de réfléchir... Au lit, les intellectuels valent pas un clou, je les connais bien. Mais toi, c'est différent...

— ...sur les lèvres...

— ...ce qui importe maintenant, c'est le plaisir. Total. Pur. Fou. Ma bouche va explorer tout ton corps, en extraire toutes les émotions, toutes les vibrations...

Elle s'introduisit dans sa bouche en disant:

— Donne ta langue... Dans la vie, y'a deux sortes de femmes: les vaches et les cochonnes. Moi, je suis cochonne...

Elle poursuivit le baiser, ne gardant qu'une seule main sur sa figure tandis que l'autre coulait sur sa poitrine, doigts écartés, dansants.

La soyeuse caresse de ses cheveux lui balayait la joue au gré des hochements de tête sur sa bouche. Pour ajouter d'autres mots plus stimulants que les précédents, elle se recula un peu en même temps que sa jambe envahissait celles de l'homme pour renouer avec le chaud contact des sexes. Elle murmura dans un souffle démesuré:

— Je vais te faire venir comme tu n'es jamais venu de toute ta vie...

Baiser. Interruption. Suite des promesses:

— Tu seras asséché pour un mois... Mais avant, tu vas mourir de plaisir...

"Il ne doit pas y avoir bien des bonnes-femmes capables de faire autant pour un homme défaillant," songea-t-il. "Et il semble que ça ne fait que commencer. Qu'est-ce que ça sera tantôt?"

Le désir revint de ses quartiers d'hiver et se refit un nid dans l'arbre revigoré.

"Aurai-je toujours besoin d'une experte pour me réveiller? Bien sûr que non! C'est l'émotion des dernières semaines. Mon livre m'a demandé des heures de fou. La concentration, ça met les batteries à terre... Manque de sommeil... En tout cas, il faut que je me ramasse les idées et les énergies. Parce que faire patate avec une femme comme elle, je suis cuit pour dix ans à venir. Et après, je ne serai plus qu'un cas de gériatrie.''

Elle l'envahit un peu plus, glissa sur lui, frotta sa poitrine de la sienne. Sa bouche émettait parfois des bruits de goûteur puis elle ronronnait.

— Tu veux que je goûte au reste de ton corps? chantonna-t-elle en s'éloignant vers sa poitrine. Elle s'arrêta, insista:

— Tu veux?

— Oui, sûrement.

Elle redevint fleur. Sur sa poitrine, son ventre, se servit de son nombril comme d'une noyure pour y insérer sa langue, perdue sous une couverture qu'elle rejeta au loin au moment d'arriver au but. Alain croisa les mains derrière sa nuque, ouvrit les yeux. Il eut envie de se sentir coupable de voir pareille scène. Elle empoignait son sexe, lui faisait toucher à chacun de ses seins, décrivant de grands cercles autour des mamelons. Alors il oublia toutes ses vieilles hontes. Il n'avait envie ni de rire ni de s'offusquer d'être sexué.

Le temps que son regard reconnaissant se pose sur le plafond, il est surpris par un geste qu'il n'espérait pas aussi vite: un gouffre mouillé par toutes les douceurs, plus frais qu'une source printanière, plus chaud qu'un soleil d'été, enserre sa tige, glisse jusqu'à la base, flatte capricieusement en retournant à la pointe. Une fleur-oiseau, c'est cela, pense-t-il. Ce sont les ailes d'une rose qui le frôlent amoureusement. Il ne peut retenir des halètements qui ressemblent fort à ceux des agonisants. Et c'est une agonie qu'il va vivre. Il meurt à la mort lente qu'est sa vie pour commencer à vivre les sublimes instants d'une autre fin.

Les rares fois où l'homme pense fort à son dieu par ces aujourd'huis si pleins sont les moments marquants, ceux qui vont au coeur de l'intensité, qui dessinent des besoins excessifs.

Alain rend hommage au Créateur pour avoir donné à l'humain d'aussi grandes capacités de jouir, effrayantes tant elles embrasent et que la plupart doivent dissimuler sous des voiles de pudeur ou de haine.

Cette bizarrerie aussi doit être attribuée au grand Maître,

songe-t-il. Ou peut-être au diable, qui sait? Car seul le malin pourrait semer dans l'âme des hommes le discrédit sur leurs forces les plus pures et les plus régénératrices.

Qu'est-ce donc cela que de cogiter sur l'idée de Dieu lorsqu'une femme vous pompe les intimes liqueurs? Autre diable brouilleur de pistes? Il a envie de rire de lui-même soudain, se retient. Mais l'ordre s'est déjà répercuté jusque dans le bas-ventre et la femme en décèle le léger contrecoup. Elle se trompe à croire qu'il va lui rendre hommage, fait une pression des lèvres pour l'aider à bloquer la montée prématurée. Un peu fort l'encerclement et l'homme réagit encore. Elle serre davantage. Il se dit qu'elle va lui faire perdre sa vigueur. La perd...

Elle remonte vers sa poitrine. Il craint qu'elle n'exprime sa déception car il est mécontent de lui-même. Une fois de plus...

— Orgasme interne: merveilleux! dit-elle, fière du succès de son entreprise.

— Oui, mais...

— La force reviendra. Deux fois plus grande...

Il n'ose avouer ce qui s'est vraiment passé. C'est si facile de lui laisser croire qu'il a parfait contrôle de lui-même.

— Comment as-tu trouvé la... le...

— Je voulais devenir dingue.

— C'était qu'un petit aperçu de quelques minutes, mon noir. Tantôt, je te ferai durer ça une demi-heure... et plus. Et la prochaine fois, une heure...

— Et toi...

— Tu vas venir à moi sans même t'en rendre compte.

— J'ai un peu de misère à accepter ça... C'est pas trop normal...

— Chut! Pas de discussion sur la normale des choses, fit-elle en lui touchant les lèvres d'un index qui ajouta à son ton de tendre menace.

Elle les recouvrit d'un seul drap, se fit un nid aux alentours de la poitrine mâle, ferma les yeux. Le temps d'une détente, d'un silence avant la seconde charge.

Lui garda ses yeux ouverts pour mieux voir les hiers et les lendemains, caressant d'une main reconnaissante les cheveux noirs dont des mèches barraient le visage féminin mais n'en laissaient pas moins voir des lisières de profonde satisfaction.

Une image impossible, née d'une sorte de farfelue prosopopée, se mit à rôder dans son esprit. Son corps, son âme, son être tout entier s'était transformé en machine à boules, de celles sur lesquelles il avait tant joué à l'époque de son adolescence. Des lumières clignotantes jetaient à tous les horizons leurs signaux bleus, rouges, verts, jaunes. Nerveux, des cordons élastiques, frappés par la bille d'acier, réagissaient à la seconde et renvoyaient la boule vers d'autres points tout aussi sensibles. Et dans sa tête quelque chose additionnait, gardait à jour les résultats des réactions aux stimuli. Aucune femme en maillot sur ses vitres. Mais une femme aux seins nus actionnant les flippers.

Ce fut d'abord Viviane. Puis Denise. Puis d'autres sans visage. Toujours les mêmes seins appuyés sur le bord de la table. Micheline. D'autres encore. Chacune secouant davantage la machine. Coups de poing sur ses vitres. Insultes. Coups de pied sous son ventre. Ses pattes n'arrivaient plus à garder l'entité en place. Ses circuits s'effarouchaient, s'emmêlaient en une terrible confusion multicolore.

Lancées toutes ensemble, les cinq boules réglementaires chargeaient sans arrêt les cordons, parfois frappaient même la vitre. Le compteur s'affolait. Des marteaux claquaient dans sa tête. "Qu'on me laisse tranquille! Mais qu'on cesse donc!" cria-t-il de plus en plus déboussolé.

Et son voeu, son cri, son hurlement fut entendu. Il eut un immense haut-le-coeur. Puis vint la paix. Et en lui tout s'éteignit. Les poitrines se mirent à défiler lentement devant lui. Des voix de femmes se succédèrent, dirent sur un ton mortuaire:

— Pauvre machine, elle est cassée!

— Faut la mettre au rancart.

— De toute manière, il n'est si bon cheval qu'il ne devienne rosse.

— Mais non, voyons, elle n'était pas si pire.

— C'était amusant, hein, de jouer dessus.

— Bon, passons à autre chose...

Alain se mordit une lèvre, ferma les yeux pour chasser ces phantasmes insolites.

Micheline chercha à raviver la flamme. Lécha. Frotta. Emprisonna de ses jambes. Marcha à genoux de chaque côté de son corps, lui offrit son sexe. Il caressa froidement comme par devoir. Elle se tordait de plaisir. Il crut qu'elle simulait.

— La prochaine fois, ça ira mieux, fit-il pour conclure.

— C'est sûr, c'est sûr, approuva-t-elle.

En son for intérieur, loin sous les décombres de sa pensée, quelque chose lui disait qu'il n'y aurait jamais de prochaine fois.

*

Il n'avait dormi que d'un oeil cette nuit-là. Vingt fois, le bruit incessant de l'autoroute l'avait réveillé. Il s'était demandé à chaque reprise si son appareil auditif, semblablement à celui de quelque animal, ne percevait pas des fréquences auxquelles d'autres humains restaient insensibles. Car comment expliquer que Viviane, à peine couchée, sombrait dans un sommeil profond quelle que soit la direction des vents charriant le tapage de la circulation des véhicules et n'en émergeait qu'une dizaine d'heures plus tard?

Mars commençait à s'égoutter sur l'asphalte de l'autoroute, ce qui ajoutait de l'aigu aux sifflements des pneus. Le téléphone sonna. Alain sortit du lit, se frotta le front le plus fort qu'il put pour faire fuir un mal logé dans la partie gauche du crâne et sous l'oeil. Rendu dans la cuisine, il décrocha, répondit. On raccrochait justement après seulement trois coups.

"Un impatient," songea-t-il.

Aussitôt, c'est la sonnerie de la porte qui se fit entendre. Il courut à sa chambre, enfila un pantalon et revint à la porte alors que la sonnerie maintenant nerveuse résonnait à nouveau.

"Un autre impatient," songea-t-il.

— Alain Martel, cria-t-on avant même qu'il n'eut assez ouvert pour voir le visiteur.

— C'est ici.

— Un paquet pour vous.

C'était un livreur en uniforme foncé, roupie au nez, botté, affublé d'un manteau trop grand et détaché. Il mit le pied sur le pas de la porte, présenta le colis qu'Alain voulut prendre.

— Faut d'abord signer, patron, dit la voix gutturale.

Il y avait une feuille jaune sur le paquet avec un stylo décapé à côté. Alain le prit, dit:

— Où ça?

— Peu importe, patron.

"En voilà un autre qui n'est pas trop fier de ce qu'il fait."

Il signa, remit le crayon. Le livreur fit un geste du paquet pour que l'autre le prenne. Ce qui fut fait. Et l'homme se hâta de séparer les formules, d'en laisser une sur le colis avant de tourner les talons en laissant tomber:

— Salut bien, patron!

"Pourquoi passer son temps à m'appeler patron?" se demanda Alain un peu excédé par l'allure blasée de l'autre.

Alors seulement il se posa des questions sur le contenu du paquet. Le nom de l'expéditeur n'y apparaissait même pas. Il n'attendait pourtant rien. Et c'était lourd. Pas une seule seconde il ne pensa à son manuscrit. Pas avant de le déballer une fois rendu à son bureau.

Sur le moment, il ne comprit pas que ce retour signifiait un refus. Il devait s'y trouver une lettre, un mot. Avait-on photocopié le manuscrit? Ça n'avait pas de sens. Alors c'est qu'on avait dû en faire la composition typographique comme il se doit avant d'envoyer le tout chez l'imprimeur. On n'aurait pas pu retourner le manuscrit aussi vite.

Aussi vite! Les deux mots le mirent sur la piste. Une piste qui le conduisit en dix secondes au mur implacable de l'évidence. Le livre ne paraîtrait pas à cette maison. On refusait le manuscrit sans aucune forme d'explication. Il fouilla dans les premières pages, dessous, dans le papier d'emballage: néant.

Une insoutenable sensation tout à fait et uniquement physique rayonna, depuis ce même point d'où jaillissent les sensations amoureuses lors des grands mais brefs incendies de jeunesse, dans la région du front qui se crispa douloureusement. Hébété, il se laissa tomber sur sa chaise. Sa robe de chambre s'ouvrit. Il se mit à hocher la tête comme un vieillard atteint de nutation. Son cerveau s'effondra comme un temple abattu par quelque tremblement de terre, colonne par colonne, morceau par morceau. Des mots oppressants, toujours les mêmes, frappaient son esprit comme des marteaux-pilons: "C'est donc si mauvais!"

Il ouvrit le manuscrit au hasard comme il l'avait fait si souvent déjà et relut une page. Puis il leva les yeux au ciel et dit, le regard amer:

— C'est publiable, je le sais. Il y a trop de coeur investi là-dedans.

Alors un vent de révolte souffla sur son esprit. On n'avait pas le droit de retourner un manuscrit à son auteur sans la moindre explication. Le plus mauvais professeur du pays donne au moins une note à une rédaction d'élève. Comment un éditeur qui ne saurait exister sans les auteurs, qui gagne son pain sur leur dos, pouvait-il manquer d'éthique au point de traiter aussi cavalièrement un texte soumis? Ces gens lui parleraient. Et tout de suite. Il appela chez Saturne, demanda Leroy, s'identifia, dit qu'il recevait à l'instant le manuscrit, voulut des éclaircissements:

— Vous comprenez, hésita l'autre de sa voix timorée, moi, je n'y suis pour rien. Je ne peux donc vous donner d'explications. C'est notre comité de lecture qui a décidé...

— Qui fait partie de ce comité? demanda Alain, autoritaire.

— Plusieurs personnes... Enfin, elles ne sont pas ici... Elles sont de l'extérieur de la boîte, vous comprenez.

Alain flaira le mensonge. Il insista:

— Vous seriez gentil de me donner leur numéro de téléphone. Je ne serai pas heureux tant que je n'aurai pas parlé à l'un de ces messieurs. À moins que ce ne soient des madames?

— Ce sont des hommes.

— Je m'en doutais bien.

— Je ne peux pas vous mettre en contact avec eux. S'il fallait que je le fasse avec tous les auteurs qui s'adressent à nous, ces gens-là ne voudraient plus travailler pour nous.

— Monsieur, votre comité de lecture me doit une explication et je l'obtiendrai.

— J'aimerais bien vous satisfaire, mais...

— Dans ce cas-là, je me rends chez vous.

— Attendez un moment; je vais voir ce qu'on peut faire.

Alain mit sa main sur le récepteur et souffla un bon coup. Au moins aurait-il le soulagement de ne pas s'être laissé manger la laine sur le dos. Il leur en ferait sortir du jus de professionnalisme à ces citrons-là.

Leroy se refit entendre:

— Voici: il y a à l'intérieur de la boîte le président du comité de lecture, monsieur Panneton. Selon lui... ce n'est pas que ce soit mauvais comme tel... mais... heu...

— Passez-moi-le, ce monsieur.

— C'est qu'il ne peut pas vous parler en ce moment.

— Alors je vais aller le voir.

— Ouais... attendez quelques secondes.

Murmure lointain. Bruits confus. Souffle. Une voix qui se donnait des airs:

— C'est Jacques Panneton, ici.

— Je voudrais qu'on m'explique le refus de mon manuscrit.

— Cher monsieur, on en refuse douze par semaine. Vous n'êtes ni le premier ni le dernier.

— Tout ce que je veux savoir, c'est pourquoi?

— Parce que ça correspond pas à notre production littéraire... pas précisément.

La prononciation s'était faite huppée, ce qui eut l'heur de déplaire à l'auteur brimé et qui ne lâcherait pas d'ergoter. Il dit durement:

— Pas de grande formule plate! Cette toune, on sait que les éditeurs la servent à tout le monde. Changez d'air, s'il vous plaît.

Habitué de manier la flatterie qu'il savait si nécessaire aux pondeurs de livres, Panneton se fit conciliant:

— Vous savez, notre public-cible n'est pas très intellectuel et

106

votre ouvrage ne saurait l'atteindre.

— Sachez que mon roman ne s'adresse pas non plus à nos "happy few".

— Je trouve que pour les gens ordinaires, votre phrase est souvent difficile à suivre, obscure.

— Vous me reprochez, semble-t-il, d'avoir un peu trop travaillé ma phrase?

— Je ne suis pas dans le monde de l'édition depuis hier et j'aimerais vous faire comprendre une chose. Vous avez remarqué que nous avons trois sortes de télévision, ici? L'une est élitiste et ne se vend pas beaucoup. L'autre est éducative et ne se vend pas mieux. La troisième est populiste et elle se vend. Votre manuscrit ne se classe ni dans l'une ni dans les autres catégories. On le dirait "one of a kind". Pas assez hermétique et complexe pour les uns et trop difficile d'accès pour les autres. Et par les autres, je veux dire le grand public.

— Écoutez, monsieur, j'ai pas inventé les boutons à quatre trous. Y'en a d'autres avant moi qui ont écrit des livres au Québec et qui se sont fait comprendre et aimer du grand public dans une phrase pourtant travaillée. Vous avez oublié dans votre exposé sur la télévision tous ceux qui écoutent la télé américaine. Il y a beaucoup de gens parmi eux qui pourraient s'intéresser à mon livre...

Alain s'arrêta pour entendre l'autre mais en vain. Panneton resta muet. Un silence irritant pour le père d'un roman.

— J'aimerais savoir quelles sont vos connaissances littéraires, monsieur le président du comité de lecture.

Ulcéré, Panneton se fit hautain:

— J'ai lu la plupart des auteurs français, anglais, américains et russes... Je parle évidemment des grands...

— Une métaphore, vous savez ce que c'est? Une allitération? Une antiphrase?

— Écoutez, ça devient ridicule de s'engueuler sur pareil sujet. Adressez-vous à quelqu'un d'autre et laissez-nous la paix. Et puis si vous voulez mon opinion franche, votre manuscrit ne sera jamais publié par personne. Premièrement, il est trois fois trop long...

— Mais pourquoi ne l'avez-vous pas dit plus tôt, cher monsieur? Ça commence à sentir l'argent, donc la véritable raison. Enfin le chat montre la tête...

— Coupez-le en trois et peut-être que...

— Vous voulez rire?

— Ça se fait souvent.

— C'est tel qu'il est maintenant qu'il a toute sa valeur; pas charcuté ou tronqué.

— Alors cherchez ailleurs.

— C'est exactement ce que je vais faire. Mais je vous garantis que cette histoire vous retombera sur le nez et que vous aurez la preuve de votre manque de jugement. Parce qu'il va s'en vendre, de ce livre, au moins dix mille exemplaires.

— Ça, seul l'avenir le dira.

— En effet! Veuillez me repasser monsieur Leroy.

Alain n'avait plus qu'un désir: en terminer vite avec ces gens. Il fut pourtant incapable de cracher sur le directeur littéraire dont la voix piteuse montrait qu'il n'était pas le responsable de la décision.

— Vous savez, je ne suis que le directeur de la production. Ici, c'est plutôt le directeur commercial qui décide. Et votre manuscrit, il est vraiment trop volumineux. Nous savions que vous désireriez le garder tel quel et ma foi, je vous comprends. Quand on a accouché d'un enfant, difficile de l'amputer d'un bras.

Alain apprendrait plus tard que chez Saturne, on préférait acheter des droits américains qu'on payait mal, ce qui valait d'incessants procès à la maison. Ou bien qu'on se livrait joyeusement à de la piraterie.

Il raccrocha après quelques mots polis et resta de longues minutes la main sur l'appareil, à ruminer sur sa défaite, cherchant parfois à remettre de l'ordre dans sa chevelure hirsute. Les pensées s'entrechoquèrent:

"Y'a du monde chien dans le monde!"

"Y'a rien qu'à Montréal où ça peut se passer des choses pareilles!"

"Jamais je ne me ferai humilier de la sorte par un autre éditeur!''

''Ça ne règle pas mon problème.''

''J'ai envie de le jeter à la poubelle ce maudit manuscrit.''

''Jamais de la vie! Ça ne ferait pas de mal à personne d'autre qu'à moi-même.''

''Ce livre doit être publié et il le sera. Dussé-je aller jusqu'au meurtre pour qu'on s'y arrête.''

''Si j'allais en prison, je trouverais un éditeur le temps de le dire: monde de fous!''

''Ils en refusent une douzaine par semaine; ce sera la même chose ailleurs.''

''En Californie, ça doit être différent.''

''Je me demande bien ce qu'il faut faire pour éditer un livre soi-même? Ça ne peut pas être chinois, avec l'intelligence que ces gens-là ont l'air d'avoir...''

''Qui donc, mieux qu'un éditeur, pourrait me renseigner? Je vais rappeler Leroy.''

Il le fit sur-le-champ et s'entendit répondre succinctement:

— Je ne peux vous donner beaucoup de temps, mais sachez que c'est un imprimeur qui pourrait le mieux vous donner tous les renseignements pertinents. Voici la liste des plus importants à faire du livre au Québec. Ils sont quatre...

Les noms furent pris en note. Tous loin de Montréal. Cela rassura Alain. L'accueil serait sans doute meilleur. Et probablement la compétence aussi, songea-t-il.

Au cours de la journée, il en appellerait un ou deux. Il devait d'abord trouver un peu de forme physique, histoire de se remettre l'esprit en selle.

Une douche. Un déjeuner solide. Éviter surtout de laisser paraître sa déconfiture devant Viviane. Autrement, elle multiplierait les ''je le savais'', les ''je te l'avais dit'' et les ''tu n'aboutiras jamais quelque part avec ce manuscrit''. Ce n'était pas là précisément le genre de stimulants dont il avait alors grand besoin.

Il se fit discret. Elle ne sortit de sa chambre qu'au moment où il terminait son repas. Il fut contrarié de la voir arriver à la cuisine et prendre place à l'autre bout de la table où elle se postait trop souvent à son goût pour engager la mitraille. Elle bâilla à deux reprises; cela fit jaillir des larmes aux encornures de ses yeux.

''Par chance qu'elle bâille de temps en temps, ça permet à ses glandes lacrymales de ne pas trop se scléroser,'' pensa-t-il malicieusement.

Elle déplaça un verre, garda sa main dessus, demanda à brûle-pourpoint de sa voix éteinte du matin:

— Qui est venu tout à l'heure?

Il n'avait pas prévu la question, croyant Viviane endormie lors de la livraison.

— Personne...

— J'ai entendu quelqu'un.

— Oh, rien d'important!

— Qui c'était?

— Un... livreur.

— Le facteur? Une lettre recommandée?

— Non... un livreur... qui s'est trompé d'adresse...

Elle sut à son ton qu'il mentait.

— Comment ça, trompé d'adresse?

Il haussa les épaules, se leva de table pour aller au comptoir avec sa vaisselle, dit:

— Qu'est-ce que j'en sais? Il s'est trompé, il s'est trompé, c'est tout. Ça arrive. Pas à toi? Jamais? Rien qu'une fois: le jour de ton mariage. Plus précisément le matin de ton mariage, à l'église.

— Oh, ça, tu peux le dire! soupira-t-elle.

— T'inquiète pas, je vais faire en sorte qu'elle soit réparée, ton erreur.

— Bon... il semble que nous sommes encore en pleine bagarre... Pourquoi? Parce qu'un livreur est venu porter quelque chose et que tu ne veux pas me dire la vérité.

Il émit un rire qui sonnait faux, fit couler l'eau chaude pour rincer la vaisselle.

— Je me demande qui est soupçonneux dans cette maison, dit-il en manoeuvrant pour que les morceaux de vaisselle s'entrechoquent de sorte que leur bruit couvre en partie sa voix.

Car il se savait mauvais menteur. Il avait besoin de connaître sa chanson sur le bout des doigts pour arriver à la lui faire avaler et en ce moment, elle le prenait au dépourvu. Tourner le dos. Donner l'air d'être au-dessus de tout soupçon en faisant quelque chose de la façon la plus naturelle...

— Le livreur t'a probablement pas cru sur parole que tu n'étais pas le voisin? Il t'a demandé de signer...

Irrité d'avoir été ainsi démasqué, Alain jeta:

— Ça ne te regarde en rien!

— Peut-être pas, mais il reste que je vis encore dans cette maison et que je veux savoir ce qui s'y passe tout simplement parce que ça me concerne.

— Voilà justement une des choses qui nous aura conduits au bord du divorce: ton incorrigible manie de vouloir tout savoir et de mettre ton nez...

Elle coupa:

— Je parlais pour parler. Si tu ne veux rien dire, t'as qu'à le garder.

Et sur ces mots, elle quitta la table en bousculant sa chaise pour aussitôt disparaître sur des pas bruyants par la porte de l'escalier menant au sous-sol.

"Elle n'oserait tout de même pas aller dans mon bureau," se dit-il en fronçant des sourcils inquiets. Puis il se rassura tout à fait en pensant qu'elle en serait empêchée par son orgueil provoqué par les derniers mots qu'il lui avait dits.

Il se trompait. Elle ouvrit la porte sans faire de bruit, aperçut le manuscrit puis alla travailler dans la chambre à lavage. Quand il fut descendu et installé depuis un moment à son bureau, elle frappa à sa porte. Il se dépêcha de dissimuler le manuscrit avant de lui dire d'entrer.

— Je voudrais m'excuser pour tantôt. Je suis nerveuse, fatiguée, dit-elle en s'approchant.

Elle prit place devant lui en se laissant tomber sur une chaise pivotante qu'il laissait là comme pour se donner l'illusion de recevoir de nombreux visiteurs.

— As-tu deux, trois minutes à me donner?

— Pourquoi pas?

— Pour parler sans s'énerver?

— Pourquoi pas?

— Tu veux me parler de quoi? demanda-t-il sur ses gardes.

— De... ton livre.

— Si tu veux.

— Je voudrais juste te demander de ne pas trop en dire là-dedans. Je dis ça pour toi. C'est toi qui pourrais le regretter le premier un jour.

— Bon... allongea-t-il.

— Écoute, je ne le dis pas pour faire des menaces. Tes idées vont peut-être changer dans la vie.

— Et après?

— En tout cas... c'est pour toi que je le dis.

— Tu te répètes.

— C'est sûr que je ne connais pas grand-chose là-dedans, mais je sais que ça ne peut rien apporter de bon de laver du linge sale en public.

— C'est pas ce que j'ai fait.

— Ça en a l'air.

— Tu sais, c'est long de t'expliquer ce qu'est un roman. Je commence à me fatiguer de te le répéter.

— Je ne demande qu'à comprendre.

— Des choses sont embellies. D'autres sont enlaidies. D'autres sont absolument fictives. J'ai pris ma vie comme canevas et j'ai poussé loin, c'est tout. C'est pour faire réfléchir les lecteurs, les couples. Tu te sens donc si coupable de tout? Maudits Québécois qu'on est: toujours la chienne au ventre!

— Les gens vont croire ce qu'ils lisent.

— Et après? Ceux qui ne seront pas contents pourront toujours aller se faire enculer par... le diable ou le premier ministre.

— Ne te fâche pas...

— Je ne me fâche pas.

— Je voulais juste de prévenir.

— C'est fait, merci.

— Bon... As-tu eu des nouvelles en fin de compte de ta

maison d'édition?

"Elle, ça ne me surprendrait pas qu'elle soit là rien que pour me niaiser!" supputa-t-il.

Il allongea ses jambes et les croisa sur son bureau, rejetant son corps vers l'arrière sur la chaise. Et il mit ses mains derrière sa nuque en disant:

— Je vais leur redemander mon manuscrit à ces gens-là. Ça prend trop de temps. Et puis j'ai fait des appels ici et là; c'est une mauvaise maison. Ils ne payent pas.

Il avait baissé les yeux en parlant et les paroles sonnaient menteuses.

— T'as appelé qui?

— Des gens... Des libraires...

— T'es sûr que c'était pas ton manuscrit, le livreur, tout à l'heure?

Il avoua d'une voix morte:

— Oui, et après?

— Ça va retourner en eau de vaisselle ou quoi?

— En fait, c'est moi qui ai demandé qu'on me le retourne.

— Pourquoi?

— J'ai pris une décision...

— Laquelle?

— Je vais faire le livre moi-même.

— Qu'est-ce que tu connais là-dedans?

— Ça va me donner une belle occasion d'apprendre.

— Avec quel argent?

— Celui de la banque. Sont là pour ça.

Elle dit avec un sourire triste:

— Encore une autre histoire qui commence!

Il jeta, désabusé:

— C'est pas une histoire. Je vais le faire moi-même et rester maître à bord.

— On te l'a refusé chez un éditeur et tu crois quand même que le public va s'y intéresser?

— On l'a refusé parce qu'il est trop long. Des caves. Connaissent rien!

— Comme ça, on l'a bien refusé?

— Et puis après? Des incapables!

— Parce qu'ils l'ont refusé?

Il sentit le sang lui bouillonner sous les tempes. Il serra fort ses doigts déjà croisés puis il sortit son manuscrit d'un tiroir et le jeta devant lui assez fort pour que le bruit soit violent. Il dit à voix basse:

— Je ne vais pas chercher à te convaincre parce que tu es toujours du côté des autres et jamais du mien. Ce que je peux te dire, te garantir, c'est que ceci deviendra un livre. Quoiqu'il arrive! Pour moi, c'est la chose la plus importante au monde: compris? Et garde-le entre tes deux oreilles.

— Tu vas te mettre à dos des dizaines de personnes et pour le restant de ta vie.

— On ne fait pas d'omelettes sans casser des oeufs. Je voudrais te dire que ça me touche, mais je ne le peux pas. Et là-dessus, je vais te demander de quitter parce que j'ai plusieurs appels à faire.

Elle n'ajouta pas un mot et partit, refermant doucement la porte. Il composa un numéro de téléphone sans même regarder le cadran et il raccrocha au moment où l'on décrochait. Il attendrait qu'elle soit partie au travail avant de converser avec qui que ce soit.

"Les murs ont des oreilles et ce sont celles de ma chère épouse," songea-t-il en se rappelant de la visite du livreur.

Au premier imprimeur qu'il rejoignit, il se présenta comme un auteur désireux de se publier lui-même et s'enquit de la marche à suivre. Premièrement, il fallait de l'argent. Il dit qu'il en aurait. Puis il fallait qu'on procède à la composition typographique et à la mise en pages avec corrections des épreuves. Concevoir et faire exécuter une esquisse de page couverture ainsi qu'une page argumentaire et enfin envoyer tout le matériel requis, soit les films de séparation de couleurs de la couverture ainsi que les prêt-à-photographier à l'imprimeur qui lui, verrait à exécuter le travail final, soit l'impression et le laminage de la couverture, l'impression de l'intérieur, le collage et la coupe. Donc, résuma Alain en sa tête, il y avait quatre maisons différentes à contacter parce que nécessaires pour faire

114

aboutir le projet: une banque, un atelier de composition, un autre pour la séparation des couleurs et finalement un imprimeur.

— Un peu compliqué, non? dit-il sans réfléchir.

— Rien de plus simple! Il y a partout des ateliers de compo. On vous fera un prix à la page. On exécutera le travail, on vous fournira des épreuves que vous veillerez à corriger. Attention, parfois vous avez plusieurs centaines de fautes de frappe à corriger dépendamment dc la compétence des typistes. Ensuite ce sera l'étape de la mise en pages. Vous relirez pour les dernières corrections et finalement on vous remettra les prêt-à-photographier.

— Et pour la couverture?

— Selon le contenu de votre livre, vous utiliserez ou bien une photo ou bien un dessin d'artiste. Ou ni l'un ni l'autre; seulement du lettrage sur fond de couleur: ça se fait et ça coûte moins cher.

— Moi, c'est un roman populaire.

— Alors je vous conseille la photo. Ça accroche mieux. Et vous pouvez avoir le choix parmi des dizaines ou même des centaines. Tandis qu'un dessin vous coûtera cher et ne vous donnera qu'un seul choix; et alors pour que le sketch soit vraiment approprié, il faudrait que l'artiste ait lu le livre, d'où une très grosse perte de temps.

— D'accord, photo...

— Si possible une diapositive. Je vous donnerai des adresses d'ateliers spécialisés dans la séparation des couleurs. Ensuite vous écrivez votre titre, le nom de l'auteur, celui de l'éditeur en lettrage commercial puis le situez sur votre sketch. Et vous nous envoyez le tout, si nous sommes, bien entendu, l'imprimeur avec qui vous ferez affaire.

— C'est tout?

— C'est tout.

— Rien que ça?

— Que ça!

— Mais c'est un jeu d'enfant que de faire de l'édition alors?

— Le problème commence quand vous avez votre tirage en

mains. Faut que le livre se rende au lecteur. Distribution chez les détaillants. Surtout la publicité. Si personne n'en parle dans les journaux, à la radio, à la télévision, il restera sur les tablettes et en fin de compte vous sera retourné.

— Ça, j'ignorais: le marchand peut retourner le livre?

— Certainement! Une librairie n'est pas une quincaillerie. Les invendus sont renvoyés aux distributeurs qui les remettent aux éditeurs.

— Les média vont sûrement parler du mien parce que c'est un livre un peu... spécial...

— Mon cher monsieur, les média du Québec parlent très peu de livres. Et quand ils le font, c'est pour privilégier le livre européen. Quant à la critique, elle est souvent négative.

"Voilà un gars farci de préjugés!" songea Alain.

L'autre poursuivit:

— Vous savez, la confiance dans les produits d'ici est pas mal mitigée.

— Y'a un peu de quoi avec ce qu'on nous propose depuis quinze ans: des briquettes hermétiques, noires et à couvertures élavées. Et question coûts, maintenant?

— Ça dépend du nombre de pages.

— Six cents.

— Ouf! Mais vous êtes...

Alain devina le mot retenu par son interlocuteur. "Vous êtes fou!" avait-il sans doute voulu dire. La voix continua:

...certain de ce chiffre? Vous savez, une brique pareille, ce n'est pas facile à rentabiliser. Au Québec, personne n'ose se lancer dans du roman de pareille envergure.

— Je peux rien retrancher.

— En ce cas, faites composer en petits caractères pour réduire le nombre de pages. Autrement, ça va vous coûter une fortune en frais d'impression. Quatre cents pages, ce serait raisonnable, non?

— Ouais...

— Attendez que je calcule.

Et la voix se mit à fredonner à une allure vertigineuse des chiffres qui s'additionnaient, se multipliaient suivant une méthode de calcul aussi familière pour l'un qu'incompréhensible pour l'autre.

— Et voilà, monsieur... Monsieur qui déjà?

— Martel.

— Monsieur Martel, ça vous coûterait environ deux dollars et quarante l'unité pour trois mille exemplaires, donc sept mille deux cents...

— Composition comprise?

— Ah non par exemple! Faudra vous adresser à quelqu'un d'autre. Nous n'en faisons plus. Eux autres, feront en sorte de réduire le nombre de pages.

— Bon, c'est plein de sens! Peut-être qu'on va pouvoir faire des affaires.

— Je dois vous aviser qu'à titre de nouveau client, vous devrez payer d'avance. Chèque certifié pour le montant total avant la livraison.

Il y avait comme une menace dans le ton. Alain sentit l'humiliation lui colorer les joues. Pourquoi lui faire si peu confiance? Sa voix blanchit:

— On va faire ce qu'il faut.

— Dans ce cas, vous serez bien servi.

L'homme donna les adresses promises puis il invita Alain à communiquer à nouveau avec lui pour des renseignements additionnels si requis.

Le jour même, emporté par un vent d'enthousiasme qui prenait de l'ampleur à chaque heure, l'auteur se rendit à sa banque.

Billets verts et autres. Incessant bourdonnement des machines électroniques. Quinze jolies jeunes femmes. Un gérant affreux à regarder avec son menton en galoche mais souriant. La bonté même, songea Alain.

En attendant qu'on soit prêt à le recevoir, il reluquait de regards attentionnés tout autour, remarqua comme les yeux avaient de l'occupation en ce royaume du nerf optique. Tous ces chiffres qu'on lit. Ces clients qui, en silence, s'observent. L'adjoint qui ne regarde jamais où il a l'air de regarder pour mieux surveiller le personnel. Les caissières qu'on dévisage.

Une caméra qui épie.

Et quelle atmosphère! Des ondes d'espérance qui s'accrochent à la fumée de cigarette. Une des comptables là-bas, derrière: quelle poitrine! De la façon qu'elle la trimbale, sûr qu'elle en est fière!

"Je me demande s'il se fait du harcèlement sexuel ici? Ce n'est pas trop possible. Trop de monde. Dans la voûte peut-être? Dans le temps, Gaston racontait qu'il y coinçait Ghislaine. Ou après les heures de fermeture?"

Une cliente excédée, femme courbée aux abajoues lui pendant de chaque côté du menton, aux traits burinés, jacassait nerveusement devant une caisse. Un jeune homme aux sourcils inquiets, le visage camouflé sous une broussaille qu'il étrillait sans arrêt de ses doigts indifférents, s'éloigna du comptoir en vérifiant le compte de son argent. "Un gauchiste calculant ses intérêts," se dit Alain.

Un homme suiffeux engoncé dans un complet qui lui allait mal, gauche à porter col et cravate, émergea du bureau du gérant en souriant comme un communiant. Alain se dit que lui-même aurait dû s'habiller mieux, s'habiller d'un air de prospérité et d'ordre, jouer sur la première impression, ne pas dépayser le banquier, lui renvoyer le plus possible sa propre image. Il se promit de s'excuser, soulignerait son goût pour les cravates.

Il eut plus de cinq minutes pour laisser courir son esprit. Ce fut le rappel d'une source en forêt. Si loin. Trente ans derrière. "Une veine grosse comme le bras, clamait son père. Faut l'entourer d'un tuyau de grès pour en faire comme un réservoir de surface. On va mettre un couvercle pour pas que les petites bêtes s'y noient. Vont pouvoir boire pareil l'eau qui va déborder."

Elle était bien cachée par un attroupement de cèdres, la source aux bouillons noirs d'une eau si claire.

Quand on avait bu à elle, rien n'en pouvait plus jamais effacer le souvenir tant l'eau avait goût de pureté et pour son aptitude à couper net la soif après une seule bonne gorgée. Elle abreuvait un épais tapis de mousse tout autour, sa majesté la source, et qui rendait l'agenouillement plus agréable à ses sujets.

— Monsieur Martel, dit une voix qui jette sur sa pensée une douche aussi froide que l'eau de source de sa rêverie.

Alain sourit, se lève d'un bond et s'engouffre dans un bureau à moelleuse moquette rouge suite à cet homme à l'air ancien et au nez frisé. Il attend l'invitation pour s'asseoir. Alors la chaise lui renvoie au fessier son ultra-confort.

— Qu'est-ce qu'on peut faire pour vous?

— Comme à bien des gens, il me faudrait un peu d'argent.

— "Un orgueilleux," pense le gérant. "Il se donne déjà une excuse."

"J'ai droit à l'appui de la banque comme n'importe qui," songe Alain.

— Dites-moi combien et exposez-moi vos raisons. On va tâcher de vous arranger ça. Depuis combien de temps avez-vous un compte ici?

— Deux ans.

— Vous avez déjà un prêt avec nous?

— Oui.

— De combien?

— Douze mille.

— Il vous faut... un peu plus?

— Huit de plus.

— Ah bon!

"Pas l'air trop solvable, celui-là," se dit l'homme de la banque.

"Pas l'air trop sympathique," pense Alain. "Ce nez crochu. Ces petits yeux mesquins, si sournois!"

— On va faire un beau chiffre rond: vingt mille.

Le gérant s'avance, prend un crayon, baisse la tête.

— Vous faites quoi comme métier?

— Disons que maintenant, je ne travaille pas officiellement. Je veux dire pour un employeur...

L'emprunteur sent le besoin d'en dire long. Il recule de quelques années, raconte son histoire, sa vie professionnelle. Il termine:

— Et comme j'avais du temps à disposer, je me suis mis à écrire et je me suis découvert des aptitudes et probablement un métier. J'ai donc un livre de prêt et je veux l'éditer moi-même.

Le banquier grimace intérieurement.

"Non, mais tu parles! Un chômeur endetté qui veut jouer à l'éditeur."

Alain expose son projet, l'oeil brillant. Il donne ses raisons de publier lui-même.

— Il faudrait faire un petit bilan personnel. Je ne doute pas de votre bonne foi ni de vos capacités, mais pour une banque, vous savez, seuls les chiffres comptent.

L'homme questionne, prend des notes, pose son crayon. Alors il se rejette en arrière en souriant la bienveillance à pleines dents.

— On va étudier cela, soumettre le tout à ceux qui décident. Vous comprenez, j'ai des comptes à rendre à la maison-mère. Et on va vous redonner des nouvelles.

— S'il y a des possibilités...

— Tout ce que je peux vous dire, c'est que ça regarde pas si mal.

"T'auras pas une vieille cenne noire, baquet!" songe l'homme de la banque.

"Ouf! j'ai eu chaud!" pense Alain, libéré de son appréhension.

— Les nouvelles, c'est pour quand?

— Demain... disons après-demain, le temps de porter le tout à l'attention du comité de crédit à Montréal.

"J'espère qu'ils seront moins stupides que ceux du comité de lecture de chez Saturne!"

"Non seulement t'auras pas une cenne, mais tu vas devoir rembourser ton prêt, baquet. T'es trop illuminé pour qu'on te laisse gérer même cent dollars," se dit le banquier qui se lève, main tendue et ultra-sourire dans les yeux et la voix.

— Je suis très heureux d'avoir reçu dans mon bureau le futur Henri de Balzac québécois.

"Honoré pas Henri," va dire Alain. Mais il se ravise au dernier moment pour ne pas jeter d'ombre sur une rencontre aussi fructueuse. Il dit à la place:

— On a déjà notre Victor-Hugo-Léon-Grandet.

— Connais pas, hélas! Hugo oui mais pas ce qui suit.

— Quelqu'un qui écrit pour la télé...

Le gérant ouvre la porte, la fait hocher sur ses gonds, déclare:

— Vous savez, la fiction, je laisse ça aux femmes. Je ne voudrais pas vous offenser... Ni les femmes non plus. Moi, à la télé, je n'écoute que les nouvelles et les sports. Et, bien sûr, les émissions d'affaires publiques.

"Tu devrais aussi t'intéresser à la fiction, borné," pense Alain. Mais en quittant, il se fait courtisan:

— Me reste à vous remercier et à vous dire que si mon livre voit le jour, ce sera grâce à votre compréhension.

— Le titre, ce sera quoi?

— LES GRANDS VENTS.

Le gérant éclate d'un rire intérieur qui se traduit par un clignement approbateur des yeux. Il pense: "Ça ne sera pas une tornade, ton affaire, avec un titre pareil."

Il dit:

— Bon titre, bon titre... LES VENTS D'HIVER, AUTANT EN EMPORTE LE VENT...

— Je crois que c'est évocateur.

— Comme je vous disais, tout dépend des gens du bureau-chef. Mais je ne croirais pas que ça puisse causer de problème. Appelez-moi sans faute après-demain, là.

Il redonne encore la main à son client puis en invite un suivant à entrer tandis qu'Alain quitte avec un chant victorieux au coeur. Il pourra maintenant commencer à budgétiser avec plus de certitude.

*

Le lendemain, il appela un second imprimeur pour savoir s'il pourrait y obtenir un meilleur prix que chez le premier. On le mit en contact avec un vendeur dont la voix sèche et espiègle lui fit imaginer un homme maigre, très grand, roux et probablement moustachu. L'idée disparut et il ne resterait en lui, lors d'une prochaine rencontre, qu'une impression de déjà-vu puisque son intuition était juste: cas rare.

L'homme lui conseilla de travailler sur la base d'un tirage initial de deux mille exemplaires au lieu de trois. Puis il fit une évaluation à quatre dollars l'unité, composition typographique incluse. Alain fit remarquer qu'il avait bien meilleur prix chez un autre imprimeur.

— Les gens achètent ce qu'ils veulent et où ils veulent, fit la voix détachée.

Tout en conversant, Alain calcula qu'il suffirait, grâce à l'option proposée, de huit mille dollars puisque les frais de compo étaient inclus donc deux mille de moins qu'avec l'option du premier imprimeur. Et comme les dollars requis comptaient bien au-delà du nombre d'exemplaires...

On s'entendit sur tous les points. Restait à discuter de conditions de paiement.

— Payable sur livraison, dit le vendeur. Vous avez l'argent?

— J'ai huit mille dollars prêts pour ça.

— L'affaire est dans le sac. Faites-nous parvenir le manuscrit au plus vite.

— Et voilà! fit Alain tout haut après avoir raccroché. Il se croisa les bras et se félicita, l'oeil luisant.

Il emballa le manuscrit, l'expédia le jour même avec les recommandations requises.

Le lendemain, il téléphona au gérant de banque pour s'enquérir du résultat de sa requête.

— Je n'ai pas de très bonnes nouvelles, lui dit la voix autoritaire. On a étudié votre dossier en haut lieu et votre demande est repoussée.

Alain resta suspendu dans un vide qui lui entourait l'esprit, incapable de prononcer la moindre syllabe. Le banquier poursuivit:

— Il y a pire. Votre très mauvaise situation financière nous oblige à vous demander le remboursement de votre prêt actuel de douze mille dollars. En fait, la banque l'exige. Ce qui veut dire que si vous ne pouvez payer, nous devrons prendre les procédures requises. Quand je dis nous, je veux dire la banque car, pour ma part, j'en suis parfaitement désolé, croyez-le.

— Bon, si c'est de même.

— C'est de même, mon bon monsieur.

— Merci, on va essayer de voir à tout ça.

— Prenez une semaine au moins pour vous retourner. Vous trouverez sûrement autour de vous quelqu'un pour vous faire confiance.

— O.K. Merci.

Hébété, il raccrocha, s'appuya les coudes sur le bureau, mit ses mains sur son visage et pleura. Des larmes tranquilles, abondantes et brûlantes, larmes de défaite et d'abattement.

Il avait grande honte de n'être rien.

Tout ce jour-là, il broya du noir frôlant parfois le voyage suicidaire. Car il prit conscience de cruelle façon que sa liberté future dépendrait en tout premier lieu de l'argent, du crédit dont il pourrait disposer. Les amis, les parents? Juste pour un endossement? Jamais! Il se débrouillerait seul ou bien il crèverait. Il lui vint parfois l'idée de commettre un crime. Prendre un otage pour obtenir de l'argent. Attaquer une banque. Il aurait tout à gagner à faire pareil coup d'éclat. Non démasqué, il aurait l'argent. Et pris, il ferait parler de lui et alors n'aurait aucun mal à se trouver un éditeur. Et puis il pourrait facilement écrire un livre en prison. Pour lui le crime serait profitable quoiqu'il arrive. Hélas! le coeur ne s'y résoudrait jamais. Ses vieux principes excerçaient leur emprise par-delà le temps et l'audace de sa réflexion. Et puis il se reconnaissait un manque de courage bien trop grand. De penser à exécuter, il y avait un trop long chemin à parcourir.

Au déclin de l'après-midi, il resta dans l'ombre à jongler. Van Gogh l'obséda. Il fut sur le point de feuilleter un cahier de reproductions de ses oeuvres mais changea d'idée. Le clair-obscur mettrait bien mieux en lumière dans sa tête les toiles qu'il préférait du maître fou qui se mutila et se suicida.

Des lieux communs décuplèrent sa crise de dévalorisation. Il ne devait pas être, lui, un véritable artiste puisqu'il avait si grande préoccupation des questions d'argent. Un vrai créateur de chefs-d'oeuvre, se ferait reconnaître une valeur. Et ce sens des affaires qu'il se flattait de posséder? Il n'avait même pas su convaincre le gérant et conduire sa barque en ce royaume de la cache-cache. Il n'était rien ni dans une direction ni dans l'autre. Ni assez sociable. Ni assez douloureux. Ni assez raisonnable. Ni assez déraisonnable. Indéfini. Sans contours. Pas assez intense pour se tirer une balle comme Van Gogh. Pas assez froid pour donner confiance à un homme de banque. Une personnalité entre chien et loup qui, comme la fin du jour, ne saurait séduire ni un homme d'art ni un homme d'argent.

Et Viviane, que lui dire maintenant? Je veux continuer à écrire et tu vas continuer à me faire vivre? Quelle importance puisqu'il va falloir se départir vite de la maison et consécutivement divorcer. Il pense que cela pourra être la meilleure solution. Il la libérera tout à fait de lui puisqu'il est devenu un poids dans sa vie. Il est seul en mesure de poser les gestes requis. Il les poserait le moment venu. Son écriteau de maison à vendre, il le planterait à la fonte des neiges et pas pour bluffer.

Pour l'heure, comment se débarrasser de lui-même? Que font les sans-courage en de pareilles circonstances? Alcool? Drogue? Religiosité? Courir des conseils inappropriés? Rien de tout cela n'atténuerait le mal, ne ferait disparaître l'hideuse image de soi, le regardant comme l'oeil de Caïn ou celui, bizarre et fou de Van Gogh.

Il se souvint qu'en un jour de révolte, il avait ramassé des adresses qu'il avait cachées en se disant qu'elles pourraient toujours servir. Il alluma la lampe sur son bureau, trouva un numéro de téléphone qu'il composa avant de tourner à nouveau le bouton de la lampe. Il lui fallait de l'obscurité pour pouvoir chasser une peur qui l'oppressait, asséchait sa gorge, diluait du mou dans les muscles de ses bras.

— Bonsoir, ici Monique, dit une voix suave.

Il soupira, chercha ses mots.

— Oui, je vous écoute. C'est pour une rencontre?

— J'ai... eu votre téléphone... Vous êtes bien une...

Il s'interrompit pour se mordre la langue. Il faut quand même une certaine pudeur, réfléchit-il à travers son émotion.

— Une personne qui fait des rencontres occasionnelles,

124

acheva-t-elle pour lui.

— Et... comment ça se passe? Je veux dire où puis-je...

— J'habite à la Tour de Duvernay numéro trois cent onze. Vous sonnez en bas et je vous ouvre, dit-elle sur le ton de quelqu'un qui parle à un attardé.

— Oui, c'est sûr, mais...

— Le prix?

— ... oui...

— C'est cinquante dollars.

— Ça marche...

— À quelle heure?

— Pardon?

— À quelle heure le rendez-vous?

— Heu... mettons neuf heures?

— Je ne peux pas avant dix heures.

— Alors dix heures.

Il raccrocha, content. Il avait coiffé, enterré une montagne d'émotions insupportables sous une autre, neuve, tournoyante: sensation du gagnant à la loterie et qui caresse le gros lot en sa tête avant de le toucher pour de vrai.

Il se dit qu'il devrait être le dernier homme au Québec à n'avoir jamais fait l'amour avec une professionnelle et se remémora certains gars de l'Etchemin qui, modèles de vertu dans leur patelin, couraient la galipotte aussitôt qu'ils avaient mis le pied en ville, ce qu'ils faisaient régulièrement sous des prétextes préfabriqués à dessein. Mais il ne leur jetait pas la pierre, à eux qui subissaient les incessantes agressions de leurs bonnes-femmes. "Il y a sans doute bien moins de batteurs d'épouses grâce aux prostituées sur qui le bonhomme peut se défouler à son saoul et à tous points de vue," conclut-il.

Souper ému. Seul. Il ne fallait pas que la seule présence de sa fille exerçât sur lui un effet de reproche et lui fît changer d'intention.

Douche émue. Imagination fébrile. Comment cela sera-t-il? Quels secrets lui livrera-t-elle? Son nom déjà? Ah oui, Monique! Un savonnage additionnel... Et les maladies? Paraît qu'elles sont plus propres que la plupart des bonnes-femmes.

Sera-t-elle peinturlurée? C'est excitant et elles le savent. Aura-t-elle des dessous provocants? Perdra-t-il son pouvoir comme avec Micheline? Les professionnelles peuvent vous réveiller un mort; pas surprenant qu'elles ne chôment pas, a-t-on souvent dit devant lui. Et puis c'est elle qui aura la tâche de mener les ébats.

Une heure avant le rendez-vous, il quadrilla les rues aux environs de la tour. Nerveux comme avant sa première sortie avec une fille à seize ans. Puis il repéra le stationnement des visiteurs, s'y gara. Trois quarts d'heure encore à attendre. Il avait une bonne vue de l'entrée principale. Il observerait les allées et venues des gens fréquentant la tour. C'était parfait pour une prostituée de vivre là; le client devait s'y sentir en sécurité et la fille n'attirait pas l'attention. Alors il se sentit ridicule de réfléchir sur les raisons du comportement d'une fille d'occasion et le marché du "fast food sexuel".

Les portes vitrées jetaient une douce luminosité sur le ciment du perron, lui-même éclairé par des grappes de grosses boules juchées sur de fines tiges d'aluminium. Et jusqu'au ciel s'alignaient de longues rangées de carrés clairs. Toute cette lumière était d'un jaune joyeux, chaud de l'amitié chantée par Van Gogh, appliqué sur des noirs faiblards.

Le va-et-vient accrochait sa réflexion. Telle blonde, mince et rapide pouvait bien être Monique. Il eût bien voulu. Elle avait l'air prometteur sous ses fourrures noires. Une autre à la démarche plus lente, aux allures plus sophistiquées, le tenta. Elle aussi garde ses courbes au chaud sous un long manteau de fourrure grise. Ou peut-être bleue. Il la voit nue sur une peau de quelque chose, capiteuse, provocante, offerte. Une autre passe après être sortie de la tour. La bouche à la vulgarité mais le regard au mépris; mal vêtue; démarche nonchalante. "Faudrait pas que la Monique soit pareil agrès!" pensa-t-il en souriant.

Un coup contre la vitre de la portière le fit sursauter. En fait ce fut un choc dont le désagrément l'atteignit au-delà même de ses nerfs, se décuplant au raisonnement qu'il forgea à l'instant: "On n'arrive pas en bête de même à côté de quelqu'un. Si j'étais cardiaque, hein?''

— Excuse-moi patron, t'aurais pas du feu? cria son visiteur, un jeune homme au sourire désabusé et à la tenue overdose. Il montrait un bout de sa cigarette.

— Je ne fume pas.

— Ton lighter de char là...

— Marche pas. Regarde, l'élément est pété.

— Merci pareil!

Et le fumeur s'éloigna en abordant les passants mais sans plus de succès. Il entra dans le portique de la tour et finit par obtenir ce qu'il voulait.

''Maudit crotté!'' se redit Alain à maintes reprises en observant l'autre qui semblait attendre quelqu'un. Cinq minutes plus tard, le jeune homme sonna à un appartement et disparut à l'intérieur.

Alain continua de rêvasser à l'observation des loustics sans jamais ressasser les déboires de ces derniers mois ni s'inquiéter du lendemain. Dans un quart d'heure dont chaque seconde lui cognerait au coeur comme un marteau de piano, il plongerait dans une expérience nouvelle, prenante, folle. Cela seul avait de l'importance, toute l'importance.

Il l'imagina rousse à longs cheveux bouclés, forte des hanches et à pubis noir de jais sur un tout petit ventre rebondi. Et surtout, surtout elle sucera. Il la regardera bâiller comme une carpe après son membre. Et il ne se refoulerait pas pour la faire suivre et la traîner derrière lui comme s'il eût été un alpiniste de tête, retenu dans son ascension par la lenteur du partenaire. S'il fallait lui cracher en plein visage, il le ferait.

Cinq minutes. C'est l'heure. Il se rend dans le portique, repère le trois cent onze, s'apprête à pousser sur le bouton de la sonnerie, hésite. Sa main tremble. Son coeur descend et remonte des montagnes russes. Puis l'idée d'une chaude pisse lui fait penser: ''S'il fallait! Et après? Je me ferai soigner, c'est tout.''

Il crispe les poings. Pas question de retraiter! Un homme qui n'a pas fait l'amour avec une putain n'est pas encore un homme. Il sonne. Un coup bref. La chaleur en sa poitrine devient brasier. On lui répond. Il s'engouffre dans le building sur-chauffé.

Seul dans un ascenseur désert, il n'a aucune pensée. Il n'est plus qu'un corps affamé. En arrivant dans le corridor du troisième, il croise son fumeur détesté, mais le remarque à peine.

La porte est déjà entrebâillée. Une odeur empyreumatique le prend au nez; érotique paraît-il mais il n'en aime pas plus l'âcreté en ce lieu qu'en l'église paroissiale à l'époque. Il approche la main pour frapper mais l'on a déjà ouvert; et brusquement.

— Monique? questionne-t-il si bouleversé qu'il ne détaille pas la jeune femme sur-le-champ.

— Entre! ordonne-t-elle sans bienveillance.

Il aperçoit un gros chien noir musclé qui l'observe et fronce les sourcils. Alain fait de même. On se toise.

— Il n'est pas dangereux... sauf si je lui donne un ordre.

Alain comprend la mise en garde. Du rationnel vient parfois nuancer son émotion. Elle le fait entrer, referme.

À gauche se trouve une cuisinette, une chaise tirée de table. Elle la désigne, lui demande d'y laisser son manteau après avoir ôté ses couvre-chaussures. Quand il relève la tête, il n'y a personne près de lui. Sa voix lui parvient:

— Par ici.

Quelques pas à gauche, c'est un salon sur le long. À droite se trouve la chambre avec un lit large et des lampes de chevet à lumières rouges.

— Par ici, répète-t-elle.

Il s'oriente au son de la voix, entre au salon. Le chien est accroupi à l'autre bout d'un divan et gruge un os énorme, visiblement une jointure. Monique est assise à côté et lui frotte le dos.

''Son hostie de chien, elle pourrait le mettre dehors!'' se dit le visiteur.

— Assieds-toi.

— Merci.

— Tu t'appelles?

— Martel...

— Martel...

— Prénom?

— Alain.

— Et moi, Monique.

— Monique qui?

— Lévesque.

— Vrai nom?

— Vrai.

— Lavalloise?

— Bas du fleuve... Cap-Chat... Tu veux une bière?

— Merci.

— Autre chose? Un scotch?

— Je bois peu.

— Je gage que tu fumes pas non plus.

— Heureusement... ou malheureusement non.

Alain remarque sa maigreur et son teint pâle. Elle a plus de trente ans, c'est évident. Cheveux très courts et noirs. Les yeux d'un vert vague, las.

Elle ne provoque pas chez lui de grands désirs. Avec ce chien qui l'obsède, il a du regret et se demande comment repartir.

— Tu fais quoi, toi?

— Oh, pas grand-chose.

— Chômeur? Bien-être social?

— Non, non.

— C'était pour taquiner: t'as pas l'air de ça.

— Je vous laisse deviner.

— Tu peux me tutoyer... Toi, tu dois être un professeur, dit-elle en le pointant de l'index.

— Dans le temps, oui; mais ça fait un siècle.

— Directeur d'école: j'en connais plusieurs.

"Quel besoin a-t-elle donc de savoir mon occupation?" se demande-t-il.

— De ce temps-ci, je prends ça tranquille.

— Tu dois bien faire quelque chose? Passes-tu tes journées à te prendre le cul?

Choqué par cette brutalité vulgaire, il répond sèchement:

— J'ai écrit un livre... qui va sortir dans trois semaines, un mois.

Détenant l'appât, elle ne lâche plus et dans l'heure qui suit, elle ne cesse de le questionner sur le contenu du livre, en profitant pour lui faire donner ses opinions sur divers sujets. Le temps venu, elle lui parle de ses services:

— Tu peux me faire l'amour ou je peux te faire une blow-job: c'est à ton choix. À onze heures et demie, j'ai quelqu'un: faudrait que tu te décides.

Elle se lève. Alain remarque pour la première fois comment elle est vêtue. Une jupe en lainage gris à plis et un col roulé noir comme le poil de son chien.

— On va s'essayer, dit-il en se levant à son tour.

Les derniers propos entendus et la perspective de l'amour tout proche fouettent subitement son désir.

— Si tu veux aller à la salle de bains, elle est là, à côté de la chambre.

Il la suit trois pas derrière, croit qu'elle entrerait dans la chambre mais elle fourche subitement vers la salle des toilettes et lui rejette la porte au nez. Elle se fait brève, laisse tomber en sortant:

— Lave-toi net. Ça veut dire net. T'as pas l'herpès toujours?

"Maudite pelote: elle est donc bête!" pense-t-il. Mais il dit:
— Je connais le savon.

Quand il entre dans la chambre, elle est nue, couchée sur le côté, bras croisés dans une indifférence méprisante qu'il sent peser sur lui.

— Déshabille-toi. Mets tes affaires sur la chaise, là.

Il s'exécute en se tenant de profil pour qu'elle ne puisse trop l'examiner ni dans un sens ni dans l'autre. L'homme n'ose regarder son sexe qu'il sent droit comme une tour et enflé de folie.

Il monte sur le lit en pensant à ce qu'il s'est promis d'obtenir et qu'elle-même a offert: la blow-job. Elle le voit venir, l'arrête en lui saisissant le sexe d'une main. Elle se livre dès lors à une masturbation intense. Dix secondes et l'homme doit donner un coup de reins vers l'arrière pour ne pas exploser. Elle comprend, se met sur le dos en écartant les jambes.

— Entre! ordonne-t-elle sur le même ton qu'à son arrivée.

Il obéit, s'ajuste, pousse. Un brûlement peu érotique et plutôt désagréable lui pique la peau sensible du gland. Mais c'est supportable et surtout ça n'empêche pas tout son corps et son esprit de se consumer dans un feu autrement plus dévorant.

Il n'a le temps que de deux mouvements de va-et-vient et aussitôt, ses reins se cambrent sur une impulsion incontrôlée de cette nature qui a donné au mâle l'instinct de pousser à fond au moment exact où se produit l'éjaculation. Il cherche la bouche de la femme pour une fusion mêlée de reconnaissance. Elle tourne la tête pour l'éviter. Quelques secondes et elle lui enfonce une jointure dans l'aine afin qu'il s'ôte de là. Il se jette sur le côté. Elle se lève en trombe et se rend à la chambre des toilettes. Elle en revient habillée, disant froidement qu'il doit maintenant partir. Il se rhabille, met l'argent sur la commode en pensant:

"Cinquante dollars pour cinquante secondes de cul: c'est plus payant qu'écrire des livres."

Il est déçu de l'expérience. Une fille bête comme ses pieds. Elle a fait en sorte que ça se passe en quelques secondes, et malgré cela il se sent un peu responsable de son manque de retenue.

Quand il émerge dans le couloir, il la voit appuyer sur le bouton répondant à la sonnerie de la porte et pourtant, il n'avait pas entendu la sonnerie. Elle signale sans doute à quelqu'un de monter. Le temps qu'il prend pour mettre couvre-chaussures et manteau, de remercier, d'entendre Monique lui dire dans une indifférence totale de revenir s'il en a envie, permet à l'autre visiteur d'arriver à la porte. C'est le fumeur crasseux et qui lui paraît plus dégoûtant encore de si près et en pleine lumière. Les deux hommes se croisent dans l'embrasure.

Pour la première fois, Alain perçoit de l'émotion dans la voix de la femme quand il l'entend s'exclamer:

— Enfin la journée vient de finir. Un petit Castro, le dernier: haut-parleur mais cul bas.

Ils rient. La porte se referme. Alain reprend l'ascenseur en triturant des réflexions méprisantes.

"Écoeurante, t'es même pas capable de faire ton ouvrage. Si ces filles-là sont toutes comme elle, ça se comprend qu'on les méprise. Bullshiteuse!"

Il rentra et avant de se mettre au lit, s'examina. Ça chauffait toujours au bout de son membre. Et puis après? Il se ferait soigner. Un homme ne doit-il pas être fier de ces petits malaises hérités de certaines amours? Ne sont-ils pas tous prompts à s'en vanter aux autres hommes? Cicatrices de vétérans. Encoches sur la crosse d'un fusil. Fioritures sur le nez d'un vieux boxeur.

Quarante-huit heures plus tard, ça chauffait toujours. Il vit son médecin, lui avoua sur un ton de fierté penaude qu'il avait sans doute attrapé une chaude pisse. Examen. Résultat.

— Pas de mal, dit le docteur. Une petite inflammation probablement due à un spermicide.

— Non?

— Non. Aucun symptôme de quelque maladie vénérienne que ce soit.

Il quitta le bureau, l'air songeur. Elle lui avait fait rater jusqu'à sa gonorrhée, cette sale putain.

*

Ce même après-midi, il reçut la visite du représentant du second imprimeur auquel il avait téléphoné et à qui il avait fait parvenir son manuscrit. L'homme venait enquêter discrètement aux fins de savoir s'il devait prendre le risque de faire crédit à ce nouveau client.

Il avait donc, tel qu'Alain l'avait perçu par sa voix, une tête rousse, oblongue, moustachue, rieuse et qui coiffait un corps mince et haut en jambes.

Quand ils furent assis dans son bureau, l'hôte s'excusa pour l'exiguïté de la pièce et son désordre apparent.

— Je suis quand même plutôt méthodique, assura-t-il. Je sais où sont toutes mes affaires.

— Voilà qui est la marque des grands hommes, taquina l'autre, un complimenteur par habitude.

Alain apprit que l'homme était non seulement vendeur pour sa compagnie mais aussi co-propriétaire. Il l'entendit se plaindre de ce que dans le domaine du livre, personne ne payait personne, de ce que les Québécois ne favorisaient pas les produits d'ici, de ce que les média, par snobisme, négligeaient le livre d'ici et de ce qu'en bout de ligne, le libraire était forcé de compter d'abord sur les produits étrangers pour vivre.

"Ils chantent tous la même chanson," songea Alain. "C'est sûrement pas aussi terrible!"

— Question paiement puisqu'on va finir par y arriver, qu'est-ce que vous pouvez me dire?

Alain répondit avec une assurance peu coutumière, frisant la bravade:

— J'ai toujours payé mes dettes, mon cher monsieur. Et dans les délais. Aucune faillite. J'ai une maison. Des paiements comme tout le monde. On vit pas riche mais on vit. Et honnêtement.

— Parfait, fit l'autre avec semblable détermination. On va signer une petite entente comme quoi les livres resteront notre propriété jusqu'à entier paiement.

— Bien d'accord.

Ce qui fut fait.

Puis le vendeur fit une suggestion séduisante:

— Pourquoi que tu demanderais pas... Je peux te dire tu?

— Certainement!

— ...une subvention?

— À qui?

— Affaires culturelles à Québec ou Conseil des Arts à Ottawa. Depuis que le P.Q. est au pouvoir, les deux gouvernements se battent pour donner de l'argent aux éditeurs. B.L.B., Edi-Québec sont noyés de subventions; ils ne savent plus quoi faire avec l'argent. Et y'en a des dizaines d'autres.

— Qu'est-ce qu'il faut faire?

Voilà la bouée de sauvetage qu'il attendait. On lui dit qu'il pouvait obtenir trois mille dollars sur un livre de l'un ou l'autre gouvernement. Quelques jours après, il eut des formules, en prit connaissance, les jeta à la poubelle sans les remplir. Un auteur-éditeur était exclus de tous les programmes d'aide.

Il obtint une révision de son cas à la banque. Viviane dut se porter garante. Mais de prêt: nenni. Pas un sou supplémentaire. Et chez l'imprimeur, les travaux avançaient vite. Chaque jour, il s'interrogeait. Il n'avait pas menti mais il avait dissimulé la vérité: quel dénouement connaîtrait la situation? Et si la livraison était effectuée, que faire avec les livres? Chercher un distributeur? Pas avant d'avoir en mains le produit fini. Si l'imprimeur refusait d'effectuer la livraison, il lui en laisserait prendre au moins quelques exemplaires; il n'aurait alors aucun mal à trouver preneur. C'était couru...

La première épreuve lui fut envoyée. Il s'enferma pour la corriger. Le temps ne lui permit pas de finir le travail dans la même journée. En fait il eut à choisir entre terminer maintenant et manquer ses cours d'italien. Malgré sa ferveur, il opta pour ses cours. Surtout que la petitesse des caractères du livre lui avait sérieusement fatigué les yeux.

À sa sortie du pavillon, il aperçut devant la table d'un petit vendeur de livres ambulant une silhouette familière et qui pourtant allait remuer de lointains souvenirs. L'homme portait un manteau en cuir, déchiré dans l'ouverture du dos et il échangeait des dollars avec le vendeur itinérant.

Alain s'approcha sous le sourire de bienvenue du libraire, un vieil homme à grosse tête rose, luisante, chauve comme une boule de quille. Situation échevelée. L'un salue. L'autre marmonne, reconnaît. Le troisième est surpris. L'argent reprend des droits qu'il avait perdus momentanément. On règle les affaires. L'un empoche. L'autre est chagrin d'avoir dû débourser. Alain observe. Celui qu'il a reconnu est son cousin par alliance avec qui il a déjà été associé dans une petite affaire en Etchemin, affaire qui a failli, mais dans laquelle chacun n'a perdu que des broutilles. Dix ans ont passé depuis.

On se donne la main. On se dit que l'autre n'a pas changé. Des ondes familiales circulent. Tout un passé se réveille. Il faut prendre un café. Qu'est-ce que t'es devenu? Tu fais quoi ici? Alain apprend que l'autre est éditeur, qu'il est là pour vendre directement et ramasser du liquide.

— C'est un gros client. Je le sers moi-même. Argent comptant. Faut pas le dire; mon distributeur aurait le feu.

Alain n'a rien entendu. Il est encore sous le coup de la stupéfaction.

— Toi éditeur? De livres?

— Oui.

— Quel nom?

— Edi-Québec.

C'est un de ceux qu'Alain n'a pas appelés. Des livres politiques. Des guides. Pas de romans populaires.

— Toi, tu vas éclairer ma lanterne sur notre monde du livre.

L'autre est content. On s'en va à la cafétéria. C'est lui qui paye le café. Il prendra tout le temps dont Alain voudra disposer. Il faut démontrer à ce gars de l'Etchemin qu'on a réussi, ce qui prouve, qu'on avait raison de quitter sa région natale. L'écoute n'en sera que meilleure puisqu'Alain aussi a quitté une campagne où il était petit pour une grande ville qui le fera grand...

Il raconte ce qui lui est arrivé depuis son départ de l'Etchemin, attribue à la chance son entrée fracassante dans le monde de l'édition. Il a rencontré un intellectuel qui avait pondu un manuscrit percutant sur la crise d'octobre. En fait seul le titre percutait. Car le contenu n'était qu'un long grimoire marxisant. Mais Alain n'a aucune envie de donner son opinion. Il écoute son intarrissable cousin.

L'homme est de commerce agréable. Front haut, oeil de renard, volontiers hâbleur, il s'exprime à main levée, la droite dont il écarte les doigts pour brosser, pousser, frotter, frôler un tableau imaginaire. Chacun de ses gestes est une métaphore physique. Mais calculée et rythmée, et superbe d'éloquence. Parfois la main se transforme en un seul doigt qui amène subtilement un mérite, dirige une accusation, établit un point de jonction, fait naître une étincelle. Avec méthode, lenteur et séduction, il persuade, anesthésie; véritable psylle, tout en lui hypnotise.

Alain pense à son livre dont il n'a pas parlé encore. Il émet une objection:

— En tant qu'homme d'affaires,... par définition capitaliste... comment peux-tu mettre sur le marché des livres à contenu si... à gauche?

— Mon ami, je ne suis pas dans ce métier-là pour faire de l'argent...

Alain éclate d'un long rire intérieur et se dit: "Maudit Julien, y'a que lui au Québec capable de dire une chose pareille sans même sourciller."

— ...c'est presque une vocation.

Cette fois, il sourcilla. Son oeil laissa échapper une lueur rieuse, malicieuse. Il poursuivit:

— Il faut faire quelque chose contre l'aliénation des masses. Le monde, c'est des moutons. Tu dis quelque chose à la télévision: ça se garroche en troupeau du côté que tu leur as dit d'aller.

— Dans des villes comme Montréal peut-être, mais en dehors, les gens sont pas mal plus autonomes, individualistes.

— Pas mieux, c'est tout pareil d'un bout à l'autre de la province. Dis leur hue, ils vont à hue. Dis dia, vont à dia.

— Ça te profite quand tu sors un livre, non? Tu peux, à ton tour, les conditionner par les média.

— Je ne mange pas de ce pain...

— T'es contre la publicité.

— Non, contre l'aliénation.

— Où est la ligne de démarcation entre les deux?

— Rien de plus simple! Regarde ce que les libéraux ont fait...

— Oui mais au-dessus du terrain politique? Philosophiquement, qui est aliéné? Par qui? Et comment?

Le cousin se désola d'aussi flagrante naïveté. Il hocha la tête, laissa tomber:

— Tu liras des livres de penseurs comme...

— Ton gars? Julien, je fais partie des moutons. Suis pas un intello.

— C'est que t'es aliéné aussi.

— Peut-être! Heureux berné qui rêve en prenant des billets de loterie. Emasculé de l'esprit, dit Alain avec un sourire en coin.

Décidément, ce n'est pas sa maison qui éditerait son roman! Quand même il fallait en savoir plus. Il questionna. Quels sont les meilleurs éditeurs? Combien un livre rapporte à l'auteur?

Alain sut que son cousin faisait affaire avec le même imprimeur que lui. Puis que la plupart des éditeurs payaient mal leurs auteurs quand ils daignaient le faire.

— Un auteur gagne dix pour cent sur le prix public pour les dix mille premiers exemplaires. Douze ensuite et jusqu'à quinze. Mais quinze c'est un peu un attrape-nigaud. Un livre de temps en temps, rarement, dépasse les trois mille. Un Québécois, ça achète des billets de hockey, de loterie pis de la bière, pas des livres. C'est ça, l'aliénation.

— Quelqu'un qui aurait un roman... admettons quelque chose de pas pire, que lui conseillerais-tu?

— L'année prochaine, je lance une collection de romans. Pas de la cochonnerie comme Saturne. De la qualité.

— C'est quoi pour toi la qualité?

— Quand c'est bien écrit et que ça fait réfléchir.

— Ça pourrait ne brasser que des émotions, non?

— Brasser des émotions, ça fait bouger les idées.

Après deux heures d'une conversation qui lui permit d'obtenir un point de vue d'éditeur sur le monde et le marché du livre, Alain déclara d'une voix émue et sur un débit rapide:

— J'ai écrit un livre. Il est sous presse. Il va sortir dans quinze jours pour le Salon de Québec.

Julien s'assombrit, se sentit piégé. On l'avait fait parler pour lui soutirer des renseignements et non pas pour l'admirer. Il recula sur sa chaise, croisa les bras, demanda:

— Quel éditeur?

L'auteur se pointa bravement la poitrine.

— C'est quoi le sujet?

— Un roman.

L'autre souffla un peu. Il dit, désolé:

— Tu fais erreur de vouloir éditer ça toi-même. Jamais tu ne pourras écouler ton tirage même si c'est un bon livre. Au grand jamais!

— Et pourquoi donc?

— Vas-tu distribuer toi-même dans sept ou huit cents points de vente au Québec? C'est pas possible. Faut une organisation structurée, des représentants sur la route, un système d'expédition, bref un distributeur.

— J'en trouverai un. J'attends d'avoir mon produit en main.

— Y'a pas un distributeur qui va t'accepter avec un seul livre. Pour eux ça vaudra pas la peine d'ouvrir un compte.

— Qu'est-ce que je peux faire? Il me reste dix jours...

— Trouve un éditeur et passe-lui tout le dossier.

— Qui? Toi?

— Je te l'ai dit: à l'automne seulement ma collection; mais je peux te piloter. Je connais toutes les boîtes...

— Vers qui?

— Éditions Contemporaines, par exemple. Dubeau là-bas, je le connais bien. Laisse-moi voir le manuscrit. As-tu une copie?

Alain acquiesça.

— Tu me l'envoies et dans trois jours, je te donne des nouvelles.

Par la suite, c'est Julien qui prit l'initiative de l'échange. Il sut le nom de l'imprimeur, s'enquit de la situation financière d'Alain qui glissa une fois encore sur la vérité, l'enterra sous des airs de grande sérénité.

Quand ils se quittèrent, il dit qu'il y repenserait à l'idée d'envoyer son manuscrit. Mais dès qu'il fut chez lui, il l'emballa et l'expédia le lendemain matin.

Deux jours plus tard, Julien appela, dit sans élan que le roman était bon, que sa femme l'avait lu avec un certain intérêt et que lui-même en avait pris connaissance. Il l'avait apprécié au point d'en faire peut-être le premier de sa collection.

— Je ne peux pas attendre à l'automne, objecta Alain.

— On le fait maintenant étant donné qu'il est trop tard pour attendre.

Le coeur chaviré, l'auteur échappa des mots qu'il devrait payer cher par la suite:

— Ça va faire mon affaire parce que je dois t'avouer: je n'ai pas de liquide pour payer mon tirage.

— Ah non? L'imprimeur m'a dit le contraire pourtant.

138

— C'est lui qui a pensé ça.

Silence. Alain insista:

— J'ai pas dit ça, moi.

— Pas d'importance! Veux-tu passer à mon bureau? On va discuter de contrat.

Ce qu'Alain fit le jour d'après sans en avoir soufflé mot à personne. Son contrat signé, il le jetterait au nez de Viviane avec un "je te l'avais dit" digne d'elle.

Tour vieillotte. Septième. Bureau dépouillé. La première chose que vit l'auteur en s'asseyant devant son futur éditeur fut son manuscrit. Julien mit sa main dessus en disant:

— T'as du front d'écrire pareille brique comme premier livre.

— T'en as autant de vouloir l'éditer.

L'autre se laissa aller en arrière sur sa chaise à bascule, regarda un point vague pour dire:

— C'est très valable, je te l'ai dit. Des erreurs de débutant mais rien de grave... Sauf qu'il y a un petit problème... Et ça n'a rien à voir avec le livre, je tiens à le souligner.

— Explique.

— J'ai passé mes chiffres en revue, parlé avec mon comptable... Faudrait qu'on attende à l'automne comme j'avais prévu.

— Pas possible, dit Alain d'une voix blanche. L'imprimeur...

— On peut mettre les travaux en suspens... temporairement.

— Peux pas.

— Tu te retrouves avec ton problème de distribution...

Et l'éditeur fit un long exposé tranquille sur le marché du livre: reprise en des mots différents de ce qu'il avait déjà appris à l'autre sur le sujet à l'université.

— Ta banque?

— Je suis au maximum à la banque.

— Les subventions?

— On peut sortir une subvention sur ton livre.

— J'ai essayé.

— Et?

— Non éligible.

— Moi oui: je suis éditeur. Suffit de demander...

— C'est ce qu'on m'a dit.

— Je peux sortir trois mille.

— Te reste que cinq mille à supporter. T'as pas de marge chez l'imprimeur?

— Elle est au maximum de ce temps-ci.

Julien prit un stylo, se rapprocha du bureau, aligna des chiffres. Ce fut long et silencieux. Alain mûrissait par l'intérieur. Qu'aurait-il à dire à Viviane? Demain tu verras, une fois encore. Et au banquier qu'il s'était promis de faire réfléchir en lui montrant son livre. Et à lui-même surtout. Plus d'argent pour respirer, pour se procurer le moindre objet, pas la plus mince liberté. Autobus et métro. Le vide de ses poches continuerait de lui monter au coeur et à la tête.

D'un tiroir ouvert, Julien tira des feuilles attachées qu'il jeta devant lui avec un air de profonde et digne réflexion. Puis il en mit une copie devant le nez d'Alain en disant:

— Voici le contrat de base de la maison. Si tu veux le lire.

L'auteur le parcourut, garda en sa tête les éléments importants: dix pour cent de droits payables deux fois l'an; trois cents exemplaires pour le service de presse sur lesquels il n'y avait pas de droits d'auteur; pas de droits sur les exemplaires brisés, pilonnés ou vendus en solde; droits annexes divisés en deux entre l'auteur et l'éditeur.

— C'est acceptable.

— C'est que je ne peux pas te l'offrir tel quel. À l'automne, oui; pas aujourd'hui... Je te fais une proposition avantageuse... Je ne te paye pas de droits sur les deux mille premiers exemplaires mais, attention, quinze pour cent par la suite. Le reste: tel quel.

Alain grimaça comme si l'offre lui paraissait inacceptable.

— Honnêtement, tu penses en vendre combien?

— Dix mille exemplaires minimum. C'est... commercial ce livre-là.

Soupirs. Sourires. Signature. Poignées de main. Départ.

— T'es dans une bonne écurie; reviens jeudi que je te présente à...

— Ton intello, je m'en passe, Julien.

— Faut quand même un peu de cohésion entre...

— Entre chevaux d'une même écurie?

— Tu veux vendre ton roman? Le bien vendre?

— Dix mille, quinze mille: c'est toi qui l'as dit.

— Vendre, c'est se compromettre! Viens jeudi.

"Et pourquoi pas?" songea-t-il en entendant les notes apaisantes du métro. "Après tout, le maître-penseur ne pourra faire pire que de m'ennuyer. Suffira de l'écouter puisque sa soif d'intello sera celle d'auditeurs."

Les présentations faites, on s'attabla pour discuter. Julien voulait donner à l'intello l'illusion que son opinion était indispensable pour la bonne marche de l'écurie.

— Alain va te parler du contenu de son roman avec plus d'éloquence que moi, fit l'éditeur qui avait déjà préparé le terrain en soulignant les aspects marginaux du livre, son côté anti-société de consommation et anti-capitaliste.

— Ce n'est qu'un roman! jeta Alain avec une moue de nonchalance.

Cette parole plut au grand esprit qui se sentit alors sécurisé. Chez Edi-Québec, il y aurait deux niveaux: celui de l'intelligence en tête et celui du coeur aux environs de la ceinture. Alain l'avait exprimé dans une phrase magique. L'intello se pencha puis se remit le corps droit et sortit de sous la table une bouteille brune qu'il tendit vers Alain.

— Une bière?

— Non, merci. J'aime mieux le café, ça rend plus fou.

L'intello n'aima pas cette réplique et le fit voir par un regard désabusé à l'endroit de Julien qui, heureux de l'occasion, s'excusa pour aller préparer du café.

— Paraît que ça parle beaucoup des Américains dans ton roman? demanda l'intello en débouchant sa bouteille qu'il entreprit aussitôt de téter.

— En fait le personnage central nourrit son rêve américain. Un peu comme tout le monde...

— Un représentant de la masse quoi! fit l'autre en s'allumant une cigarette.

— Si tu veux... en ces mots-là.

— J'espère que tu dénonces l'aliénation des masses...

— N... non. J'ai pas voulu sermonner qui que ce soit.

— La littérature ne peut être que révolutionnaire ou... réactionnaire.

— Je n'ai rien à faire de ces idées-là, moi. Je vis à ras du sol, tu comprends?

— Dommage!

Et l'homme avala une longue lampée tandis que son vis-à-vis le détaillait. Tête énorme presque toute en front. Lunettes à la Trotski: verres épais, ronds. Cheveux d'avant-garde s'agglutinant pour, à eux seuls, mettre au ban l'entière société. Il replaça la bouteille vide dans le trou de la caisse et en ouvrit une seconde. Avec la troisième commença une logorrhée qui ne fut interrompue qu'à l'occasion par les passages de Julien qui trouvait sans cesse un nouveau prétexte pour s'esquiver. Mais chaque fois, il en profitait pour approuver d'une phrase répétitive, reprenant la même substance en d'autres mots: superfétation ayant caractérisé l'intellectuel dès après l'incipit de son premier livre.

À la sixième bière qui coïncidait avec sa douzième cigarette, l'intello démontra que la télévision était le pivot du complot capitaliste. À la septième, les politiciens y goûtèrent. À la huitième, l'Anglo-Saxon devint baudet.

La caisse suivante et le prochain paquet de cigarettes furent consacrés aux multinationales.

Alain ne pouvait avoir affaire nulle part en ces bureaux, aussi dut-il subir jusqu'au bout les ornières du défenseur du prolétariat à qui il ne s'opposait que sous forme de questions.

Pourtant lorsque l'intello parla de la faim dans le monde, il ne se retint plus. Il demanda sur un ton d'ironie mordante:

— Mais pourquoi tu ne prendrais pas, chaque jour, l'argent de ta bière et de tes cigarettes et ne l'enverrais-tu pas à Oxfam? Appuyé par l'exemple, ton discours sur la répartition des richesses deviendrait plus éloquent.

Alain avait mis sa bouche en cul-de-poule pour faire intellectuel à son tour. Julien intervint pour empêcher la conversation de tourner au vinaigre:

— Si tu connaissais Jacques un peu mieux! C'est un gars qui a une vie frugale, je te jure. Si je te disais qu'il fait même son beurre de ses propres mains.

— T'appelles ça de la frugalité? Ça coûte pas mal moins d'acheter son beurre que de le faire soi-même. Avec son talent, c'est de la maladministration que de perdre son temps à baratter; il devrait écrire, écrire, coucher des idées sur du papier, changer notre pauvre société malade...

Julien hocha la tête et changea aussitôt le sujet:

— Faut maintenant songer ensemble à une page couverture pour "Les Grands Vents". Si on demandait d'abord à l'auteur? C'est lui qui connaît le mieux son oeuvre.

— J'ai pensé à quelque chose qui aurait un peu l'allure de la carte d'assurance-maladie. Un soleil de fin de journée. De l'eau. Comme le calme entre les tempêtes. L'espoir malgré tout; un soleil frais, mais un soleil.

— J'ai ce qu'il faut dans ma banque de diapositives.

Quelques minutes plus tard, Julien revint avec une visionneuse et des mallettes pleines de diapos.

Il en étala plusieurs en émettant sur chacune des opinions interrogatives. L'intello, les yeux lourds, le regard bruineux et le geste mal assuré, jugeait aussi mais par des grognements et des onomatopées tombantes. Alain trouvait à la fois curieux et contrariant de se rendre compte que l'homme, maintenant ivre, manifestait des goûts plus proches des siens. Et, surprise totale, ils tombèrent d'accord sur une même image. "Ça serait-il que lui saoul et moi à froid on se retrouve au même niveau intellectuel?" s'inquiéta Alain avec un oeil ironique. "Ou bien la petite odeur socialiste du rapprochement avec la carte d'assurance-maladie lui aura-t-elle plu?"

Julien jubilait. Son cheval de tête avait donné son assentiment pour que le jeune poulain soit accepté dans l'écurie.

— Et voilà! Lundi matin: séparation des couleurs et mercredi, prêt pour l'imprimeur, dit-il joyeux.

Mais le jour suivant, il y eut ombre au tableau. Julien téléphona pour dire que Jacques, cet avant-midi-là, était retourné à son bureau et avait donné une opinion défavorable sur la future page couverture.

— Hier, il était le premier d'accord.

— Il dit qu'il ne s'en souvient même pas.

— Quel argument il donne?

— Trop américain!

— Et après? Ça va se vendre mieux, non?

— Oui… mais tu sais… lui, il se bat depuis des années contre l'aliénation des masses…

Alain vit alors toutes les couleurs de l'arc-en-ciel s'installer dans sa tête et clignoter. Il vociféra:

— Encore sa vieille maudite rengaine? Hostie, qu'est-ce que tu veux que ça me fasse ses élucubrations marxistes et son aliénation des masses. J'aime mieux être aliéné avec tout le monde qu'intelligent tout seul. Et là, tu vas cesser de lui demander conseil en ce qui me concerne. Sinon on déchire notre contrat: fini, final. Je ne veux plus rien savoir de cet épais-là.

Julien fit un peu de patinage de fantaisie, se rendit à l'ultimatum posé et raccrocha.

— Qu'est-ce qui se passe? Pourquoi crier si fort au téléphone? demanda Viviane qui se rendit dans la cuisine exprès pour savoir.

Bouffi de colère, Alain eût préféré des circonstances bien différentes pour lui annoncer la nouvelle de la signature de son contrat mais cette autre explosion de son émotivité au téléphone les lui refusait. Car il avait perdu le besoin de la victoire sur elle depuis que l'espoir était revenu dessiner ses courbes prometteuses à l'horizon. Sur le chemin du retour après son entente avec l'éditeur, il avait fait un petit projet. Il trouverait des sous au fond d'un compte de banque, inviterait Viviane à un grand souper, elle qui avait tant le goût de la fête, lui avouerait sa misère morale des dernières années, au besoin demanderait pardon, lui parlerait de leur avenir: tout cela autour d'une bouteille de vin et de l'annonce de son contrat.

— Je parlais à… un éditeur.

— Comment ça, un éditeur? T'avais l'air de parler à quelqu'un que tu connais depuis des années.

— C'est ça aussi. Je parlais à ton cousin, Julien. Il est p.d.g. d'Edi-Québec. J'ai signé un contrat avec lui pour mon livre.

Elle le dévisagea, incrédule.

— Et ton projet de le faire toi-même?

— Un homme a le droit de changer d'avis, non?

Pour en savoir plus, elle parla comme si elle s'était faite à l'idée de le voir travailler seul, sans éditeur.

— Tant qu'à être dedans, pourquoi pas avoir poussé le projet jusqu'au bout?

Il lui expliqua les risques comme il les percevait, éclairé par les propos des gens du milieu.

— Ça paye?

— Pas beaucoup au départ. Ensuite selon le succès du livre...

Elle fit des yeux exprimant de la pitié, soupira et repartit sans ajouter un mot.

Le coeur endolori, Alain sombra dans une profonde mélancolie et y demeura pendant trois jours. Le rêve de se trouver un éditeur se réalisait et pourtant les émotions anticipées n'étaient pas au rendez-vous. Viviane avait réagi à sa victoire par un haussement d'épaules de la plus totale insensibilité. Pourquoi donc son opinion avait-elle tant de poids? L'interrogation, à force de tourner dans sa tête, neutralisait, effaçait toute sa joie.

Il finit par se décider à lui poser une question de la plus grande intensité. Remplie d'espoir, de peur, de tristesse et de reproche.

— On a l'occasion de se redonner la main puisque l'avenir est en train de s'ouvrir; pourquoi ne m'appuies-tu pas?

Elle répondit par des mots secs:

— Je ne crois plus en rien que je ne vois pas. Demain c'est aujourd'hui, c'est maintenant.

*

— Je t'ai arrangé une grosse télévision, dit l'éditeur en espérant un mot de reconnaissance qui ne vint pas.

— Comment ça? C'est mon premier livre. Je ne suis pas connu...

145

— Mon cher Alain, ça sert à ça, un éditeur.

— C'est qui ton contact?

— Une demoiselle Johnson. Elle est recherchiste au canal dix.

— Quelle émission?

— Celle du gros Savard?

— Ouais.

— La date est déjà arrêtée.

— On aura le livre?

— Va falloir.

— J'ai jamais fait de télé...

— T'as pas à t'énerver, c'est rien que le canal dix.

— C'est eux qui ont la cote d'écoute.

— Des connards, c'est connu. Mais ils font vendre.

— Et ta recherchiste: une connarde?

— Non, pas elle! Je l'ai invitée à souper y'a pas longtemps. Une bonne bouteille et voilà! Gentille à croquer et intelligente!

— Qu'est-ce qu'elle fait avec les connards du dix?

— Faut qu'elle gagne sa vie!

— Bien sûr!

— Tu mettras sur papier deux, trois mots, histoire d'orienter la recherchiste.

Alain mit une demi-journée à cogiter sur des questions qu'il croyait devoir intéresser le public. Son public. Il y répondait mentalement et par écrit. Il devait préparer l'entrevue avec minutie pour passer la rampe le mieux possible.

Il avertit les amis, la parenté, les connaissances, les voisins. Le jour J, en compagnie de son éditeur, il se présenta au studio d'enregistrement. L'énervement lui avait fait rater la grande émotion de prendre pour la première fois dans ses mains son livre enfin là, tout chaud sorti des presses, brillant de tous ses feux, aux odeurs mélangées de colle, d'encre et de papier. Il s'en était emparé comme d'un attaché-case, l'esprit complètement absorbé par les réponses prévues qu'il améliorait sans cesse.

La recherchiste et Julien se donnèrent l'accolade. Elle fut présentée à l'auteur survolté. Dès qu'elle fut repartie après les avoir conduits en coulisse, son visage disparut de sa mémoire. On le prit en charge. Un régisseur sans doute, pensa-t-il. Du public de l'autre côté du décor. Un groupe de femmes. Des flots de lumière. Caméras. Pas de gros Savard. Julien souffla à l'oreille d'Alain:

— Savard arrive du sud. Paraît qu'il vient juste d'apprendre que son meilleur chum s'est fait virer par les patrons...

— Qui, son meilleur chum?

Pas de réponse.

— Alain Martel, dit une voix.

Il avança.

— L'animateur va vous dire quelques mots. Allez vous asseoir là, près du grand bureau.

— Premier fauteuil?

— C'est ça.

Des cris. Un public qui s'agite. Les caméras qui bougent. Lumière intense. Chaleur sur le visage.

Alain sortit un carton de la poche de son veston. Il relut les dix questions toutes orientées sur le contenu du livre. Des voix. Une rumeur parcourait le public. Une forme humaine derrière le bureau. On prenait place...

Il leva la tête, reconnut le gros Savard qu'il trouva d'abord petit. Leurs yeux se croisèrent. L'animateur avait la bouche en poing et les paupières en forme d'ogives. On lui mit des fiches sous le nez. Il les lut à gros grains puis grognonna une question à l'endroit d'Alain:

— Monsieur... Martel... Votre prénom déjà?

— Alain.

— Oui, bien sûr. D'où êtes-vous? De l'Etchemin...

— Plus maintenant... c'est-à-dire...

— Vous êtes écrivain? Premier livre? Où est-il? Ah, c'est celui-là. "LES GRANDS VENTS". Ça parle de quoi? Libération de l'homme? Ouais... Bon... On va vous questionner sur vos origines, vos antécédents, vos idées sur la femme. Vous êtes misogyne? On le dirait à lire l'argument du livre...

— Y'a un point ou deux qui me tiennent à coeur, dit Alain en tendant son carton à l'animateur qui y jeta un oeil blasé.

— Mon cher monsieur, on ne marche pas avec du fait d'avance ici.

— Je risque de... d'avoir l'air idiot si je ne sais répondre à des questions imprévues...

— Ça n'en sera que plus naturel, jeta l'animateur sur un ton désinvolte.

— Improviser n'est pas mon fort. Je n'ai pas l'habitude de la télé.

— La force de notre formule d'émission, c'est précisément l'improvisation...

— Pourquoi pas une improvisation préparée? risqua Alain dans sa nervosité.

L'animateur le gratifia d'un regard désabusé et de mots dits bêtement:

— Vous pouvez retourner en coulisse.

Par la suite, Alain agit comme un automate. À l'appel de son nom, il fit son entrée, donna la main à l'animateur qui avait maintenant la bouche en fleur et les paupières en forme de couronnes de lauriers.

Les premiers mots dont il devait prendre une juste connaissance par la suite furent dits par Julien:

— Parfait ton affaire!

— Ah oui? fit Alain pour que l'autre le rassure encore davantage.

— Au poil! On dirait que c'est ton métier de passer en entrevue.

— Il n'a pas posé mes questions.

— Je te l'ai dit: c'est rien que le canal dix!

*

— Je n'ai pas pu te regarder, j'avais plein de choses à faire, lui dit Viviane le lendemain de l'émission.

"Ai eu des appels de tous ceux qu'on connaît," eut-il envie de lui servir comme blâme. Mais il préféra se réfugier dans cette morosité qu'elle lui reprochait si souvent.

*

148

Quelques jours plus tard, il se rendit à Québec pour le Salon du Livre. Séjour là-bas aux frais de l'éditeur: hôtel de luxe, repas bonne qualité. Il y fut le jeudi soir. Signatures à huit heures, en même temps que l'intello et au même kiosque. Il entendit plusieurs airs connus sur le politique, l'économique et le social.

L'intello ânonnait en postillonnant. Il signa une vingtaine de ses livres. Alain: que deux. Julien lui glissa des mots d'encouragement:

— Ça fait dix ans qu'il est dans le métier; toi, ça fait dix jours. Attends samedi, dimanche... Le premier que j'ai vendu, c'est à Robert Cliche une heure avant ton arrivée.

Le soir suivant, il s'entretint longuement avec une femme solitaire qu'il avait repérée avant qu'elle n'arrive au kiosque. Mince, lente, elle procédait à de longs et minutieux examens de tout ce qu'elle apercevait.

À mesure qu'elle se rapprochait, il la radiographiait par le détail de coups d'oeil aussi brefs que fréquents et intenses. Rendue tout près, elle se sentit observée et leva la tête. Alain regardait déjà dans une autre direction. Elle fit une seconde tentative et, cette fois, le surprit en flagrant délit d'observation lascive. Et l'embarras qu'il laissa voir en tournant la tête le lui confirma.

Elle sourit intérieurement, tourna les talons et s'éloigna. Cinq minutes plus tard, elle était là, droit devant lui, de l'autre côté de l'étroit comptoir, contemplant par un long hochement de tête l'entier contenu de l'étalage sur la table.

Elle mit une main à longs doigts blancs sur la pile de LES GRANDS VENTS, pénétra le regard d'Alain, lui demanda d'un air accusateur:

— C'est vous l'auteur?

— Eh oui, que voulez-vous? avoua-t-il affirmativement en se projetant la bouche sur le côté du visage dans une moue faussement modeste.

— Ça parle de quoi?

— Du couple...

Elle sourit vaguement, empoigna un exemplaire qu'elle enveloppa de sa longue main. Elle l'approcha de sa poitrine - qu'il aima parce que menue - pencha la tête et plongea au coeur de l'argument. Puis elle le mit en travers de la pile et fit un petit geste voulant dire qu'elle le prenait.

— La caisse est là-bas, dit Alain.

Elle marmonna un merci à peine audible et se rendit payer puis disparut sans même tourner la tête. Il se remémora son image après qu'elle fut partie: visage fin et blanc, nez en lame de couteau, cheveux blonds, longs. Elle lui rappelait vaguement la femme bionique à la télé, alors à la mode. Et Denise par certains côtés. Il s'attiédit, l'oublia. De toute manière, il ne la reverrait sans doute jamais.

Le samedi soir, elle reparut. Plus énigmatique. Légèrement maquillée. Elle avait lu son livre au grand complet y passant une partie de la nuit et de la journée. Il sut qu'elle était séparée, dit que c'était pareil pour lui à toutes fins pratiques. Par-delà son envie de lui faire des avances, il était hanté par celle de savoir son opinion sur LES GRANDS VENTS et c'est pourquoi malgré la cohue, il ne s'intéressait qu'à elle. En lui, l'artiste inquiet de son talent avait chassé le commerçant. L'éditeur s'amena à quelques reprises afin d'y mettre bon ordre mais ce fut peine perdue. Car la jeune femme prenait un malin plaisir à faire attendre l'auteur malgré ses questions pressantes bien que voilées quant au véritable but visé.

— On dit qu'il est choquant. C'est vrai?

— Peut-être.

— Pour les femmes, je veux dire?

— Oui et... non.

— Vous n'avez pas aimé.

— Je n'ai pas dit ça.

— Ça vous a remuée; autrement vous ne l'auriez pas lu jusqu'au bout.

— Je voulais savoir...

— Savoir?

— Ce qui finirait par arriver.

— À quel personnage en particulier?

— Tous.

— Et?

— J'ai su.

Il ne réussit jamais à lui faire dire oui ou non et il en devint impatient. Quand elle le sentit, elle proposa:

— Si tu veux savoir mon opinion, allons prendre un café après la fermeture.

Ils prirent rendez-vous. Alain la regarda aller avec, au coeur, des sentiments qui se frottaient d'aise. Que c'était gratifiant d'écrire! Car en son esprit, le café, déjà, avait odeur de lit.

Au restaurant, elle le fit encore languir. Il l'invita à sa chambre. Elle hésita, s'y laissa conduire. Au lit, elle lui parut froide, ne répondant pas à ses caresses, jambes ouvertes, comme pressée d'en finir. Ce n'était pas la première à se conduire ainsi; il s'en consola donc.

"C'est sa manière!" pensa-t-il en lui rendant l'ultime hommage. "Elle aura voulu faire l'amour avec un écrivain et qui sait, investir moralement dans sa notoriété future."

Car il avait conscience qu'elle ne l'avait pas fait pour le plaisir. Elle fut longue aux toilettes après. De retour à la chambre, elle entreprit de se rhabiller. Il protesta:

— Tu pars déjà? Je pensais que... qu'on pourrait s'essayer encore.

Elle fit un sourire lourd de silence, finit de mettre sa jupe noire à fines rayures vertes puis elle endossa son imperméable tandis qu'Alain se dépêchait d'enfiler ses pantalons en disant n'importe quoi:

— Je pourrais aller te reconduire... Si j'avais su que tu étais pressée... On t'attend? Faire l'amour avec sa première lectrice, c'est un souvenir... impérissable.

Dans son processus d'habillement, il ne réussit pas à la rattraper et il avait toujours le torse nu quand elle ouvrit la porte pour s'en aller.

"Elle est folle ou quoi? J'ai fait quelque chose qu'elle n'a pas aimé? Mais je l'ai caressée une heure avant de... C'est toujours pas de ma faute si elle est un bout de bois!"

Avant de partir, elle lui mit une jointure d'index au plexus solaire, poussa en disant, sans lever les yeux:

— Merci pour... tout et pour le...

Il comprit son signe de tête.

— Je vais pouvoir dire à mon ex-mari, l'homme le plus salaud dans ce pays, que j'ai fait l'amour avec un grand auteur...

Alain ne put retenir un sourire. Elle fit une pause, enchaîna:

— ...grand parce qu'il est, cet auteur-là, à n'en pas douter, le plus beau salaud du pays. Comme ça, je serai soulagée de dire à un écoeurant que j'ai couché avec un plus écoeurant encore que lui.

Alain resta pétrifié. Mais son esprit bougea aussitôt. Il considéra qu'elle avait agi sous le coup de quelque frustration, qu'elle avait fait l'amour avec lui par esprit vengeur, exacerbée par le personnage central de LES GRANDS VENTS qui lui rappelait trop son ex-mari et surtout qu'elle avait confondu avec l'auteur. Il prit donc un air macho pour demander:

— Et comment c'était de faire ça avec un salaud?

Elle le toisa au fond du regard pour murmurer:

— Sale... très sale. Et c'est pour ça que je me suis lavée, nettoyée si longtemps après.

Elle n'attendit pas sa réplique et lui jeta la porte au visage. Sans le capitonnement, Alain se serait fait abîmer le nez.

— Féministe enragée! T'as rien compris, cria-t-il inutilement.

Puis il s'allongea, plongea son regard à travers le plafond, dans une réflexion orgueilleuse qui le comblait de joie.

''Martel, se dit-il, si t'as réussi à provoquer à ce point, c'est que t'as du talent. Et ça veut dire que ton livre va se vendre comme des pains chauds. Tu seras donc vite auteur à succès et à plein temps.''

Il consulta sa montre, se dit qu'il n'était pas trop tard pour accepter l'invitation de l'éditeur qui recevait dans sa suite toute son écurie et aussi d'autres éditeurs. Alain y vola littéralement en remerciant l'ex-mari de la féministe et toutes les féministes de la terre mais par-dessus tout la bonne-femme qui, au-delà de toutes les critiques, lui avait prouvé sans l'ombre d'un doute qu'il avait raison de choisir la voie de l'écriture comme seconde

152

étape de vie professionnelle.

La pièce était bondée, enfumée. Julien indiqua un lit comme seule place disponible pour l'arrivant. On s'échangea des propos-clin-d'oeil sur le rendez-vous d'Alain dont l'autre avait eu connaissance.

— Un martini, un scotch, une bière?

— Coke?

Julien acquiesça et repartit. Alain échangea avec un groupe de jeunes qu'il connaissait pour les avoir côtoyés depuis le début du Salon. Lorsque Julien reparut avec la consommation, quelqu'un entra sans frapper: un homme malingre, les yeux perdus dans une tête de barbe, chevelue comme un mulon de paille, le regard sans noblesse, fuyant, petit, dissimulé sous des battements de cils hautains.

— Salut Victor! Va par là, je vais te trouver une place, dit Julien qui tendit le Coke à Alain dans un geste distrait.

— Qui c'est celui-là?

— C'est Victor-Hugo.

— Comment Victor Hugo?

— Notre Victor national...

— Ah c'est lui!

— Un génie, fit Julien avec un oeil flamboyant.

Il fit demi-tour.

On questionna Alain sur son livre: le contenu, le rythme des ventes, les réactions du public.

— À quand le prochain? dit quelqu'une, jeune personne aux yeux faussement crédules.

— Sais pas trop... L'année prochaine, j'espère.

— Un jour, tu les pondras à la chaîne comme Victor Hugo, fit un avocat, époux de l'ingénue, cousin et conseiller de Julien.

— Lequel? Le vrai?

— Le nôtre là-bas.

— Je ne suis pas si rapide.

— Autant: douze des siens logeraient dans la moitié du tien.

— Oui, mais lui, c'est la qualité, le génie.

— Le génie, dit l'avocat mi-sérieux, mi-péremptoire, ce n'est rien d'autre que la persistance dans l'originalité.

Plus tard, Alain eut à se rendre à l'autre bout de la pièce, dans l'écart qui servait à la fois de petite salle de séjour et de cuisinette. Il vit Grandet haut perché sur un comptoir, assis en bouddha et tirant des bouffées d'assurance tranquille d'un brûle-gueule dont les courbes se confondaient avec celles des courants laineux de sa barbe brune. Le génie se reposait. Seul. Regard vague volant bas comme un missile 'Cruise' au-dessus d'un peuple croassant.

"S'il faut pareille allure pour se faire reconnaître du talent, autant accrocher mon crayon!" pensa le nouvel auteur.

Quand il les croisa, les yeux du rodomont lui dirent d'aller au diable. Alain ne se sentit plus très heureux dans la place. Il salua son éditeur et retourna à sa chambre.

À la télé, un macaque agressif effrayait les visiteurs d'un zoo. Mais puisqu'il émerveillait par ses prouesses rocambolesques, pirouettes, menaces et grimaces, on en avait fait une vedette. Vedette qui affichait un souverain mépris pour les cacahuètes qu'il laissait à ces fous d'humains.

*

Julien avait ses entrées partout. Alain put donc participer à plusieurs autres émissions de télé et de radio.

Puis il fit une tournée provinciale des librairies et média, la finança à même ses emprunts sur ses vieilles polices d'assurance. On l'accueillit avec chaleur. Les détaillants étaient unanimes: le livre se vendait étonnamment bien pour un produit québécois au rythme même de certains best-sellers étrangers.

Au retour, il rendit visite à son éditeur. Il en savait assez maintenant pour faire à Julien une proposition que l'autre ne saurait refuser. Il se mettrait au travail et créerait deux gros romans par année moyennant un à-valoir de vingt-cinq mille dollars pour la première année. Ensuite on aviserait.

Julien le regarda bouche bée, rit curieusement, eut l'air de réfléchir à autre chose, lui mit une feuille sous le nez.

— C'est une demande de subvention. T'as qu'à signer là.

— Ma tournée des librairies m'a coûté mille dollars: t'en

payes une partie?

— Le trois mille du gouvernement, je ne le toucherai que dans six mois. Ton livre... il coûte cher. La publicité... t'as vu dans La Presse? Une page, ça coûte trois mille quasiment.

— Mais le livre, paraît qu'il se vend vite.

— À cause de la publicité.

— Cinq cents pour ma tournée? Moitié-moitié?

— Trois.

Alain apprit que le premier tirage était écoulé et qu'on en avait commandé un deuxième. Fort de cette nouvelle il revint à la charge pour convaincre l'autre de le soutenir dans une carrière d'auteur à plein temps.

— À chaque livre suffit sa peine! Tu me présenteras ton prochain manuscrit et on verra.

*

La nuit serait bonne, joyeuse et bruyante. Un Québec fier festoierait d'une clarté à l'autre. Le jour avait été clair, tranquille et pur.

À la brunante, Alain se rendit à une fête de la Saint-Jean qui avait lieu à l'autre extrémité de la ville. Une ancienne carrière aménagée pour le plaisir du public recevrait plus de cent mille personnes en soirée selon les prévisions des organisateurs. Bien qu'il soit arrivé une bonne heure avant le temps prévu pour le début de la fête, Alain ne put se trouver un lieu de stationnement que très loin de l'emplacement où se déroulerait la manifestation soit un feu de la Saint-Jean, un spectacle pyrotechnique, un show musical à l'américaine avec discours nationaliste. Encore eut-il de la chance de se trouver un petit espace perdu entre deux véhicules et que des motocyclistes venaient d'abandonner pour porter ailleurs leur présence pétaradante, sinon il aurait eu un bon dix minutes de plus à marcher, ce qui l'aurait contrarié. Car malgré sa foi en les vertus de l'effort physique, il était de ceux qui se sentent battus lorsqu'ils doivent se garer loin de l'entrée d'un centre commercial. Exercice physique, certes, mais prévu, cédulé, non imposé par les circonstances.

De tous les horizons, de toutes les directions, les Québécois affluaient, guidés par l'appel de la race: peuple de la passion tranquille et de la persévérance en éternelle quête de rassurance et parfois enclin à confondre démocratie et voyoucratie.

Alain aligna ses pas sur ceux d'un groupe d'adolescents, trois de chaque sexe, et dont les gars transportaient sous le bras une nuit joyeuse pour l'instant sous capsule et robe de verre. Les filles se criaient musique par-dessus les puissants éclats d'un mini-lecteur de cassettes.

Et tout le temps que dura sa marche vers l'arène à ciel ouvert, il se remémora des soirées de jeunesse vieilles de vingt ans. Un chanteur de Thetford qui rendait les filles tout à fait dingues. Une compétition de buveurs de bière. Objectif: que pas un pouce carré de la table ne soit occupé par autre chose qu'une bouteille vidée de son contenu par l'un des quatre participants. Un couple venu Dieu savait d'où et qui, sur la piste de danse de l'hôtel, exécutait des rock-and-rolls acrobatiques. Une bagarre générale: cris des filles, tables renversées, lèvres tuméfiées, ecchymoses. Un nouveau groupe de musiciens pour la saison: les Électriques. "As-tu vu le batteur comme il est beau?" disaient les filles. "C'est un maudit fifi," rétorquaient les gars. "On va reconduire les filles de Saint-Grégoire. Taxi!" Les confidences au retour. "La Louise, une chatte chaude comme ça se peut pas!" "La mienne était dans ses périodes probablement à soir: O.K. en haut mais pas en bas." Cinéma du lendemain: Eddie Constantine au premier film. Puis Jeff Chandler. Du dur, du viril.

Parvenu aux abords de l'immense cuvette, il cessa de suivre les adolescents. Eux se perdirent dans le flot humain qui s'engouffrait entre les parois rocheuses, marchant sur une pelouse fraîche et fournie. Alain se dirigea vers le haut de l'escarpement où il rejoignit des attroupements clairsemés formés surtout de couples d'âge mûr: gens comme lui désireux de voir sans participer.

Il trouva le point le plus isolé et s'accroupit pour s'asseoir sur ses talons, contrarié de n'avoir pas, comme tant d'autres, emporté avec lui une chaise pliante.

Cette foule au coeur de laquelle il se serait senti étouffer, vue d'en haut, le fascinait. Il eût voulu lui donner tout son coeur et ses pensées mais l'instant d'après, il la détestait de le laisser seul. Il imaginait des avions se promenant au-dessus de la multitude en déversant des millions de fleurs puis d'autres qui jetaient des liquides inflammables transformant la place entière en crématoire géant.

Des petits feux s'allumaient çà et là. Sur l'estrade à l'autre bout, des gens travaillaient comme des fourmis. Un chien fou vint tourner autour d'Alain dans des cercles de plus en plus étroits. Il cherchait son maître. "Ou bien comme cette foule et comme Viviane lèche-t-il la main la plus dure qui consente à le flatter?"

— T'es le roi des laids, lui dit-il en détaillant ses caractéristiques les moins heureuses soit une oreille basse et comme cassée par le milieu tandis que l'autre restait en plein affût, un oeil entouré de poils blancs et l'autre de noirs, une toison cotonneuse, hirsute; des contorsions gauches de l'arrière-train mal mariées à des sauts disgracieux.

— Et c'est pour ça que t'es tout seul... comme moi, ajouta-t-il en tendant une main vers la bête.

Laid et rejeté! Le chien dans sa logique animale le prit pour un compliment et se rapprocha un peu plus. Pas trop encore. Il fallait bien tester un peu, par l'odeur, par les ondes, par les réflexes de l'homme, ce que l'homme avait dans le coeur. Des mains pourtant bien prometteuses l'avaient déjà frappé. Il se tordit d'espérance, avança, recula à dix reprises, attendant chaque fois un geste rassurant, un mot d'amour.

— Pourquoi tu ne vas pas en bas avec tout le monde, hein, espèce d'oreillard. C'est là qu'est la joie, pas ici... Elle est en bouteilles, la joie d'en bas. C'est vrai: toi, tu ne peux pas décapsuler grand-chose. En plus avec ta queue basse...

Le chien reniflait le bonheur à pleines narines, à s'en provoquer des éternuements qui chuintaient comme une toux sèche, à s'en secouer les yeux qui roulaient dans leurs orbites comme les boutons de plastique d'un ours en peluche.

Alain reporta son attention à la masse et des paroles de son éditeur lui revinrent en mémoire. "Ils se garrochent dans le sens du vent. Sont aliénés, conditionnés, contrôlés par des sentiments préfabriqués.'' Alors il s'insurgea contre lui-même, pensant: ''Son maudit verbiage est-il en train de me rentrer dans la tête?'' Julien est trop capitaliste pour donner de la bride dans des palabres d'intellos gauchistes. Il a trop de sang de l'Etchemin lui aussi pour se laisser avoir comme un con par des pelleteurs de boucane. Mais... s'il se servait de moi d'une autre façon? Je me suis peut-être laissé amiauler? Non, il sait trop que je l'ai à l'oeil. Je ne me laisserai pas manger la laine sur le dos. Il dit toujours que les autres éditeurs trompent leurs auteurs. Pas lui bien entendu! Le seul vertueux de sa profession! Il s'est amélioré depuis qu'il est en ville! Purifié par l'esprit montréalais...''

— Viens que je t'apprivoise, viens!

Le chien plongea dans une confiance absolue et naïve. S'approcha pour se livrer. Alain s'accroupit et commença à le flatter. Doucement. Gratouillant la peau sous le pelage. L'oeil de la bête devenait humain, bébé. Celui de l'homme se durcissait. Puis Alain fut envahi par un désir pervers, irrésistible, abominable: celui de précipiter l'animal en bas de l'escarpement. Il trouva moyen de raisonner pour appuyer cette envie terrible. Certes le cabot se blesserait mais il avait peu de chance de se tuer. Une foulure? Et au pire, une patte cassée. Après tout, un saut de quinze pieds pour un chien, ce n'était pas la fin du monde.

''T'es cruel, Martel!'' lui dit une voix intérieure.

Mais l'autre voix rétorqua:

''N'importe quel intello soutiendra que c'est la survie de l'espèce qui compte, pas celle de l'individu. On abat les porcs, les boeufs pour s'en nourrir. Ce chien m'aiderait peut-être à comprendre les hommes si je le précipitais en bas. Deviendrait mon singe rhésus, mon rat de laboratoire. Et en bout de ligne, mon geste aurait servi l'humanité. Car dans un prochain livre, je pourrais livrer un message, expliquer mieux la vie et la mort comme le font les intellos... Juste le prendre dans mes bras, le caresser, l'apaiser, m'approcher du bord et l'échapper malencontreusement. Et s'il meurt, son corps se recyclera. D'autres naîtront, le remplaceront.

Mais s'il n'était que blessé et qu'il devait traîner une patte et sa misère durant des mois et que dans son intelligence il soit capable de se dire pourquoi moi, pourquoi, puisque je l'aimais déjà ce maître?

Alors il se débrouillera bien, développera des comportements plus agressifs, s'attirera la pitié des faibles comme lui.''

— Si tu n'étais pas si affreux au moins, dit Alain en le grattant derrière la nuque, doigts écartés labourant fermement le lit de poils.

L'animal émit un tout petit jappement sur un ton de reconnaissance. Puis il gémit, tressaillit, comme une femelle en quête d'orgasme. Glapit encore.

— T'es un homme ou une femme? lui demanda l'homme avant de constater.

— Ah, une femme, hein? C'était couru d'avance.

La lumière du jour n'en finissait plus de céder le pas aux jaunes splendeurs de la lune, des lueurs de la ville et des feux piquant partout le tapis sombre de la foule.

— Mopette, Mopette, Mopette, dit une voix flûtée derrière.

Le chien interrogea Alain de ses yeux brillants puis il s'en fut retrouver une toute jeune fille à visage prognathe et cheveux pâles qui l'enveloppa de ses bras, le serra sur sa poitrine et lui colla sa tête sur le front.

Alain promena de longs regards panoramiques sur la masse qui commençait à onduler sous l'action conjuguée de la bière et de la musique. Il s'estima le seul à être seul. Mais cela n'avait plus l'importance d'il y avait une heure. Mopette l'avait gratifié d'un sourire depuis lors, bien qu'en guise de récompense la pauvre bête ait failli se faire mordre la patte.

La chaleur nationaliste qui dansait dans les flammes et autour des feux ne montait pourtant pas davantage jusqu'à lui car elle lui paraissait trop tisonnée, attisée par des fabricants de politique: faiseurs d'élections, coureurs de subventions, carriéristes assoiffés de pouvoir, toutes gens intéressés qui avaient pris l'indépendance comme on prend l'ascenseur pour se hisser un étage plus haut dans l'édifice de la société.

159

Quand la douce folie collective tourna en longs applaudissements aux mots flatteurs d'un chansonnier, Alain décida de partir. Debout, bras croisés, jambes écartées, mussolinien dans le port de tête et la moue, il sourit à une certitude, celle que tout ce beau monde ne mettrait pas cinq ans à comprendre que les nouveaux dirigeants, ces purs qui avaient remplacé les vieilles crapules n'étaient eux-mêmes que des canailles intellectuelles.

En reprenant le chemin du retour, il se redit pour la millième fois qu'en démocratie, le grand public malgré son peu de voix au chapitre, finit toujours par avoir le dernier mot quoiqu'en disent les ombrageux chercheurs de complots.

*

Au retour de vacances, en août, son éditeur, en train de préparer sa production d'automne téléphona pour savoir si l'auteur s'était remis au travail et pourrait bientôt lui présenter un autre manuscrit.

— Faudrait d'abord faire marcher le premier, dit Alain. Tout semble au ralenti.

— Les rapports ne sont pas trop mal pour ce temps-ci de l'année. T'as vu les palmarès? Tu y es depuis neuf semaines. Faudra un nouveau tirage en septembre. On va sûrement atteindre les cinq mille...

— Mais c'est vingt mille exemplaires qu'on pourrait lui sortir du ventre, à ce livre-là! Si t'étais correct, Julien, tu mettrais toute la subvention en publicité pour optimaliser les ventes.

— T'es fou? C'est vraiment pas possible!

— La subvention, tu l'as pour ce livre-là, pas pour un autre.

— Je vais perdre de la grosse argent avec les deux livres de Jacques...

Le sang d'Alain ne fit qu'un tour. Il fulmina:

— Ça veut dire que c'est le produit de mon livre qui va compenser pour le mauvais risque pris par toi sur ton intello. C'est pas de même que ça va marcher.

— Mais si je suis capable d'éditer des livres comme le tien aujourd'hui, c'est grâce à lui. Alain, tu dois comprendre qu'une maison d'édition, c'est une grande famille... une sorte de com-

160

mune où les plus forts soutiennent les plus faibles. C'est chacun son tour.

— Tant qu'à y être, tu voudrais pas que je lui donne un pourcentage sur mes droits d'auteur?

— Sois sérieux, Alain! Mes budgets de publicité sont défoncés.

— La publicité va se payer par les ventes qu'elle va susciter. Je ne te demande pas d'argent, je veux juste que tu pousses le roman un peu plus. Faudrait arriver à dix mille copies pour Noël, non?

— C'est pas possible. Cinq mille, c'est le beau maximum qu'on pourra atteindre... Laisse-le filer par ses propres forces. Quant à moi, j'ai d'autres chats à fouetter, tu comprends? Ma production d'automne... Je travaille sur un gros projet. Tu vas être le premier à crier bravo quand tu vas l'apprendre.

— Dis toujours.

— C'est 'top secret'. Tu comprends, si un autre éditeur...

— Imagine donc que je vais prendre le téléphone et te vendre au plus offrant...

— Je te le dis mais... bouche cousue, hein?

— C'est sûr.

— Le premier ministre a écrit un livre. Et c'est Edi-Québec qui va le sortir au pays. Trente mille exemplaires pas moins qu'on va faire.

Alain souffla du nez en signe de totale incompréhension.

— Bon Dieu de bon Dieu, Julien, ça pourra te rapporter à court terme, mais le premier ministre n'est qu'un auteur d'occasion. Pourquoi ne mises-tu pas plus sur quelqu'un qui pourrait produire chaque année comme je te l'ai offert.

Julien ricana avant de dire:

— Tu ne voudrais tout de même pas que je donne à LES GRANDS VENTS une meilleure attention qu'au livre du premier ministre? Tout le monde en rirait.

— C'est pourtant une simple question d'affaires. À moyen et long terme, je représente pour toi une valeur plus sûre que le premier ministre simplement parce que je te soumettrai un manuscrit par six mois. C'est pas chinois à comprendre.

— Écoute Alain, un livre, ça ne prouve rien même si c'est un succès de librairie... Écris-en un deuxième, on verra.

— Les échos de partout, les lettres que tu reçois, celles que je reçois, les opinions qu'on te donne: tout ça ne suffit pas?

— Oui mais les critiques se taisent.

— Je pense sincèrement que tous les deux, on n'est pas assez sur la même longueur d'ondes. Parce que la seule et unique critique ayant de la valeur à mes yeux, c'est la somme des opinions issues du grand public. T'as vu ce qui se passe avec ton intello? Tu l'as imposé au public à coups de média et avec l'encens de plusieurs critiques. Une fois: succès. Deux fois: aussi. Mais rien ne va plus. Le public n'en veut plus de sa littérature parce qu'il est un pète-en-l'air et un flûtencul.

Alain entendit le silence à l'autre bout du fil après qu'il eut cessé de parler. Il demanda:

— T'es là Julien?

Silence.

— Julien, tu m'écoutes au moins?

L'autre répondit en graillonnant:

— Comment? Oui, oui. Excuse-moi, c'est qu'il m'a fallu répondre à quelqu'un qui vient d'arriver. Sais-tu, je vais te rappeler... Mettons la semaine prochaine, qu'est-ce que t'en penses? Tu seras là?

— Ouais...

On se salua. On raccrocha. Alain serra les mâchoires, marmonna:

— Toi et ton hostie de premier ministre!

*

Par la suite il vécut de longues semaines d'incertitude. Car des dix coins du milieu lui parvenaient de semblables échos. Le métier d'écrire est le plus ingrat qui soit. Ça ne fait pas vivre son homme. L'auteur est perçu comme un illuminé à qui l'on concède volontiers des éclats de génie pour mieux exploiter son potentiel et le priver de ses fruits. Les écrivains sont trop individualistes pour se serrer vraiment les coudes; de plus ils ne le peuvent guère puisque l'offre (de manuscrits) est abondante et

162

la demande rare. Les lois sur le droit d'auteur datent du début du siècle. A beaucoup de chance qui se trouve un éditeur! "Mais qu'importe, lui confia le directeur des ventes chez le distributeur de LES GRANDS VENTS, puisque, disait Jules Renard, le métier des lettres est le seul au monde où l'on peut sans ridicule ne pas faire d'argent."

Que l'on évoque sa chance d'avoir un éditeur le blessait au plus haut point.

Comme si on lui avait fait la charité en publiant son roman! Cette notion de prise en pitié de l'auteur, de parternalisme vaguement douloureux à son endroit, il la trouva omniprésente dans le monde du livre.

Lui qui envisageait écrire à plein temps pour être libre découvrait chaque jour les impensables chaînes étouffant l'auteur à la merci des critiques, des recherchistes, des journalistes, des animateurs, des libraires, d'un distributeur et pardessus tout d'un éditeur.

"On te fait une faveur de dire un mot dans notre papier, de te mettre en évidence dans notre vitrine, de te faire passer sur notre show, de donner une subvention à ton éditeur, de prêter ton livre (pour que t'en vendes moins) et même parfois de te lire."

"Dépendance. Condescendance. Écris et tais-toi. On s'occupe du reste. Compte-toi chanceux qu'on soit là. Par chance que tu t'es pas lancé là-dedans tout seul. T'aurais crevé comme un chien empoisonné. Moi j'achète pas de livres, c'est trop cher. T'en aurais pas un à me donner? Dans le fond, c'est facile pour toi, t'as rien qu'à te laisser faire. Le trouble, c'est nous qui l'avons. Pas facile de vendre cinq mille exemplaires. Les pauvres auteurs qui ont voulu se lancer à leur compte se sont cassé la gueule. Tous sans exception. Ça ne se fait pas. Ça ne fait l'affaire de personne dans le systèmc. Faudrait que tu fasses des séances de signatures un peu partout... Comment? N... non... l'éditeur ne peut payer tous les frais, pas pour une douzaine d'exemplaires vendus. Le libraire non plus: tu comprends, il a des dépenses d'organisation, publicité... Où vais-je prendre le temps d'écrire? Ah, ça, un vrai écrivain travaille de nuit... On est créateur ou on l'est pas! Pourquoi les subventions n'iraient-elles pas à l'auteur plutôt qu'à l'éditeur? Non mais... es-tu sérieux? Cet homme est un auteur, vous saviez? Une hostie de tapette, je suppose?"

Il se renseigna mieux sur les coûts d'un livre, fit, refit des calculs, répartissant sans cesse le prix public d'un exemplaire entre les divers intervenants dans la production et la mise en marché: 40% au libraire, 17% à l'imprimeur, 17% au distributeur, 17% à l'éditeur et à peine 9% à l'auteur (en ne tenant compte que d'une partie des rognures lui étant imposées sur ses droits).

Force lui fut de constater que l'auteur ne pouvait s'en sortir à moins d'avoir la chance rarissime d'être vendu sur le marché international, ce qui ne voulait pas dire seulement en France. Il avait su entre autres choses que Marie Cardinal même traduite en plusieurs langues ne survivait pas de son métier et devait gagner sa vie en travaillant chez un éditeur. "Thériault écrit depuis quarante ans, il a changé une douzaine de fois d'éditeur et il est toujours et depuis toujours en grandes difficultés financières," lui confia-t-on. À quoi ça sert d'avoir du talent alors? Satisfaction personnelle... Et postérité. Ici est passé Hugo. Là vécut le grand Grandet. L'amour des lecteurs par-delà la mort...

Dans le cul tout ça!

*

Il émergea de son interminable rêverie. Bilan de l'année: pertes morales, financières, pertes du coeur, de l'esprit, santé défaillante, perte d'espérance. Il se releva, s'assit sur le rebord du lit, mit sa tête dans ses mains et soupesa son grand rêve américain qui après tant d'années bouchées avait commencé à prendre forme avec la parution de son premier roman. Échafaudé sur du creux, il était en train de s'effondrer, de s'aplatir en rejetant un peu de poussière comme une vesse-de-loup sous la botte d'un marcheur. Plus un seul rayon de liberté aussi loin qu'il pouvait voir devant.

Condamné à vivre en légume. Pire: en femme d'intérieur.

Quelques jours plus tard, excédée de tant de semaines de jonglerie improductive, Viviane, juste avant de partir par un après-midi pluvieux, lui dit une phrase à laquelle il lui fut refusé le temps de répondre:

— Quand est-ce que tu commences à travailler? Après trois ans de repos, ce serait le temps, non?

Tout ce jour-là, le nez dans une étroite fenêtre poussiéreuse du sous-sol, l'âme dehors sous la pluie froide, il eut le coeur au suicide. Il rit de penser qu'on n'en arrive pas à l'ultime solution à cause de tragédies cornéliennes ou de drames impensables ailleurs qu'au cinéma ou en littérature mais simplement parce qu'on est tanné.

Tanné de soi-même.

Depuis toujours, il s'était dit qu'il mourrait un samedi à la brunante. Il y pensa quand il se rendit compte que le jour commençait à décliner. C'était samedi.

Il tira le rideau, alla s'asseoir derrière son bureau, dans l'ombre. Il fit maints calculs cent fois faits déjà.

Une dernière lueur se glissa sous le rideau, piqua son oeil, en fit ressortir un éclat dur, déterminé, agressif. Le coeur n'était pas à Paris et l'esprit à Versailles! Tout l'homme réuni lui coula dans le bras, la main, les doigts, la plume pour jeter sur papier son irrévocable décision contenue dans deux simples phrases qu'il voulut relire mais en vain car il faisait plein noir maintenant.

Il rejeta son corps en arrière, croisa ses mains derrière sa nuque, réfléchit longuement sur les façons de s'y prendre pour accomplir son dessein. Il n'en fut distrait que par la faim, longtemps après. Il se dit que pareil projet requérait au moins un peu de lumière et il alluma sa lampe de travail.

De bizarres lueurs au fond du regard, l'air effaré, il prit le papier de ses phrases et lut tout haut:

— Je suis tanné... globalement tanné de moi-même. Je vais donc capituler. Mais avant de me rendre, je vais en tanner d'autres... en hostie!

Il sourit et pensa: "Ça sera pas trop difficile: j'ai toujours eu beaucoup de talent pour écoeurer!"

Il oublia son estomac et entreprit d'ordonner la réflexion de sa demi-journée en couchant sur le papier les grandes lignes de son plan qui consistait à foncer dans l'impossible soit dans une carrière d'auteur-éditeur.

Il fallait au plus vite un produit c'est-à-dire un autre roman. À sujet commercial. Et à ce chapitre, il avait en tête et en filière bien des idées. Il paierait l'imprimeur avec les droits sur son premier roman. Ses emprunts sur polices d'assurance lui permettraient de faire les versements sur l'hypothèque de la maison pour encore dix-huit mois.

Le sujet le plus chaud qu'il eut en réserve avait commencé à germer le soir de la Saint-Jean au-dessus de la foule en folie et s'était précisé au fil des semaines. Un roman de politique-fiction portant sur la querelle souveraineté-fédéralisme. Les uns et les autres personnifiés par les deux premiers ministres lui rappelant les gamins de son enfance se disputant en jouant à la quécane. Le titre était donc tout trouvé: QUÉCANE pour le jeu des gosses et pour Québec-Canada en abrégé. De l'action à l'américaine. Une histoire d'amour simple comme oui et non.

Il se donna quarante jours (et quarante nuits) pour l'écrire. Et le quarantième soir, il y mit le point final.

Chapitre 2

1979

Chez l'éditeur, l'arrêté des comptes s'était fait dans la dernière semaine du mois d'octobre précédent. Alain avait été convoqué pour le jour même de l'Halloween.

Julien s'empressa de lui faire savoir qu'il ne disposait que de dix minutes. Il attendait la venue du premier ministre pour une **entrevue-maison**.

— Entre nous, questionna Alain sur le ton de la confidence, le livre du P.M. a-t-il droit à une subvention?

— Il est un citoyen comme les autres. De plus, ce n'est pas à lui mais à l'éditeur que va l'aide du gouvernement.

— À moi, ça semble du pareil au même. C'est de l'auto-subvention par personne interposée.

L'autre soupira de découragement, trouva une feuille dans un dossier et la mit devant les yeux de son visiteur.

— T'as tous les détails: tirages, livres donnés en service de presse, exemplaires perdus, endommagés... Et le reste. Total: cinq mille cent dix exemplaires vendus. Moins le tirage initial sur lequel il n'y a pas de droits, multiplié par le prix public, multiplié par quinze pour cent, ça fait exactement cinq mille huit cent trente-sept dollars et des poussières. Content, mon Alain?

— Non!

— Non? s'écria Julien, les yeux agrandis et la bouche béante d'un faux étonnement.

— Non!

— Batêche, pour un premier livre, c'est un miracle!

— On ne vit pas avec six mille dollars par année de nos jours. En faut quinze minimum pour dépasser un peu le seuil de la pauvreté.

Julien se leva, fit le pied de grue derrière son bureau en discourant, des flammèches dans le regard:

— Y'a pas un éditeur au Québec qui donne de pareils montants à ses auteurs! Où est donc ta reconnaissance? J'ai poussé ton roman. Je l'ai appuyé malgré des critiques pas plus favorables que ça, hein. Le dernier jour de janvier, tu vas toucher six mille dollars - chose rarement vue - et tu te plains? C'est à n'y rien comprendre.

— Au Québec on a une littérature à temps partiel parce que tout un système empêche les auteurs de se révéler...

Julien leva le doigt et coupa l'envolée:

— Veux-tu m'attendre une minute, faut que j'aille aux toilettes. Ça serait pas trop le temps quand le P.M. sera là, hein?

À son retour on ne revint pas sur le sujet d'avant l'interruption. Alain dit sans lever les yeux du rapport des ventes:

— Tu voudrais me montrer les factures d'impression?

— Tu ne crois pas que... que... Penserais-tu que je t'aurais triché?

L'auteur, qui n'y avait pas songé, plissa le front. Julien dégageait des ondes nerveuses. Il bredouillait. Mais Alain chassa aussitôt l'ombre du doute qui l'avait effleuré.

— Non, non... C'est que je voulais voir les dates pour analyser le rythme des ventes selon la période.

— Ça t'avancerait à rien. C'est le rapport du distributeur qui compte.

— Juste la curiosité!

— Mon cher ami, je le voudrais bien; malheureusement mes

livres de comptes sont chez mon comptable. Même les factures d'achats... et le reste.

Et l'homme, devenu rondouillard depuis qu'il était dans les bonnes grâces du parti au pouvoir, marcha vers la porte en s'excusant:

— Si tu veux rester à côté au lieu de partir tout de suite, je suis d'accord. Tu aimerais serrer la main du P.M.? Un homme simple, pas gênant pour dix cents. Quasiment les souliers percés.

— Merci! C'est trop d'honneur!

Et Alain franchit la première porte puis ouvrit la suivante qui menait dans le couloir. Son éditeur lui dit un dernier mot avant de refermer:

— Pour ce qui est des tirages, là, fie-toi pas aux chiffres qui se garrochent à gauche et à droite. Moi-même je dis souvent dix mille mais c'est pour la publicité. Les journalistes, faut leur en mettre le double. De la poudre aux yeux, tu comprends? Les éditeurs font tous la même chose. Dans ce métier y'en a même qui mélangent milliers et millions.

— On a vendu cinq mille; moi, je dis cinq mille.

— Si tu veux jouer franc jeu quand personne ne le fait, tu crèves. Le livre du P.M. on va annoncer quinze mille ventes la première semaine, vingt-cinq au bout d'un mois et quarante à l'approche des Fêtes.

— J'appelle ça de la publicité trompeuse.

— Ce n'est pas de la publicité, Alain, voyons!.. En France, c'est pareil. Les média ne marchent pas autrement que s'il est question d'un prix littéraire ou de gros noms connus ou de gros chiffres. Y'a pas un critique ou un chroniqueur littéraire qui va oser faire de la vague par lui-même. Ils se laissent emporter eux aussi par le conditionnement. Et les gens suivent comme des moutons. Un jour, je publierai un livre avec un troupeau de moutons en page couverture, tu verras.

— Je croyais que tu t'élevais contre toute forme de conditionnement.

— J'ai dit ça, moi?

— Mais... notre rencontre avec ton intello...

— Jacques? C'est du dépassé... Un cerveau croûteux. Entre nous, ses deux livres sont un désastre... Ou deux désastres. Par chance qu'il y a les subventions, autrement j'y perdrais ma chemise.

L'auteur sortit, croisa le premier ministre qui, entouré de deux gardes, sortait de l'ascenseur.

En descendant, Alain tâcha d'oublier sa rencontre avec Julien en se concentrant sur la citrouille qu'il mettrait à la fenêtre pour faire rire les enfants en ce soir d'Halloween. Tiens, il lui mettrait une cigarette tombante au coin du trou de la bouche!...

Et alors il s'était enfermé pour écrire QUÉCANE.

*

Le seul imprimeur qui fit une soumission sur ce livre annonça un prix de rejet, pour s'assurer de ne pas avoir sa clientèle. C'était l'homme qui lui avait déjà rendu visite et qui avait appris par Julien qu'il l'avait échappé belle quand le dossier de LES GRANDS VENTS était passé aux mains d'Édi-Québec. Trois ans plus tard, malgré l'inflation, Alain obtiendrait des prix nettement inférieurs sur des ouvrages plus volumineux.

Il dut signer une entente en vertu de laquelle ses droits d'auteur sur LES GRANDS VENTS seraient versés directement à l'imprimeur en paiement de son tirage.

Quant aux autres fournisseurs, ils exigèrent paiement d'avance. Et l'atelier de composition typographique demanda de l'argent liquide.

Difficultés qu'Alain surmontait une à une, stimulé par son engagement envers lui-même, emmagasinant les frustrations en un lieu de son esprit où il ne risquait pas de les oublier, se demandant chaque jour s'il était le seul responsable de l'image qu'on semblait se faire d'un auteur et consécutivement du traitement qu'on lui faisait subir ou bien qu'il ne s'agissait pas là de quelque héritage que l'homme de lettres s'était attiré par ses comportements par trop insolites. Il refusait d'envisager une définition toute faite par la tradition.

172

En février, il écrivit une lettre à Édi-Québec pour lui réclamer le montant des droits tel qu'arrêté le jour de l'Halloween. Ayant appris via l'imprimerie qu'Alain avait décidé de se passer de lui, Julien demeura silencieux.

Par une semaine d'un froid sec, l'auteur fit une tournée de distributeurs pour offrir son deuxième roman. Il fit valoir le succès du premier et le chaud sujet de l'autre soit le prochain référendum.

Partout on le reçut poliment, correctement. Mais de tous il recueillit un refus désolé. L'un ne pouvait ouvrir un compte pour un seul livre. ''Nous avons notre maison d'édition; pourquoi ne pas nous soumettre votre manuscrit?'', lui proposa-t-on comme solution de rechange.

— Parce que le livre est déjà publié. Le voici.

— Désolé, nous ne pourrons pas...

Celui qui avait distribué LES GRANDS VENTS ne pouvait se mettre à dos un gros fournisseur comme Édi-Québec pour un débutant et auteur par surcroît.

''Si prometteur soyez-vous!'', lui dit-on en le gratifiant d'un sourire plein de générosité attristée.

Un troisième dont le p.d.g. était un Grec incapable de dire un seul mot en français répondit que le sujet du livre paraissait dangereux...

Un quatrième se défila sans donner de motif. Le directeur des ventes se cacha derrière maints appels non retournés.

''Chaque fois qu'on a distribué un seul livre pour quelqu'un, ça nous a donné mal à la tête'', dit un cinquième. ''L'éditeur nous harcèle et nous houspille si son livre se vend mal''.

Ailleurs: des refus froids.

Plus tard, Alain saurait qu'Édi-Québec avait fait circuler le bruit voulant qu'il ait refusé son second manuscrit par défaut de qualité et parce que les lecteurs de ses produits, très majoritairement péquistes, seraient irrités par le contenu du livre.

Le système avait produit ses anticorps pour empêcher la survie de ce virus que constitue pour lui un auteur-éditeur.

Début mars, il écrivit une lettre de rappel à Édi-Québec concernant les droits dont il avait besoin pour payer l'imprimeur. Il l'adressa à Julien lui-même en la faisant recommander tel que requis.

Silence.

Faute de distributeur, il dut entreposer les quatre mille exemplaires du tirage de QUÉCANE, ce qui remplit une pièce voisine de son bureau.

— Qu'est-ce que tu vas faire avec ça? lui demanda Viviane en apercevant les boîtes?

Il haussa les épaules, dit à travers un mince sourire désabusé et un gros accent circonflexe sur le deuxième mot:

— Sais'pâs'!

Il avait pourtant son idée. On refusait de distribuer ses livres; il le ferait lui-même. À sa tournée de promotion de LES GRANDS VENTS, il avait connu la plupart des libraires, s'était rendu compte que deux livres sur trois se vendaient en librairie plutôt qu'ailleurs et que par conséquent un bouquin pouvait connaître un succès appréciable sans être forcément présent dans les autres points de vente: chaînes de magasin, tabagies, pharmacies.

Il lui suffirait d'un mois pour visiter les deux cent vingt-cinq principaux libraires de la province. Dix par jour. Une cédule de visites tenant compte des distances à parcourir et permettant de voyager de soir. Manger sur le pouce. Travailler les soirs de magasinage et les samedis.

''Si c'est faisable, je le ferai!'' se dit-il à maintes reprises en établissant son plan de campagne pour fouetter son orgueil et son courage.

Mais il fallait un véhicule qui tienne le coup et qui ait bonne logeabilité. La familiale pourrait suffire à condition de venir la réapprovisionner chaque dimanche. Viviane s'en servait depuis qu'elle travaillait et lui utilisait une vieille compacte en bon état de marche mais trop petite pour les besoins d'une telle tournée avec marchandise.

Il proposa un échange pour un mois. Elle refusa net:

— Pas question! C'est mon auto.

— Oui et non... Je l'ai achetée et payée.

— Et moi je l'entretiens depuis deux ans.

— Pour un mois.

— Pas pour une journée.

— T'auras la mienne. Elle va bien.

— Non.

— Faut que j'aille jusqu'à Sept-Iles. Toi, t'as que six milles par jour à parcourir.

Elle haussa le ton:

— Chasse-toi cette idée de l'esprit... Tu perds ton temps...

— Qu'est-ce que tu veux que je fasse? J'ai pas d'argent pour un autre véhicule...

Elle avait coupé la conversation en s'enfermant dans sa chambre. Qu'importe puisque sa première réaction était invariablement négative! Elle finirait par comprendre. Ça n'avait rien à voir avec le sentiment ou leur mésentente, c'était une simple question de bon sens.

Le jour suivant, il revint à la charge.

Elle avait bien mûri mais dans le sens contraire de ses visées. Et elle fut doublement violente dans le ton et par les mots:

— Te faudra la police pour l'avoir. J'ai besoin de cette auto et je la garde: point final.

— J'ai les clefs...

— Demain il y aura une chaîne et un cadenas sur le volant.

— J'ai pas d'argent pour...

— Prends l'argent de tes polices d'assurance.

— C'est pour payer la maison.

— J'ai mes problèmes à régler. Arrange-toi avec les tiens. La familiale est là et va y rester.

— Deux semaines alors, que je puisse faire les régions les plus éloignées. Rien que deux semaines, je te le demande. S'il te plaît, j'en ai besoin...

— Tes christ de livres, t'as voulu les faire, débrouille-toi avec.

Abasourdi, frappé au coeur et à la tête, ébahi, il marmonna pour qu'elle quitte la pièce au plus tôt:

— Laisse... faire; je... m'arrangerai...

Aussitôt qu'elle eut fermé la porte, ses yeux devinrent fixes, ras d'eau. Il se mit à hocher la tête pour tâcher de faire passer ce bouchon qui lui roulait sans arrêt dans la gorge.

Elle maudissait ce qui avait le plus d'importance dans sa vie en dehors d'elle-même et de leur enfant. En lui, des pensées fluctueuses alternèrent avec d'autres d'abattement.

Quand il eut fini d'apprivoiser le gros du mal profond, il se dit tout haut:

— Pourquoi suis-je tant haï par quelqu'un que...

Mais il ne finit pas la phrase.

Et il chercha une solution à son problème de véhicule. Dans les annonces classées, il dénicha une familiale qu'on disait en excellent état et laissée à prix de sacrifice. Moins ce qu'il pourrait obtenir pour sa compacte, il n'aurait que deux cents dollars à débourser pour bâcler l'affaire et se retrouver prêt à partir.

Ce qui fut fait dans les trois jours. Il ne tarderait pas à se rendre compte que la nouvelle familiale avait une soif insatiable de carburant. Qu'importe si elle résistait un mois ou deux!

Partout en province l'accueil des libraires fut excellent. Félicitations sur le premier. Questions sur celui-là. Une douzaine par ci. Une vingtaine par là. Trois semaines: trois mille. Tous en librairie.

Et pourtant il se sentait plus insécure que jamais. Les livres étaient mis en place mais le public les achèterait-il? Déjà il avait entendu des sons de cloche. "Ceux qui ont lu LES GRANDS VENTS seront déçus de celui-ci: trop politique." "Moi je trouve que c'est trop... péquiste." "Moi je pense que c'est fédéraliste." "En politique, les gens n'aiment pas la fiction mais la 'vérité'." "Les acheteurs de livres ne sont pas portées vers des bouquins à contenu politique." "À choisir entre les deux, moi, j'achète LES GRANDS VENTS."

Pour Dieu sait quelle raison, peu à peu, il se mit à prendre en grippe son premier roman. Comme si l'éloge qu'on en faisait se fût adressé à quelqu'un d'autre et qu'on eût cherché, par ces flèches, à le narguer. Par-dessus tout, il accusait son aîné de n'avoir pas été à la hauteur de son rêve. Certains jours, il désirait que le livre disparaisse, meure et que plus jamais personne ne lui en parle.

Le jour même d'un épuisant voyage de retour d'Abitibi, il se rendit au centre-ville de Montréal afin d'y rencontrer quelques futurs clients.

Aux abords de la gare Centrale, il aperçut venir un auteur connu, bien établi depuis quinze ans grâce à la télé et à un agent réputé.

En mal d'encouragement, Alain résolut de lui demander deux minutes. Il le féliciterait pour ses succès y compris et surtout un récent roman sorti des mêmes presses que le sien et dont il savait depuis quelques jours par l'imprimeur qu'on s'apprêtait à en tirer le trente millième exemplaire. Puis il lui parlerait de son cheminement, de son aventure à contre-courant, à compte d'auteur. L'autre crierait bravo, continue, tu traces une voie, frappe dur et tu réussiras, tiens bon bonhomme!

La tête en poils, détonante parmi la foule, Alain put sans mal en suivre la progression et diriger ses pas vers elle. Avant d'intercepter l'auteur-vedette, il rajusta son livre sous son bras et son courage sous son coeur.

Comme l'autre avait bon pas, Alain s'arrêta à un mètre et tendit la main, disant, ému, chaleureux:

— Monsieur Branleux, Michel Branleux, c'est tout un honneur de rencontrer un auteur qui a réussi.

— Vous êtes un de mes lecteurs? s'enquit l'autre dans son sourire barbu et sur un ton emmiellé.

— Je connais votre théâtre...

— J'ai publié un livre en novembre...

— Je sais. Trente mille exemplaires bientôt. Félicitations. Formidable!

L'homme recula la tête et souffla haut:

— Pas trente, quarante-cinq.

''Un autre qui s'est fait briefer par son éditeur pour arrondir les chiffres'', pensa Alain en lui pardonnant volontiers.

— C'est le premier livre que j'achèterai quand j'aurai un peu de budget au fond des poches.

L'homme jeta un regard soupçonneux sur ce qu'Alain tenait sous le bras, ce qui déclencha la confidence:

— Je suis auteur également. C'est mon deuxième. J'étais

177

chez Édi-Québec. Pas trop satisfait. Celui-là, je le mets en marché tout seul. Hier j'étais à Rouyn, aujourd'hui je suis ici. Faut se battre...

Branleux tendit une main molle pour se débarrasser illico du raseur. Alain crut qu'il voulait examiner son livre et le lui présenta. L'autre le prit, le tourna pour voir derrière mais aussitôt se ravisa et le repoussa sans précaution entre les mains de son interlocuteur sans avoir lu une ligne de l'argument ni rien demandé. Il dit en appuyant sur chaque mot et avec une irritation pincée:

— Bonne... chance... avec... cette... merde!

Puis il s'éloigna en hochant la tête et soulevant ses palmes féminines de chaque côté de ses fesses étroites pour ainsi appuyer plus fort sur l'insulte.

"Mais qu'est-ce qu'il en sait? Il n'a rien lu. Pourquoi? Mais pourquoi?" se dit Alain en le regardant aller vers son village.

Il pencha la tête, se retourna. Puis il la releva très haut et refit demi-tour. La rage lui monta aux yeux mais ils restèrent secs et c'est par sa bouche qu'il cracha ses larmes:

— Mon hostie de mesquin, ta claque tu l'auras un de ces matins... et en enfer s'il le faut.

Mi-avril, il écrivit une troisième lettre au maître de LES GRANDS VENTS. Sévère. Déterminée. L'enjoignant de payer ses dûs dans les dix jours faute de quoi il entreprendrait des procédures.

Silence.

Alain se relut, rit de lui-même. Avec un avocat, il faudrait attendre des années et l'homme de loi empocherait la moitié de la somme.

Fin avril, autre lettre. Cette fois, il menaça de faire savoir à toute la jungle du livre qu'Édi-Québec, la maison qui dénonçait toutes les autres et affichait un haut degré de vertu, refusait à la première occasion de verser ses redevances à un auteur pour la seule raison qu'il avait déserté l'écurie.

Sensible à l'argument, Julien piaffa. Il enjoignit l'auteur de se prendre un avocat s'il voulait être payé. D'autant qu'il refusait de verser les sommes dues parce qu'Alain attaquait vilement sa réputation nette comme l'âme d'un nourrisson.

— Ah le petit malin! s'exclama l'auteur en lisant la lettre de l'éditeur.

Il lui téléphona. On s'engueula. On s'accusa.

"T'acceptes pas que j'aie quitté ta boîte!"

"J'aurais refusé ton manuscrit."

"Le renard et les raisins."

"T'as fait une erreur. Tout se paye."

"Je dirai qui tu es."

"T'auras une mise en demeure... Libelle..."

"Va au diable!"

"Mes avocats t'ont à l'oeil."

"J'ai rien que ma chemise."

"On va te l'ôter."

Après avoir analysé la question, Alain trouva que l'autre l'avait mené sur son terrain à lui, là même où il était à son meilleur. Faiseur de procès dans l'Etchemin, il savait mieux que quiconque se cacher derrière les hommes de loi ou invoquer des raisons légales pour agir ou bien, comme dans leur litige, pour refuser de bouger.

*

Par un mai sec brillant de tous ses feux, Alain refit une tournée de la province, cette fois pour assurer la promotion de son roman. À Montréal, chez les gens des média, il ne fut pas long à déceler une baisse marquée d'enthousiasme par rapport à l'année précédente. La recherchiste du gros Savard s'arrangea pour le faire boycotter. Grâce à l'appui d'une lectrice, il décrocha une participation à une émission du midi. Et ce fut tout. Jamais plus il ne devait obtenir d'être vu à Télé-Métropole, pas même sept romans plus tard. Dix fois, cent fois on lui servirait la même réponse: "S'il fallait qu'on accepte de passer les gens qui publient leurs propres livres!..."

Radio-Canada, les grands journaux, les stations de radio: tout l'ignora et continuerait de le faire cinq ans plus tard malgré ses efforts incessants au niveau du service de presse.

Le système créait ses anticorps à partir d'un préjugé: "Si tu publies tes propres oeuvres, tu es forcément mauvais. Si tu es mauvais, tu n'es pas crédible. Si tu n'es pas crédible, on ne peut te donner de couverture de presse.''

Merci tas de cons!

En province, par contre, il fut enveloppé du même accueil chaleureux qu'un an plus tôt sauf au journal Le Soleil où il ne devait obtenir quatre ans plus tard que vingt lignes d'une critique sarcastique lui faisant le reproche de ''se spécialiser dans l'édition de ses propres ouvrages'' pondue par une pigiste de troisième catégorie ne sachant différencier essai et roman.

''Invite-les à un petit souper,'' lui avait conseillé Julien lors de sa première tournée.

Mais pas d'argent, pas de suisse! Deux soirs sur trois il couchait dans son auto afin de sauver les sous d'une chambre. Et chaque jour, c'est en rêvant à l'avenir qu'il cassait la croûte sous les pattes d'un grand M jaune.

Il lui arrivait de combler ses besoins biologiques grâce à une rencontre de passage. Chaque ville a son lot de solitaires sirotant dans quelque bar leurs récriminations envers les mâles et en quête de vengeance affective. Faciles à cueillir, il n'avait qu'à choisir. Pas fortes au lit car faisant l'amour pour des motifs étrangers à la recherche de plaisir, elles restaient comme absentes à la chose comme les femmes frigides ou la prostituée de Duvernay. Mais c'était mieux que rien!

Quant aux professionnelles, plus jamais! Il avait eu sa ration et pour longtemps. ''Payer pour du saucisson de Boulogne quand on peut s'offrir gratuitement de l'entrecôte,'' se disait-il parfois.

''Et le filet mignon, c'est pour quand?'' soupira-t-il en cette fin de jour tout en admirant les îlots à dos ronds et chevelus de Bic et la vue enchanteresse du fleuve.

Rimouski, la ville qu'il préférait entre toutes et sans jamais s'être demandé pourquoi, lui donnerait bientôt le sentiment de rentrer chez lui.

La dernière fois qu'il y était venu, en mars, un policier lui avait collé une contravention imméritée. La chambre où il avait passé la nuit était plus glaciale que le fleuve. Le bruit de la route l'y avait harcelé jusqu'à l'aube. Et pourtant, une fois en-

180

core, Rimouski l'avait séduit. Parce que... parce que c'était Rimouski.

Chaque fois qu'il en était parti, il avait fait en Québécois, le rêve de Chateaubriand: dormir sa longue et ultime nuit sur une hauteur face à la froide éternité du grand fleuve mais réchauffé pourtant par le spectacle d'une effervescence mesurée roulant dans les rues et les coeurs et donnant à la petite ville son flot de facettes invitantes.

En se gavant de la verdoyante nature qui chevauchait par coulées et collines le long de la route, il s'adonna enfin à l'analyse de la séduction exercée sur lui par la belle et gracieuse Rimouski.

Oui le fleuve, mais... Mais il était ailleurs aussi. De la mer à... à la merde. De chaque côté de lui-même. Tout plein de charme en les splendeurs de Charlevoix. Si attrayant au coeur de l'histoire! Étalant sa majesté rétrécie sur le chemin du roi. Étouffant d'ennui dans la platitude montréalaise. Qu'avait-il donc à Rimouski de plus que sa simple grandeur? Les mêmes lointains fumeux, les mêmes silhouettes de paquebots, odeurs de varech, vapeurs d'hiver et vents d'été?

Non, Rimouski c'est... c'est la chaleur des gens. Mais quoi? Et celle des Beaucerons, des Québécois, des Chicoutimiens, des Mauriciens, des Estriens... et de tous les autres au-delà d'un rayon de dix milles ayant pour centre l'oratoire Saint-Joseph?

Alors c'est la campagne avoisinante, les hamcaux aux airs de 1950? Ou bien les chamarrures des couchers de soleil? Le culturel artisanal? Les services? Les regards? Les mains?

''L'homme ne se nourrit pas que de poésie,'' se dit Alain en apercevant au loin la courbe que l'eau imprimait à la ville et en avant-plan les elliptiques et si familières inflexions d'un grand M jaune.

Il commanda ses hamburgers en se félicitant de n'avoir plus jamais souffert du dedans, de ce que la médecine n'avait jamais trouvé, après de multiples examens et encore plus de diagnostics présomptueux.

En se cherchant une place de choix malgré le faible encombrement du lieu, il repéra une tête blonde et belle, et surtout, qualité primordiale, solitaire. Mais elle occupait la dernière banquette et ne pouvait être aperçue que de profil... À moins de lui demander pour partager sa table.

Il prit place à la table voisine d'où il pourrait la voir de dos, lui lancer des ondes et des inquiétudes, comptant sur quelque hasard pour que leurs yeux se présentent. Elle se ferait fémininement curieuse, interrogerait les ombres dans les vitres, irait chercher des serviettes de table oubliées. Sinon qu'importe! Il caresserait du regard ses cheveux taillés en forme de champignon, lui inventerait des courbes, un sexe, une nudité. Et si le degré de détente lui permettait d'imaginer sa vie, il le ferait volontiers.

D'une frite à l'autre, il atteignit son pubis: noir, dense, grand, odorant. Elle mangeait sans hâte, comme quelqu'un d'arrivé à qui s'ajuste sans heurt une routine sans problème.

Au loin, la ville finissait d'allumer sa nuit qu'elle allongeait sur un fleuve encore froid d'hiver dans une frange iridescente.

Le coeur d'Alain chaloupa un instant quand il vit la femme poser les gestes de quelqu'un qui veut partir.

"Ça sera pour un autre siècle," soupira-t-il en portant à sa bouche un hamburger à coeur ouvert et flavescent.

Un souffle mat, insolite coupa son geste, puis se perdit en vibrations tout autour et jusqu'en lui. Il tourna la tête. La cuisine était un lac de feu. Des serveuses lancées par des forces surprenantes sautaient par-dessus les comptoirs en couissant nerveusement comme des souris pourchassées. Un jeune homme se ruait sur un extincteur.

— Y'a un poêle qui a sauté, dit Alain tout haut en se retournant vers la femme blonde.

Leurs yeux se croisèrent et se firent l'amour. Spontanément. Sans aucune forme de réticence. D'éternelles secondes. Qu'il la trouvait neuve dans ses prunelles fauves à couleur de soir! Son visage, d'une fine et délicieuse rondeur, brillait de tendres éclats comme si sa carnation tout entière s'était faite amour.

Elle sourit délicatement dans une expression charnelle, chaude. Il retint les mots de sa subite passion, ravala son émotion pour la faire mieux sentir. Elle dit soudain:

— Ça pourrait être pire!

Douceur, douceur, exquise douceur dans la voix qui lui chantait par l'âme entière.

D'une substance lointaine et vague comme l'autre rive du fleuve et qu'il eût aimé explorer sur l'heure, la femme laissa s'échapper des intensités soyeuses comme un lever de soleil. Mais une retenue de personne bien moulée lui fit mettre un terme au sublime échange.

— Par chance que le gérant a du réflexe! fit-elle en regardant vers les lieux de l'accident.

Alain fit de même et vit le jeune homme qui dirigeait la lance de son appareil pulvérisateur. Malgré un entêtement qui le fit ressurgir çà et là, le feu dut se taire en cinq secondes. Sortie de sa torpeur, une jeune fille se frottait le bras. On l'entoura. Son mal augmenta.

Le gérant sauta à son tour par-dessus le comptoir avec l'agilité d'un gymnaste. Il examina la brûlure, sourit devant son peu de gravité puis donna des ordres. Chacune se dirigea vers une table.

— On ferme l'établissement, dit l'une d'elles à l'endroit d'Alain et de la femme aux cheveux d'or.

— Mais je n'ai pas fini...

— Vous pouvez emporter votre plateau dehors.

Alain se leva en même temps que la jeune femme. Elle s'apprêtait à quitter avec un verre à la main. Il dit:

— Moi aussi je ne prends que mon café; après tout j'avais presque fini de manger. Et comme c'est pas du filet mignon...

Il s'arrangea pour emboîter le pas à la jeune personne, profita de leur sortie pour laisser couler son regard sur l'harmonie de ses courbes. Il pensa: "Quand une femme est belle, elle l'est de partout!"

Elle longea le mur de briques brunes, attendant son suiveur sans en donner l'air. Il la rattrapa, dit:

— Fait doux. Si on finissait notre café à une de ces tables-là.

Elle acquiesça d'un signe de tête. Il jeta la première question à lui traverser l'esprit:

— Vous êtes Rimouskoise?

— Oui et vous?

— Lavallois.

— Visiteur de Montréal!

— Non, Laval.

— Ça paraît important de faire la différence?

— Ça l'est.

Ils s'assirent à une table de pierre bien éclairée par des lumières-sentinelles aux quatre coins du patio.

— Je vous aurais cru d'ici, c'est drôle.

— J'ai mes racines dans la région de Québec. J'ai que trois ans d'ennuyance à mettre sur le dos de la ville.

— Je gagerais n'importe quoi que vous n'êtes pas un représentant de commerce.

— Ils ont quoi que je n'ai pas?

— Oh, pas grand-chose... La cravate... Le veston...

— Elle regarda ses cheveux.

— Et une tête mieux taillée... dit-il.

Mais elle l'interrompit:

— Et si on se présentait, hein?

— Aux dames d'abord.

— Louise Rioux.

— Alain Martel.

— Je suis professeur... de coiffure.

— J'aurais juré que vous étiez quelqu'un qui s'occupe de... comment dire... de la chose esthétique.

Ce que disant, il promena sur elle d'espiègles regards doux. Il poursuivit:

— C'est pourquoi vous trouvez sûrement que j'ai l'air débraillé.

— Allure sport et allure négligée, c'est deux. Vous n'avez ni le chrome d'un député libéral... ni le laisser-aller d'un député péquiste.

À cause de l'esprit qu'elle contenait, cette parole plut à l'auteur car son livre à travers la fiction ne ménageait pas les coups de griffes aux politiciens de toutes allégeances.

— Et si on revenait aux présentations?

— J'en ai dit plus que vous... Ce que je fais... mais pas vous.

Qu'il eût désiré alors être plus qu'un auteur de rien du tout!

Professionnel, homme d'affaires, politicien... C'était une passade née d'un besoin actuel, celui de séduire car jamais il n'aurait échangé son enchaînante liberté pour les chaînes dorées, qu'il aurait trouvées insupportables, de ceux qu'il enviait pourtant.

Louise avait le type classique, sans doute mariée à quelqu'un d'important. Tout en elle disait la haute qualité. Des vêtements d'un goût discret, mais certes d'un prix élevé. Une montre de prix. Une bague à reflets opalescents. Tiens, elle n'avait pas d'anneau de mariage. Peut-être que... Mais il fallait répondre à sa question avant d'en poser une, lui. Il eut l'idée d'un jeu.

— Je vous laisse le soin de découvrir. Je vous donne trois minutes.

Elle regarda au loin, plissa les yeux, dit:

— Et si je trouve?

Pris de court, il s'emberlificota:

— Je... vous donnerai un de mes... Je dirai que vous êtes perspicace...

Elle sourit. Il voulut se rattraper.

— Pas que vous ne l'êtes pas si vous ne le trouvez pas, mais... c'est que j'ai un métier... rare...

— Alors on commence... Par vos mains et vos mots, et votre façon de les dire, vous n'êtes pas... enfin j'élimine un tas de possibilités.

— Et par mon allure, vous devez en éliminer plusieurs autres.

Elle hésita:

— Je pourrais dire que vous êtes un professionnel en vacances, en voyage de décompression mais... j'ai senti que vous étiez inquiet de me révéler votre métier. Ça fait un peu peur aux gens, ce que vous faites?...

— J'espère que non, mais je dois dire que oui.

— Facile...

— Ah?

— Policier.

— Oh, oh, votre opinion ne me grandit pas!

— Je veux dire détective. Affaires de drogue ou quelque chose de voisin.

— Et qu'est-ce qui vous fait penser ça?

— Les yeux.

— Mes yeux?

— Hum, hum, ils sont toujours en quête de quelque chose. Ils fouillent, sondent... Mais le reste de votre personne ne fait pas détective, ce qui augmente donc ma conviction que vous l'êtes.

Il regarda le ciel, les étoiles. Et alors il sentit comme un immense sourire se dessiner dans sa poitrine, la remuer d'une émotion plaisante, monter à son visage. Le jeu lui était devenu adorable tant le ciel était pur, tant Rimouski était belle, tant Louise avait l'âme dans les yeux.

— En un sens, je le suis.

— Oui ou non? fit-elle en désignant sa montre. Je n'ai plus qu'une minute...

Il fronça les sourcils.

— Une minute pour trouver.

— Je suis un ex-enseignant recyclé...

Elle leva un doigt vers lui, dit, excitée:

— Je sais, je sais, je sais... Attendez, oui. Vous avez écrit... Alain Martel. J'ai lu votre livre l'hiver dernier... LES GRANDS VENTS... Oui, oui... C'est pour ça que je vous ai trouvé quelque chose de familier tantôt. C'est ça?

Il acquiesça d'un signe de tête, flatté d'avoir été démasqué de cette façon.

Elle reprit un calme apparent, dit, doucereuse:

— En lisant des passages, j'avais le goût de vous arracher les yeux.

Mi-espiègle, mi-sentimental, il rétorqua en fixant ses mains qu'elle avait posées à plat sur la table:

— Ça serait une merveilleuse façon de devenir aveugle.

— Quelle est la part de fiction dans ce livre?

— Si on parlait d'autre chose? J'en ai un nouveau...

— La suite?

— Oh non!

— LES GRANDS VENTS, il aura une suite, hein? Parce que ça ne peut pas finir de même.

— Un jour peut-être! Dans dix ans. Je ne sais pas. Il me faudra une nouvelle réserve de vécu.

— Donc c'est toi le personnage central.

— Oui... et non. C'est le mauvais moi... Plus les côtés détestables de l'homme québécois. Plus les côtés haïssables - pour la femme - de l'homme tout court. C'est une auto-caricature.

— Ç'avait l'air si réel!

— Pour moi, c'est déjà loin. L'autre, c'est pas mal différent...

Un quart d'heure plus tard après qu'il lui eut montré et offert son nouveau roman, il lui proposa de changer d'endroit. Et l'on se suivit au centre-ville, pour aller prendre un verre dans un bar d'hôtel.

À dix reprises depuis le feu du restaurant, il avait eu le désir d'elle. Il avait la certitude maintenant de pouvoir lui faire l'amour le soir même. D'ailleurs il ne pouvait se permettre d'attendre puisque le lendemain il lui fallait revenir à Québec ainsi que le voulait sa cédule. Il prendrait une chambre à l'hôtel. Discrétion maximum. Et puis quoi, il n'avait rien à cacher, lui? Mais Louise? Femme libre? Il ne lui avait toujours pas posé la question. Tout ce mémérage sur lui-même! Peu importe, il saurait aussitôt qu'on serait attablé. Il compta mentalement l'argent qu'il lui restait et ce qu'il avait besoin pour finir sa tournée. Assez pour une chambre à l'Auberge? Et la carte de crédit? Bientôt l'argent de la vente des livres commencerait à entrer.

À peine furent-ils assis, qu'un serveur stylé s'amena.

— Un Pernod sur glace, commanda-t-elle.

— Même chose.

— Madame, Monsieur, fit l'homme en saluant.

— C'est moi qui vais payer, je t'avertis.

Il s'insurgea:

— Un auteur n'est pas forcément un crève-la-faim.

Mais il avait déjà donné beaucoup trop d'indices sur ses états financiers par la narration de ses luttes avec son premier éditeur, avec les gens des média de Montréal et ceux ce la banque.

— Ça fait partie de la libération de la femme, qu'elle doive payer sa part.

— Alors chacun paye pour lui-même.

— Moi d'abord, toi plus tard, insista-t-elle. Puis ayant l'air de réfléchir, elle ajouta:

— Depuis quand je te tutoie, hein?

— C'est venu tout seul sans qu'on s'en aperçoive. Signe des grandes amitiés... Et maintenant si on parlait un peu de Louise Rioux. D'abord Rioux, c'est le vrai nom?

— Dubois...

— Ah!

— C'est un ah qui veut dire mariée! Disons plutôt... séparée-mariée...

— Mais vous partagez le même toit.

— Encore... Et toi?

— C'est pareil pour moi. Je te l'ai dit tantôt, répliqua-t-il.

— Je voulais que tu le répètes.

— Pourquoi?

— Je ne sais pas. Comme ça... pour rien.

Il questionna, sut qu'elle était mariée à un arpenteur-géomètre. Il était parti depuis deux semaines et pour une autre aux fins de remplir un contrat de sa firme.

— On est dans une période de réflexion lui et moi. On repense l'union. En fait lui voudrait que le ménage continue mais moi, je n'en suis pas encore sûre.

— Des enfants?

— Un garçon, une fille... Avec une gardienne ce soir. Fallait que je change d'air.

Le serveur arriva, déposa les verres. Alain profita de ce qu'elle fouillait dans son sac pour l'admirer à la dérobée et la désirer encore. Il eut le goût de lécher ce grain de beauté qu'elle portait sur le menton, de prendre la mesure de son visage avec ses mains ouvertes pour l'imprimer à tout jamais dans toutes ses mémoires.

Le décor luxueux et sombre fait de bois, de miroir, de briques, de lumière laiteuse, entourait la silhouette féminine d'un éclat fin, sorte de doux mystère, halo fascinant coiffant sa tête d'une blondeur neuve.

Il se dit qu'elle devait posséder le corps le plus beau du monde, soyeux comme une brume d'été, frais comme un sous-bois, chaud comme un soleil du matin. Il l'aurait, il l'aurait...

Il consulta sa montre. Neuf heures et des poussières. Il ferait mieux de réserver une chambre de suite. Peut-être était-il déjà trop tard.

Le serveur parti, on se salua avant de boire. Leurs yeux se rencontrèrent comme la première fois au McDonald's. Ils s'échangèrent un consentement. Trempèrent leurs lèvres en continuant de se regarder.

— Je vais prendre une chambre, dit-il en déposant son verre.

— Et moi je vais téléphoner.

En se rendant à la réception, il s'inquiéta. "Peut-être qu'elle va partir? Peut-être qu'elle me fait marcher pour me laisser tomber à la dernière minute? C'est trop beau pour être vrai."

Il eut le deux cent trois, revint à la table, mit la clef à côté du verre pour qu'elle serve d'invitation, d'insistance. Louise devint inquisitrice, le rejetant dans sa nouvelle carrière chaque fois qu'il tentait de lui mettre le coeur à nu. Souventes fois, elle dit:

— Je suis en recherche et je ne saurais répondre à ça... pas maintenant.

Après un second Pernod, une heure plus tard, elle prit la clef, la balança entre ses doigts, dit:

— C'est au deuxième? Pas que c'est bruyant ici, mais ça serait plus tranquille là-haut, non?

Il s'en voulut de ne pas l'avoir proposé plus tôt. Ils montèrent, entrèrent. Un peu nerveux, ils s'échangeaient des propos banals. Une minute d'exploration visuelle: chambre à coup d'oeil heureux, deux grands lits, une harmonie fastueuse pour quelqu'un habitué à dormir dans une vieille familiale.

Puis Alain s'excusa afin d'aller quérir ses affaires. À son retour, Louise était attablée devant des consommations qu'elle avait eu le temps de faire venir en son absence.

Il jeta ses choses sur un lit, s'approcha. Elle avait la tête penchée, invitante, et des yeux luisants d'une fraîche rosée du désir. Il fut sur le point d'aller près d'elle, prétextant un merci tangible, et de l'embrasser quelque part près de son grain de beauté. Il s'arrêta, sa respiration se raccourcit.

— C'était mon tour, fit-elle en désignant les verres.

— Je m'habitue mal à cet aspect de la libération féminine.

— Ça viendra!

Il s'assit, croisa la jambe, voulut se retirer un peu. Il fallait d'abord, avant de l'approcher, qu'il prenne une bonne douche, ce qu'il n'avait pas fait depuis la veille et qui pouvait se percevoir.

— Et si on parlait de ta vie...

— Sous quel angle?

— Je ne sais pas... Par exemple ton mari...

— Tu crois que c'est le temps? Aurais-tu envie de me parler de ta femme, toi?

— Non.

— Tu voudrais qu'elle soit là?

— Non.

— Alors...

— Alors on parle de quoi?

— Ce ne sont pas les sujets qui doivent manquer à quelqu'un qui écrit des gros livres comme LES GRANDS VENTS.

— Quand j'écris, je fais parler mes personnages entre eux. Je leur mets les mots en bouche et donc je ne me trouve pas à dialoguer.

— Trouvons un sujet à partir d'une lettre de l'alphabet. Par exemple quelque chose qui commence par un... Z.

— Zèbre... Zébu... Zizanie... Zodiaque...

— Zodiaque. Je suis... Devine mon signe.

— Gémeaux.

— Je te l'ai dit.

— Non, j'ai su comme ça.

— Ah?

— Toutes celles avec qui j'ai eu un... lien, sauf une, étaient Gémeaux.

— Sauf une?

— Ma femme.

— Et toi?

— Bélier.

— Oh, oh, une petite tête, hein?

— On dit, on dit.

Pendant un quart d'heure, l'on se parla des caractéristiques généralement attribuées aux personnes de chacun des signes. Puis Alain suggéra:

— Et si on parlait de la complémentarité des signes?

— En quel domaine? fit-elle, espiègle en finissant son verre.

— Je suggère qu'on prenne la même méthode de l'alphabet que tout à l'heure pour établir le domaine...

Il sourit narquoisement et poursuivit:

— Mais commençons par le A. Amour.

Elle baissa les yeux pour sourire et dit:

— Ça ne doit pas être parfait entre les deux signes sinon tu serais avec l'une de tes vieilles... amies. Je me souviens de la maîtresse de ton personnage dans LES GRANDS VENTS. Ce fut une réalité dans ta vie?

— Oui.

— Elle était jolie?

— La beauté, elle est dans les yeux qui la voient.

— Je répète donc la question: elle était jolie?

— Un bout de temps oui quand elle m'aidait à être libre... Et puis non quand je me suis rendu compte qu'elle voulait me posséder. Je suis comme une bête sauvage: si on me fait une caresse, j'aime; mais si on veut me mettre en cage, alors je hais.

— Elles sont jolies au départ et moins ensuite?

— Hélas! Ou heureusement pour elles... Et pour moi aussi.

— Elle était Gémeaux?

— Oui.

— Tu l'as aimée?

— C'est quoi aimer?

Elle sourit, soupira:

— Je voudrais bien le savoir.

— Curieux...

Il fit une pause. Elle mit ses yeux aux aguets. Il continua:

— ... comme je nous sens préoccupés par les mêmes choses, aux prises avec les mêmes réflexions.

— C'est l'âge.

Il interrogea du regard. Elle taquina du sien.

— On a pourtant un bon sept ans entre nous?

— Si t'en as quarante-deux.

— Trente-sept.

Il arriva à plusieurs reprises au cours de la suite qu'Alain se remémore des moments de rêves passés avec sa maîtresse sept années auparavant.

Denise avait su réveiller son romantisme enterré sous plusieurs couches d'homme en faisait précéder l'amour de quelque randonnée en un lieu de verdure ou de frimas, sur un lé ou près d'un ra, en pluie ou en soleil, au coeur des étoiles ou d'une fraîcheur de soir tombé.

Si en cette époque Viviane avait toujours la clef de son corps, par contre Denise possédait celle de son coeur.

Croiserait-il un jour la femme qui saurait forger les deux? Pourrait-il seulement la reconnaître? Et s'il la reconnaissait, lui laisserait-elle vivre sa liberté? Lui faudrait-il un jour passer une annonce dans un journal ou à la fin d'un livre pour trouver cette compagne. "On demande femme sensuelle, affectueuse, autonome, forte et douce, fière et simple, raisonnable et romantique." Celle-là serait belle, quelle que soit son apparence.

Louise peut-être? Cette femme superbe de l'autre côté de la table. Comme d'autres, elle cachait sans doute bien des vices rédhibitoires. Elle avait l'aménité, la douceur, l'intelligence: c'était facile à voir. Belle comme un matin rimouskois, pure dans son expression d'équilibre et de promesse: comment pouvait-elle se trouver là dans la chambre du premier venu. Il cueillerait un fruit mûr que le hasard avait mis sur son chemin. Peut-être qu'au lit le charme serait rompu, brisé par une attitude de négociant si proprement féminine, ou bien qu'elle subirait passivement comme Denise, ou que son hygiène...

Il se trouva bête de faire pareilles suppositions, décida que le temps était venu de savoir. Il se leva et annonça qu'il allait prendre une douche. À son retour, elle avait disparu. Nu jusqu'à la taille, il continua de s'assécher les cheveux en hochant la tête. Il chercha des traces, un message. Rien.

— Et voilà! Une autre qui sait pas ce qu'elle veut. La lecture de mon livre lui aura remonté au coeur et au nez. Au moins celle de Québec s'est payé la traite avant de s'en aller!

Son amertume fut de courte durée. On introduisit une clef dans la serrure et la porte s'ouvrit. Louise parut, avec dans la main, une trousse de voyage.

— Je suis allée à l'auto et je pensais revenir avant. Tu as cru que j'avais filé à l'anglaise?

— Je t'avoue que oui.

Elle referma, jeta la trousse sur le premier lit, le rejoignit au pied du second, lui mit doucement ses mains sur la poitrine. Elle scruta son regard, dit sur le ton de la confidence:

— Je crois bien que je l'ai fait un peu exprès... Pour te gratouiller le coeur... Pour que tu me veuilles un peu plus...

Alors elle laissa sa bouche entrouverte, offerte. Ses doigts bougeaient dans la toison, y mettaient un seul ordre: celui d'un désir se décuplant.

Il lui enveloppa la tête de ses mains fébriles, ferma les yeux, les rouvrit, se gavant de cette incomparable vénusté dont il eut l'irrésistible besoin de prendre la mesure par ses doigts chercheurs. Louise ferma aussi les yeux. Ses paupières se mirent à ciller sous la caresse mâle et tendre.

L'homme se mit à pleurer sans laisser tomber de larmes. Il fallait qu'il goûte à ces lèvres belles d'un magenta finement ciselé par une ligne artistiquement dessinée: scène divine qu'il eût voulu tenir à douce distance pour y boire éternellement mais en même temps absorber en lui, y nourrissant sa chair avide.

Combien de siècles tiendrait-il ainsi entre ciel et terre comme un peintre fou devant un chef d'oeuvre qu'il vient de créer et qu'il voudrait emporter avec lui dans l'éternité?

Elle rouvrit les yeux, le débarrassa de la serviette qu'il avait encore sur l'épaule. Leurs corps se trouvèrent. Il en chavirait de ces formes éloquentes. Mais il refusait toujours le baiser pour que la magie du désir continue de l'emporter à vitesse sans cesse plus grande dans un vertige sidéral.

L'attaque alors doubla d'intensité. Parfum vernal à bleu mystère, tiédeur d'une peau rosée par quelque pudeur enfantine, ombres verdoyantes animant les frémissements des paupières refermées, soie d'or tenue précieusement dans ses mains, exquisité des formes et couleurs: contemplation passive et faim furieuse se mesuraient dans une course effrénée.

Il la sentit bouger mais à peine. Elle avait tout juste frôlé son sexe sans préméditation autre que celle inscrite dans les cellules femelles.

Le barrage contre lequel il s'était arc-bouté pour dompter les flots de sa furie mâle se lézarda. Il ne chercha plus à le retenir. Et il éclata de partout. Une dernière fois leurs yeux se pénétrèrent pour se sceller à nouveau dans un pacte libérateur: consentement au partage des plus grands plaisirs de l'être charnel.

Les bouches se rencontrèrent, s'explorèrent, se nourrirent l'une à l'autre. Alain aspirait la chair de ses lèvres, la tétait, en dessinait les contours pulpeux avec sa langue. Elle répondait à l'unisson, répétant, précédant ses gestes, en multipliant les sublimes effets.

Dans l'un et l'autre une faim dévorante remplaçait l'apaisement créé par le baiser, courait en d'autres voies, allait crier gare en d'autres gares. Aucun d'eux ne saurait jamais lequel, par une simple pression de la main ou un léger mouvement du corps, initia le geste de se laisser tomber sur le lit. Alors ils s'ajustèrent dans un corps à corps parfait. Les souffles à senteur d'anis se tordaient. Les coeurs se criaient la paix à grands coups rythmiques.

Les mots d'une demande inutile se formèrent en son esprit. Il les prononça tandis que leurs mains se parlaient de fièvre.

— Je veux faire l'amour avec toi.

Elle répondit par les mêmes mots répétés d'une voix gémissant l'attente.

— Je veux... faire l'amour... avec toi.

Il exerça sur son épaule une pression délicate pour qu'elle se couche sur le dos, entreprit de lui caresser la poitrine, d'un sein à l'autre, détachant au passage les boutons un à un.

À mains lentes, tremblantes, ils s'aidèrent, s'ôtèrent les vêtements d'en dessus. Elle resta en dessous noirs. Lui sur le côté. Elle, heureuse. Lui, prêt.

— Tu as un corps... Je ne trouve pas les mots.

— Ah, l'auteur, c'est toi.

— Je voudrais le couvrir...

— Viens.

Il roula sur elle, faisant en sorte de ne pas la toucher encore, appuyé sur les genoux entre ses jambes, mais de chaque côté de sa tête. Elle l'enveloppa de ses bras, l'attira. Chacun fut agité d'un tressaillement qu'il communiqua à l'autre lorsque les épidermes se rencontrèrent. Douceur somptueuse, chaleur moelleuse: bien-être total et pourtant quête. Les lèvres reprirent leurs caresses veloutées, plus lentes, moins fougueuses mais prodigues d'ondes longues qui telles des musiques hawaïennes submergaient les corps puis les soulevaient et les déposaient sur un lit de fleurs sauvages de cent couleurs et douceurs.

Elle glissa sa main, lentement, en précaution entre leurs corps jusqu'au sexe qu'elle toucha, explora à travers le tissu.

— Oh, Louise... non... Je ne pourrais t'attendre.

— Je te veux... en moi... Mon corps est prêt, mouillé... Viens...

— Je peux te caresser.

— Non... plus tard. C'est moi qui t'attends... Viens... Maintenant.

Il se rejeta en arrière, sur les genoux, finit de se dénuder. Elle garda son soutien-gorge. Puis elle releva légèrement les genoux et tendit les bras.

Il resta un moment immobile, prêt, plus dur que sa confiance en lui-même, sans s'être posé la moindre question sur sa virilité tendue, chaude...

Elle murmura, yeux clos:

— Je t'attends.

Puis le regarda. Pour la troisième fois depuis qu'ils se connaissaient, leurs yeux se firent l'amour. Brièvement. Ils étaient deux encore. Les âmes se parlaient une dernière fois avant de disparaître, noyées par la chair. Alors les yeux se fermèrent. Il poussa en avant. Le contact le fit s'arrêter. Chaleur mouillée qui interroge, invite, attend en se renouvelant, en se multipliant. Il leva la tête au ciel, cria comme dans un souffle retenu:

— Je pourrais te caresser plus... plus...

Elle glissa les mains sur ses hanches, le pressa d'entrer. La faim de chacun disparut tout à fait. Si les âmes s'étaient effacées derrière les corps ceux-ci avaient disparu, cachés par le plaisir. Un plaisir en mouillures et tendreté, né du trait d'union, s'atomisant par toute la substance pour revenir se résumer en un seul point spatial attirant vers lui toutes les cellules pour les fondre, pour les tuer à elles-mêmes et les faire renaître dans des entités nouvelles.

Alain nagea. Imperceptiblement. Elle tanguait à peine comme un petit bateau sur un lac tranquille. Chaque chair consommait l'autre, la consumait, la savourait. Venus de quelque mémoire charnelle ou bien rappel de scènes qu'il avait déjà imaginées, des mots lui vinrent en bouche, des mots extrêmes comme il n'aurait pu en être autrement en de pareilles circonstances:

— Jamais... jamais, jamais de toute mon existence, je n'ai vécu... l'amour... l'amour... comme ça...

Il prit une longue inspiration faite de multiples à-coups répétés, nés dans sa poitrine et qui l'agitèrent d'un frémissement sauvage.

— Ton corps est comme un lac... un lac de bonheur... dans lequel je me noie...

Il poussa vers elle, s'arrêta, gémit:

— Ton visage... est plus beau qu'une fleur qui s'ouvre... à l'aube... il est plus frais que la rosée du matin...

Il lui baisa les paupières puis il se rendit à son grain de beauté qu'il lécha délicatement avant de se rendre à une oreille qu'il emplit de son souffle chaud. Il y glissa des phrases folles:

— Je suis en toi... en toi... en ta beauté. Non... non... je ne donne pas... tu ne te donnes pas: nous sommes une seule personne.

Elle fit une contraction musculaire, le remuant jusqu'en la poitrine tressaillante.

Par d'autres murmures à peine esquissés, tout juste pour qu'elle entende, il lui enroba tout le visage en l'effleurant: les ailes du nez, les joues, le menton, les lèvres, le front.

— Je te désire... Louise... Veux-tu... de moi! Tout mon être va devenir... liquide... et aller se cacher en toi... en ton ventre... ton coeur...

Il entreprit un léger mouvement de va-et-vient auquel la femme répondait en l'épousant.

— Tes yeux... tes yeux... les plus beaux... du monde...

La montée se fit subitement en lui et atteignit le point de non-retour. Sa bouche se mit à éjaculer d'un discours torturé:

— Désir... bon Dieu... l'amour!... je veux mourir, mourir, mourir... non, non.

Gémissait, rechignait...

— Louise... tu es... le désir... le ciel... la fleur... des fleurs...

Elle lui enveloppa la tête et à bouche furieuse le couvrit de baisers mouillés.

Lui se recula pour se rejeter en avant de toutes ses énergies. Ses mouvements devinrent frénétiques, désespérés, rageurs.

Il cria d'autres intensités:

— Je vais... crier... crier... Dis-moi non... Dis...

Elle dit oui par des jambes pressantes. Alors il entreprit l'ultime chevauchée, froissant, frappant, écrasant. Son glaive s'enfonça, chercha à piquer le coeur mais bientôt c'est lui qui éclata comme en des mots répétés, révélant, dénudant tout l'homme, sa chair et son plaisir.

Le corps agité de bout en bout par une incessante sauvagerie, il demeura longtemps sur elle, au fond de son refuge, au creux de sa chair pétrie et rayonnante, chaude et frissonnante, en quête de souffle, d'un apaisement qu'elle lui prodiguait maternellement de ses mains baladeuses.

Quand il eut retrouvé son humanité, il couvrit le doux visage de baisers reconnaissants qu'il exprima ensuite en des termes bien pesés:

— Ce fut l'acte le plus grand de toute ma vie. Baudelaire disait: "Comment parler d'enfer, quand on a vu l'amour?" Et moi à sa pensée j'ajoute le ciel. Après t'avoir connue, la mort ne me dit plus rien.

— Viens tout près de moi que je te regarde bien.

Il obéit.

— Et si on se cachait sous les draps?

— O.K.

Ce qui fut fait. L'on ne se couvrit que jusqu'à mi-dos. Louise resta accoudée, penchée sur lui, promenant sur le torse du guerrier une main magique exsudant la détente qu'elle étendait, pâtissière habile, sur une surface de plus en plus grande.

— Je n'ai pas encore vu tes seins, se plaignit-il en admirant les rondeurs qui s'échappaient de son vêtement.

— Tout à l'heure... À la prochaine session...

Il s'inquiéta. Le pourrait-il encore? Que ne réussirait-il pas avec elle? Ç'avait été si difficile après Viviane, ces seize longs mois de recherche et de peur, d'angoisse et de rage, de rejet senti et distribué, d'amertume avivée par l'amertume.

Il aurait donné son existence et toutes celles de l'univers à cet ange au corps d'albâtre, fleur-étoile de tous les veloutés, semeuse de vie, d'abondance et de paix.

— J'ai dû te dire des quétaineries tantôt?

— Hum?

— Quand j'étais en toi... J'avais de l'eau de rose plein la bouche. Je me sentirais ridicule d'écrire ça dans un roman.

— Mais non: c'était le moment... et c'était merveilleux.

— Quant à ça... C'est vrai qu'élaborer une thèse sur la souveraineté-association en des minutes comme celles-là... Malgré que je connais des intellos qui doivent bien le faire. Nos premiers ministres, quand ils éjaculent, je me demande s'ils font des discours? Avec la gueule qu'ils ont, ils doivent plutôt se spécialiser dans l'amour oral.

Elle fronça les sourcils. Il sut qu'il avait parlé un peu trop

198

crûment.

— Tu dois trouver que je suis vulgaire, hein? J'ai jamais eu grand respect pour les politiciens et les intellectuels. Imagine quand ce sont des intellectuels-politiciens!

— Les hommes devraient parler plus quand il font l'amour.

— Quand ça fait mille fois qu'ils le font avec la même personne, je ne vois pas ce qu'il leur resterait à dire.

— Quant à ça, devraient-ils se taire aussi quand ils prennent leurs repas ou vont quelque part avec leur femme.

L'homme n'acceptait pas d'entendre vanter sa façon d'être au lit. Ce n'était pas possible d'avoir réussi à rendre une femme heureuse sans s'être concentré, sans avoir pris toutes sortes de moyens. Il ne savait même pas si elle avait joui et il n'osait le demander.

— Oui mais moi, j'ai le discours plus facile que... qu'un...

— Ils sont légion ceux qui savent parler aux femmes avant... Mais pendant, alors c'est une autre histoire.

Il protesta:

— Mais ils parlent avec leur corps, avec leur souffle...

— Des mots, c'est mieux.

— Même si je ne prêche pas pour ma paroisse, je crois que le silence possède des vertus qu'un flux de paroles irréfléchies n'aura jamais. Justement, ce que je reproche avant tout aux intellectuels et aux politiciens c'est de trop parler pour ne rien dire ou pour se contredire trois jours après. Le bla bla des années soixante, c'est démodé, dépassé.

Elle prit une voix coquine:

— Notre première chicane?

— Divergence de vues sur un point mineur: c'est tout.

Après coup et réponse, la remarque de Louise le fit s'arrêter et réfléchir au cours d'un silence vertueux qu'elle voulut lui donner. Et si c'était elle, la compagne recherchée, le complément voulu? Tout s'engrenait si naturellement en sa présence. Une présence vraie, honnête. Mais il avait si peu à offrir. Que des rêves démesurés, des ambitions folles! Pourquoi donc la même question qu'avant l'amour lui était-elle revenue à l'esprit? Jamais, jamais pareille femme ne quitterait un lit douillet pour dormir à la belle étoile! Du roman en passant comme ça, mais la vraie vie demain... Il pourrait l'attendre. Elle pourrait l'attendre. Ils seraient amants, pour un temps et quelque jour quand il aurait réussi, après des mois peut-être... sans doute... des années de désir, de folies cachées... on finirait le voyage. Non... Son chemin vers la liberté comportait trop d'obstacles. Dix ans pas moins qu'il mettrait à gagner beaucoup de sous. Et puis une femme le ralentirait. Elle se lasserait... Comme une s'était fatiguée déjà.

— Je t'aime, échappa-t-il soudain alors qu'elle promenait sa bouche sur son épaule.

Elle releva légèrement la tête, le regarda d'un oeil incrédule et amusé.

— Et ça veut dire quoi?

— Je ne sais pas... Mais je le sens...

Elle le prit à la blague et folichonna du nez dans les poils de sa poitrine sans répondre. Il se soucia de son silence prolongé et sut qu'elle ne l'avait pas pris au sérieux. Il valait mieux ainsi. Après tout Louise n'était pas sa première toquade ni ne serait sa dernière non plus...

Ils refirent l'amour ce soir-là. Plus savamment. En douceur prolongée et en agrément mesuré. Après une longue douche commune au cours de laquelle on rit de bon coeur à des propos irrévérencieux sur certains personnages publics.

Puis Alain décida de rester plus longtemps que prévu. Il remania sa cédule des prochains jours et s'en garda deux autres... pour un peu de repos, argua-t-il. Ils n'eurent donc pas à souffrir de se séparer aux petites heures. Le lendemain après son travail, elle le retrouverait. On irait se balader en des lieux tranquilles dominant le fleuve. Et on prendrait le repas du soir à la chambre d'hôtel.

— C'est une toute petite ville et il y a toujours quelque part quelqu'un qui vous connaît, lui confia-t-elle avant un dernier baiser sur le pas de la porte.

Il en fut contrarié sur le coup. Bien qu'elle eut toujours fait dévier le sujet de conversation quand il lui avait parlé de sa vie conjugale, il ne faisait plus aucun doute en l'esprit d'Alain que la jeune femme arrivait à un carrefour, ce qu'elle avait souvent redit à mots parfois découverts, et surtout qu'il pourrait devenir, lui, un élément certain dans le poids de ses décisions.

Leur aventure dura les trois jours prévus. Dans les yeux, les gestes et les paroles, Louise montra de plus en plus de bonheur et de paix.

La dernière fois qu'ils furent au lit, unis après toutes les caresses, repus après tous les plaisirs, encore insérés l'un en l'autre de corps et d'esprit, il lui annonça:

— Possible qu'on me propose du travail ici pour septembre. J'ai fait des approches hier et aujourd'hui. Ça regarde bien.

Elle ne fit aucun commentaire, parla des sueurs profuses les baignant:

— Je nage... Toute trempée...

— C'est moi qui transpire facilement.

Et il se dégagea dans un léger bruit de succion pour s'étendre près d'elle, un drap les recouvrant jusqu'à la taille. Elle avait eu le temps de trouver des mots énigmatiques:

— Ce que tu viens de me dire est merveilleux... surtout que tu auras un bon trois mois pour prendre ta décision... qui n'en sera que meilleure.

— Si on me fait l'offre que j'attends, je dirai oui.

— Et ton dernier roman?

— J'aurai eu quatre mois pour le lancer dans la vie.

— Mais il faudra que tu te remettes à table pour en écrire un autre.

— Avec le fleuve et toi pour m'inspirer, je travaillerai doublement.

Elle sourit, lui brossa les cheveux de ses doigts en dents de peigne. Il se désola:

— T'as pas trop l'air de me croire. J'ai fait valoir mon point de vue et ils ont paru très, très intéressés.

— Tu ne m'as pas dit qui et pour faire quoi?

— C'est pour un libraire. En fait, je courrais tout le bas du fleuve et la péninsule pour tenir des expositions de livres dans les écoles. En plus de gagner mon pain, je me ferais connaître comme auteur.

Elle fit des yeux chercheurs mais ne dit mot. Alors il la traqua:

— J'imagine qu'on pourra se revoir?

Elle baissa les yeux, fit tournoyer un doigt léger sur sa poitrine, dit:

— J'espère beaucoup mais il ne faut pas que tu plonges à cause de moi. Tu es assez grand pour ne pas mettre dans la balance une rencontre de quelques jours, de quelques heures... aussi merveilleuse aura-t-elle été.

— Bien entendu, adorable tête blonde! chuchota-t-il avec tendresse.

Elle sourit, demanda:

— Ta femme, elle est blonde?

— Oui. Et ma maîtresse aussi l'était. Et les femmes ont la manie de me poser cette question-là. C'est un adon parce que les brunes m'attirent autant. Tu aurais été noire, bleue, rose... que je t'aurais remarquée au McDonald's l'autre soir.

— Surtout rose...

— Tu veux me dire... Je pense que je te l'ai déjà demandé...

— Dis toujours.

— Ce que tu faisais chez McDonald's ce soir-là?

— Tu me l'as déjà demandé...

— Alors redis-moi...

Plus tard, elle dit:

— Ce soir, c'est moi qui vais faire l'auteur. Le temps que tu vas prendre ta douche, je t'écris une belle lettre que tu vas me promettre de n'ouvrir que de retour chez toi.

— Et si je le fais avant?

— Tu ne pourras t'empêcher de m'appeler et je saurai que tu n'as pas tenu ta promesse. Et j'en serai désolée... malheureuse... Promis?

— Promis. Mais ça fait peur un peu.

— Ce sera une belle lettre, tu verras...

— Je ne me rends pas directement chez moi... Laisse-moi l'ouvrir quelque part au Saguenay... Je m'en vais à Chicoutimi demain.

— Bon, disons pas avant vingt-quatre heures.

— O.K.

— Et loin de Rimouski.

— Pourquoi ce mystère?

— Pour que... tu sois plus heureux... Fais-moi confiance, c'est nécessaire.

Par l'intensité de sa voix et les éclats diamantés de son regard, elle le convainquit.

Il l'avait demandée si souvent cette confiance à Viviane et Denise, comment la refuser à un être qui en trois jours lui avait redonné un nouveau souffle et de qui n'était pas venue la plus petite déception, le moindre pincement au coeur ou à l'esprit?

Après une séparation empreinte d'un peu de tristesse mais d'un fleuve d'espérance, il manipula à dix, cent reprises l'enveloppe qu'elle avait laissée au milieu de la table ronde et adressée ''À mon auteur favori''. Il l'approcha d'une ampoule forte mais l'Auberge offrant à sa clientèle des enveloppes à papier de qualité, il ne put rien lire. Pas le moindre mot.

''Si j'étais femme, je ne sais pas si je pourrais tenir ma promesse...'' songea-t-il à maintes reprises.

À l'entrée de Chicoutimi, il s'arrêta dans la cour d'une école abandonnée, prit la lettre qui, tel un passager silencieux, bien posée sur la banquette avant près de lui, n'avait bougé qu'à deux ou trois reprises, tout juste pour réchauffer la tentation.

Hésitant, toujours inquiet, il l'ouvrit à l'aide d'un crayon qui frangea le papier. Mais il n'en sortit pas le contenu sur-le-champ, pensant à sa promesse des vingt-quatre heures. Et il reprit la route.

C'était jeudi soir. Il visita deux librairies puis se trouva une chambre. C'aurait été idiot de lire la lettre dans l'auto et puis Louise n'aurait pas aimé sûrement. Quand même, il avait choisi un motel bon marché hors de la ville.

Le moment était pourtant venu mais il se retenait. Et si c'était une rupture, un abandon, un rejet? Il l'avait mise sur le lit, avait pris tout son temps pour disposer ses affaires, s'était douché. Et pourquoi pas un petit tour en ville, se demanda-t-il tout juste avant de prendre l'enveloppe. Il s'étendit sur le dos, la tint par les bouts et la mit sur son front, spéculant sur son contenu. Mais son cerveau fonctionnait à vide et il mit fin à sa petite torture morale en sortant la lettre de son contenant.

D'abord des billets de banque glissèrent et lui tombèrent sur la poitrine. Estomaqué, il les mit de côté et lut:

"Merci d'avoir tenu ta promesse. Tu verras que j'ai eu raison. Car la distance et le temps t'aideront à mieux comprendre.

Parlant de comprendre, moi, j'ai voulu savoir. Et je sais. Le croiras-tu? Ça fait cinéma de dire qu'on sait après trois jours... ou peut-être que ça fait Bible. Mais c'est ainsi. Alors voilà: je retourne chez moi dans mon petit cercle tout simple et bien rond... J'ai vu à travers toi... Tu fus un prisme, une loupe ou bien un télescope. Je suis à Rimouski. Pas toi.

Non, pas toi. Tu es à tous ceux qui te liront. Et à plus peut-être... Je ne te flatte pas parce que je ne sais pas très bien ton talent. Le connais-tu toi-même? Je veux dire que c'est la 'rançon' de ton grand rêve... Tu ne saurais trouver ta liberté que dans des grands espaces. Et pour y avoir accès, il faut que tu restes là-bas... à Montréal malgré le béton, au milieu de la quantité comme tu l'as si bien dit. C'est là-bas que tu grandiras et c'est parce que tu le savais très bien au fond de toi que tu as quitté ta région natale. Et après Montréal, tu iras ailleurs: c'est inévitable. Souvent il t'arrivera de chercher du coeur et de l'âme, alors tu viendras à Rimouski... ou bien tu t'arrêteras à Québec, en Mauricie, en Beauce... ailleurs parmi la qualité comme tu le dis.

Il y a l'argent pour la chambre de ces trois dernières nuits. Ne t'offusque pas... la libération, tu te souviens. Non, mais c'est que tu auras besoin de tous les petits grains pour tes semailles. Et tu vas semer sans jamais t'arrêter... Qu'on s'en moque ou qu'on t'admire!

Je voudrais te parler de blés qui poussent, de pêche fructueuse mais je n'ai pas la comparaison heureuse, alors je laisse le style à mon auteur préféré.

Merci de m'avoir dit je t'aime!

Je t'aime!

Louise.''

Il relut une seconde puis une troisième fois avant de rejeter la lettre à côté du lit. Puis il prit les billets de banque et les froissa rageusement avant de leur faire subir le même sort qu'à la lettre. Il se croisa les bras derrière la nuque, laissa naître en son esprit des pensées vindicatives, lui qui, cinq minutes auparavant n'arrivait pas à creuser la moindre question.

''Une autre qui m'envoie promener! Subtile, celle-là. Tout en douceur. Toutes pareilles. Esclaves. Vas-y dans ton cercle... dans ton cirque. Violeuse! C'est ça qu'elles sont, des violeuses. Je ne veux plus rien savoir, rien, rien, rien savoir d'elles...''

Et il se coucha sur le côté, en foetus bougon. Une minute après, lancé par sa rogne dans des mouvements brusques, il se rendit au téléviseur et tourna le bouton au canal des films érotiques. Et il retourna sur le lit s'asseoir en bouddha, les mains sous un menton capricieux.

Un pénis luisant comme un couteau se dirigeait vers une femme nue, attachée et qui feignait la peur.

— Oui, embarque-la, grognonna-t-il. Embarque-la!

Mais il ne put le voir car le circuit fermé pour lequel il n'avait pas payé lui fut coupé. Alors il éteignit toutes les lumières et la télé et se précipita sous les couvertures qu'il se remonta jusqu'au cou. Une forte odeur de sexe se dégageait du couvre-lit. Il le repoussa.

*

Le jour d'après, il s'en voulut de son comportement puéril, tourna au positif toutes les phrases, tous les interlignes de la lettre. Probable qu'elle a raison, songea-t-il. Mais c'est rien d'autre que les circonstances qui décideront si je vais m'établir à Rimouski ou pas. Et si le destin nous rapproche, ça voudra dire que...

De multiples raisonnements forgeaient subtilement un tissu, une toile camouflant d'avance ses futures décisions qui seraient prises officiellement au nom d'un éloignement nécessaire à quelque renaissance de la vie conjugale ou bien plus simplement au nom des soucis financiers.

Dès son retour, il fit part de son projet à Viviane, accusant les clients de ne pas payer assez vite, son imprimeur d'exercer de fortes pressions pour être, lui aussi, payé, Julien qui dormait toujours.

— Dans ce foutu monde du livre, personne ne paye jamais personne, résuma-t-il comme il l'avait souvent entendu.

Elle écouta son exposé, posa des questions anodines, interrogea murs et plafond de nombreux regards.

— Et puis c'est la seule façon d'éviter de vendre la maison.

Elle partit travailler, songeuse.

*

Deux autres lettres à Édi-Québec restèrent sans réponse. Dans ces jours-là, la maison clama, par la voix de son p.d.g., sa méritoire vertu, son respect des auteurs et dénonçait les autres éditeurs comme mauvais payeurs.

"Cette fois mon Julien, tu vas trop loin!" pensa Alain.

Cette histoire devait à tout prix se régler avant son départ pour Rimouski sinon il lui faudrait peut-être des années pour toucher son argent. Il trouva une solution: le coup d'éclat. Piquetage devant les bureaux d'Édi-Québec, alerte des journaux, de la radio sur son action. Malgré l'histoire d'amour qui prévalait entre le pouvoir et l'éditeur, il se trouverait bien quelque journaliste pour prendre fait et cause en sa faveur. Et Julien plierait par peur de ce même ridicule qu'il dirigeait si habilement contre la concurrence dans le but de se mériter la confiance des auteurs, des libraires et du grand public.

Un jour de canicule après avoir fait part de ses intentions aux média, il se rendit prendre place aux abords de l'édifice où logeait l'éditeur en se répétant sans arrêt qu'il devait bien être aussi légitime pour lui de piqueter que pour des milliers de grévistes. Car il se battait pour une somme équivalant au travail de plusieurs mois et qu'on lui refusait tout entière.

Il avait emporté une chaise de jardin, des pancartes de sa confection, un appareil de radio, du papier et des crayons. De la sorte il mettrait son temps à profit de deux façons: en plus de faire pression sur l'éditeur, il écrirait, inspiré par le béton.

Il s'installa sur le trottoir devant une clinique d'amaigrissement à l'ombre du feuillage d'un frêne d'Amérique. Toute la journée, des passants s'arrêtèrent, lurent les slogans de ces cartons, questionnèrent, sympathisèrent. Mais personne qui connaisse Édi-Québec et pas un lecteur de livres. ''C'est quoi au juste un éditeur?'' demanda-t-on à maintes reprises. Pas un journaliste ne se montra le nez, pas même de ceux qui avaient souvent mis le doigt sur l'exploitation 'honteuse' dont les auteurs d'ici et d'ailleurs ont toujours été les victimes.

Le lendemain, avant de reprendre position sous l'arbre et la chaleur étouffante, Alain refit appel aux média. On prit bonne note. Des rires aux airs de sourires. Des claques dans le dos par téléphone. Des ''malheureusement la bonne personne est en vacances''. Des ''pas le temps on a de l'ouvrage nous autres icitte''. Le soir venu, il rentra chez lui Gros-Jean comme devant. Et quand il confia à Viviane ce qu'il avait fait ces deux derniers jours, elle jeta:

— De ce que t'es niaiseux! Tu sais qu'il va continuer à rire de toi. Prends donc un avocat!

Une deuxième, une troisième journée d'espoir descendant et de rage montante. La cage de l'ascenseur étant visible depuis la rue, Alain put voir Julien circuler mais éviter la principale sortie vers l'extérieur.

Le quatrième matin, l'auteur malheureux se dit froidement que ce serait la dernière journée. Personne ne viendrait le supporter. Il continuerait de prêcher à des Martiens. Au septième étage, les ricanements augmenteraient. Une heure plus tard, il plia bagage et rentra chez lui. Dans son courrier il trouva une lettre d'avocat: son imprimeur réclamait entier paiement de la dette.

Toute la fin de semaine il se livra à une jonglerie amère. À l'ouverture des magasins le lundi matin, il se rendit chez un quincailler et se procura un bout de chaîne de plus d'un pied de longueur. Dans son auto, il le sortit du sac et le mit dans une poche de son veston. Puis il se rendit tout droit chez l'éditeur.

Déjà brûlante la journée avait commencé à étendre sur le macadam ses mirages mouillés. Alain était habité par une glaciale détermination et ses yeux voltigeaient, se posaient çà et là, sur les automobiles, les constructions, les voies ferrées, les échangeurs, comme pour les scruter avec une calme attention. Il avait mis tout son dimanche à museler ses sentiments. Il garderait le contrôle et c'est la raison pour laquelle chacun de ses gestes était légèrement freiné, retenu.

Julien ouvrit lui-même, devint livide quand il aperçut son visiteur. Il tourna aussitôt les talons et réintégra son bureau, suivi par Alain qui jeta:

— Ouais, t'as pris du poids depuis que je t'ai vu. Je suppose que t'as bu du sang d'autres auteurs.

— Dis ce que t'as à dire; j'ai deux minutes, pas une de plus.

— T'en fais pas, je n'en prendrai qu'une. Soixante petites secondes de ton temps précieux, dit le visiteur en refermant la porte tandis que l'autre s'asseyait derrière son bureau.

— T'as fait une erreur, mon garçon, en bavant sur mon nom et la réputation d'Édi-Québec.

— Je n'ai dit que la vérité. Mais tout ça, c'est du passé. On s'est griffé; je veux tout effacer. J'ai besoin de mon argent. Je suis venu me faire payer.

— Pas question! Tu m'as fait trop de tort.

— Julien, dit Alain en s'approchant lentement du bureau, je te demande de te montrer raisonnable. Ce petit cinq mille dollars que tu me dois, c'est une chiure de mouche pour toi. T'as eu trois mille en subventions. Partout on dit que mon livre s'est très bien vendu...

— Cinq mille exemplaires, coupa l'autre.

— C'est ce que je veux dire: un livre de cinq mille copies, c'est payant pour un éditeur. T'as fait un hit avec le livre du premier ministre. Tu m'as dit toi-même que tu ramassais les subventions à la pelle... Donne-moi mon dû. Pour moi c'est le fruit de presqu'un an de travail. Si je ne paye pas mon imprimeur, ça va se savoir et mon crédit sera à terre partout pour dix ans et je ne pourrai pas faire paraître mon prochain roman...

Bien qu'il les ait débités froidement, les propos du demandeur s'étaient déjà teintés d'une forme de soumission. Il avait voulu

208

se faire accommodant; Julien le prit pour de la peur. Alain put déceler dans son regard une lueur triomphante et s'en voulut d'avoir faibli.

— Trouve-toi un avocat, c'est tout ce que je peux te dire, fit l'éditeur en levant un index menaçant.

— C'est ce que tu voudrais mais pas question d'avocasseries. Toi et moi, on sait que tu me dois de l'argent, que c'est passé dû depuis six mois. Faut régler maintenant.

Julien s'accouda, prit un crayon, commença à s'en frapper un doigt dirigé vers son interloteur, disant:

— Le cinq mille, comme tu l'as dit, c'est une chiure de mouche pour essuyer toutes les flétrissures que tu as faites sur ma réputation en placotant sur le dos de ma maison et de mes auteurs...

Alain perdit un peu contenance, coupa:

— Tes auteurs? Jamais j'ai dit un traître mot à leur sujet. Mais ça serait d'un ridicule...

— Tu l'as fait... T'as dit que les produits d'Édi-Québec étaient mauvais...

— Jamais de la vie mon ami! Ça, ça fait partie de ta stratégie de petit homme d'affaires véreux pour sauver la face devant tes auteurs. Tu sais très bien que tu joues sur leur paranoïa.

— Mes avocats ont préparé une mise en demeure. On va te poursuivre pour cent mille piastres.

Alain mit ses mains sur le bureau, pencha la tête et la hocha en disant sur un ton désabusé:

— Pauvre Julien! Pauvre Julien! Tu es incapable de parler nûment, hein? Toujours caché derrière une excuse ou quelqu'un ou un écran de fumée.

— Si tu veux libérer la place, j'ai des gens sérieux à recevoir maintenant.

L'auteur se remit droit. Il mit sa main dans sa poche, tâta sa chaîne.

— Julien, je te le demande une dernière fois: veux-tu me préparer mon chèque?

L'autre le menaça de son crayon, dit:

— C'est toi qui devras m'en faire un... Et un gros.

Alain soupira. Puis, glacial, il sortit sa chaîne qu'il enroula autour de son poing droit en disant:

— Tu as trois minutes pour me payer. Trois...

Le nouveau rapport de forces sembla aspirer tout son sang du visage de Julien qui verdoya. Le doute, l'inquiétude, la peur se relayèrent en ses yeux. Il cria:

— Mais t'es malade mental ou quoi?

L'auteur dit doucement:

— T'as la loi pour toi, t'as le pouvoir de l'argent avec toi, t'as le pouvoir politique de ton bord, les gens des média te protègent parce qu'ils mangent dans ta crèche; moi, je n'ai que mon petit bout de chaîne pour me défendre. Dans deux minutes, tu vas le recevoir en plein front.

Décontenancé, Julien se leva, hurla à l'intention de son employé occupé dans un bureau voisin:

— Jean-Pierre, Jean-Pierre, arrive! Il a une chaîne, il veut me tuer...

Alain fit deux bonds en arrière, arc-bouta son talon au pied de la porte. Au comble de la nervosité, l'autre menaça une fois de plus:

— Il est ceinture noire au judo... Jean-Pierre.

L'auteur ricana, leva son poing enchaîné.

— S'il force la porte, je l'étends au tapis.

— Ce que tu fais là est criminel. Je fais venir la police, dit Julien d'une voix tremblante en décrochant le récepteur.

— Vas-y: tu sais la bonne publicité que ça va t'attirer. Un éditeur fait jeter en prison un auteur parce qu'il refuse de lui payer ses droits d'auteur sans raison... Étant donné que tu sais maintenant qu'il faut que tu me payes, que si tu ne le fais pas, je vais revenir et te crisser en bas du septième étage, je veux bien partir. Mais ne fais pas en sorte que je revienne! T'as dix jours: c'est gentleman, non?

Puis Alain cria vers la porte:

— Jean-Pierre, je m'en vais. Éloigne-toi, ça vaudra mieux.

Il sortit. La voie vers la seconde porte était libre. En quittant, il entendit le téléphone se raccrocher et Julien vociférer:

— Jean-Pierre, appelle la police; il est fou le christ de Martel, fou dangereux...

*

Il y avait des mois qu'Alain ne s'était senti le coeur aussi léger. Jusqu'à la rouille de sa vieille familiale qui le fit sourire quand il reprit la route. Détente après l'orgasme ressenti dans son esprit lorsqu'il avait goûté à son tour au triomphe dans le bureau de l'éditeur.

Il tourna le bouton de la radio et syntonisa une station à vieux succès. Young Love de Sonny James le transporta à son pensionnat d'adolescent puis Pretty Woman lui conduisit le coeur tout droit à Rimouski.

Aux nouvelles, on annonça qu'à New York, l'édifice de l'O.N.U. venait d'être évacué. Un petit avion se promenait autour comme un moucheron prêt à piquer. "Quelque maniaque en mal de publicité," pensa-t-il.

Et aux actualités télévisées de fin d'après-midi, il bondit quand on révéla le dénouement et le fin mot de l'histoire de New York. Par son geste, un auteur américain avait voulu manifester son mécontentement à l'endroit de son éditeur dont les bureaux se trouvaient tout près de l'édifice de l'O.N.U.

— Bravo! cria-t-il en dansant devant le téléviseur.

Viviane voulut connaître les raisons de ce comportement bizarre. Il raconta ce qui s'était passé à New York puis, fort de cet exemple, il raconta son aventure du matin. Elle se pointa une tempe et dit:

— Alain, t'es de plus en plus malade. On pourrait te mettre en prison pour ça.

— C'est ce qui pourrait m'arriver de mieux.

— Ça pourrait te coûter cher.

— J'ai que ma chemise.

— Tu vas perdre ton argent et passer pour fou.

— Perdre mon argent? Non, je vais le récupérer. Quant à passer pour fou, ça ne pourra que m'aider. Et c'est bien moins inquiétant que de passer pour un génie.

Elle n'insista pas et disparut dans la chambre de bains en hochant la tête.

Le lendemain, une solution imprévue surgit. L'imprimeur offrit de racheter la créance. L'affaire fut bâclée légalement. Ainsi Édi-Québec devrait payer le montant des droits directement à l'imprimeur qui avait déjà d'importantes relations avec Julien et sa maison.

Ce même jour, une journaliste appela. Mise au courant sur le tard du piquetage d'Alain, sensibilisée par le fait divers survenu à New York, elle désirait faire une entrevue. Rendez-vous fut fixé pour le lendemain dans un restaurant de la ville.

Une autre nouvelle agréable lui fut annoncée ce jour-là. Il avait décroché l'emploi postulé à Rimouski. Il devrait s'y présenter dans la première semaine de septembre. ''Ce n'est pas moi qui décide, c'est le sort,'' conclut-il. Il partirait donc.

Avant d'aller au rendez-vous avec la journaliste, il relut pour la troisième fois une lettre d'avocat reçue le matin même et dans laquelle on le menaçait d'une poursuite de cent mille dollars s'il ne mettait un terme à ses propos diffamatoires à l'endroit d'Édi-Québec. Il fut sur le point de la mettre en morceaux et de la retourner à l'expéditeur mais il pensa qu'il faudrait d'abord en faire des copies: une pour la journaliste et l'autre pour ses dossiers. Il adressa donc une enveloppe au bureau des avocats puis il se mit en route avec tous les papiers relatifs à son litige.

Quand il photocopia la mise en demeure, il blagua sur la haute valeur de sa lettre.

— Cent mille dollars! confia-t-il à un jeune homme ébahi.

Quel air aurait donc cette Aline Tremblay qu'il rencontrerait dans quelques minutes? Par la voix, il la supposa brune et très maigre. Et dans la vingtaine.

L'endroit étant familier à chacun, ils avaient convenu d'une table où il fut le premier. Il dit à la serveuse de revenir plus tard et disposa ses papiers dans le meilleur ordre dans leur chemise.

Arrivée par derrière, elle parut subitement à côté de lui, l'interpella:

— Monsieur Martel?

— Lui-même.

— Je suis la journaliste de la revue Tête-à-Tête.

Il tendit la main, débita des formules de politesse en la détaillant pendant qu'elle prenait place après avoir disposé de sa caméra et de sa serviette.

Tout d'abord, il reluqua vers son corps. Grassouillette mais quelle poitrine! Puis il détailla son visage: fin, un peu renard avec des yeux encapuchonnés, souvent à demi fermés pour mieux scruter sans le faire voir, cachant son habitude sous un sourire diablotin. Regards inquisifs et incisifs. Brune comme il l'avait prévu. Dans la trentaine: la communication serait meilleure. Il fut sur le point de lui confier qu'elle n'était pas mal pour une intellectuelle mais il se contint.

— Je suis venue pour deux raisons. Un pour une entrevue ayant trait à vos relations avec votre éditeur et qui fera l'objet de mon article. Deux... je vous le dirai plus tard. Et si on commençait par le début: qui est donc Alain Martel?

— Depuis la naissance?

Elle fit un mouvement de paupières pour acquiescer:

— On recule de trois, cinq, trente ans?

— Disons vingt.

— Vie professionnelle, vie familiale, vie affective, vie s...

Il rattrapa le mot sexuel au dernier moment et le remplaça par sentimentale.

Elle ferma un oeil plus que l'autre pour dire à travers un sourire retenu:

— L'affectif et le sentimental, disons qu'on fait pas de différence.

Il relata son histoire qu'interrompit la serveuse pour apporter le café. Aline posa un tas de questions pertinentes. C'était normal, pensa-t-il, puisqu'ils étaient de la même génération. Pas une seule fois il ne lui vint à l'esprit qu'elle pouvait avoir lu LES GRANDS VENTS.

Puis elle sortit un bloc-notes et le questionna sur sa petite guerre.

— Ce n'est pas que pour moi qu'il faudra graffigner Édi-Québec mais aussi pour tous ceux qui se font exploiter par une maison d'édition.

Il montra les lettres échangées avec l'éditeur, relata l'affaire

213

dans les moindres détails jusqu'à son dénouement.

— Et pour mettre le chapeau, voici ce que j'ai reçu aujourd'hui, dit-il en montrant la lettre d'avocat.

Elle lut, s'enquit de ce qu'il en ferait.

— Tenez, fit-il en la déchirant en huit parties qu'il mit dans l'enveloppe préparée. Vous me prêtez votre crayon?

Elle le tendit. Il dessina sur un des morceaux de même qu'à l'endos de l'enveloppe un gros doigt, levé, obscène: un doigt de premier ministre.

— Ils vont la recevoir ces jours-ci. Puis le front plissé il demanda si elle-même et sa revue risquaient d'être poursuivies pour libelle quand l'article sortirait.

Elle éclata d'un bruyant rire de certitude.

— On s'arrangera bien.

Pendant quelques minutes ils ne purent se parler à cause de la présence de la serveuse. Alain forgea quelques desseins. Il la trouvait désirable, cette intellectuelle bien mise. Il lui enlèverait volontiers son étroite robe rouge. Il lui faudrait la questionner à son tour. C'est par la voie de son esprit qu'il atteindrait son lit. Il se dit qu'elle s'intéressait trop à ses propos pour ne pas avoir quelque idée derrière la tête. Ce serait facile à savoir: il lui parlerait du contenu de LES GRANDS VENTS, saurait bien à qui il avait affaire.

— Avez-vous noté tous les renseignements nécessaires à un article percutant?

— Tout est là, fit-elle en mettant son bloc-notes de côté.

Elle se croisa les mains sous le menton et dit en cillant de ses paupières avertisseuses:

— Et si on parlait de votre premier livre...

— J'en ai dit pas mal déjà.

— C'est la deuxième raison qui m'a amenée ici.

Alain comprit soudain. Il se cogna le crâne.

— Vous l'avez lu.

— Eh bien, allons-y! Parlons du couple d'aujourd'hui.

Il évoqua ses théories, se défendit de ressembler trop à son personnage, retourna les questions jusqu'à l'obliger à parler d'elle-même.

214

Elle avoua une vie conjugale tumultueuse partagée avec un mari macho dans le style du personnage central de LES GRANDS VENTS.

— Il ne se sait pas macho... comme la plupart des hommes de sa génération.

— Si c'est involontaire, si c'est du tout-reçu. Difficile de le lui reprocher, non?

— Sa domination, peut-être pas; mais les aises qu'il prend...

Alain perçut qu'elle désirait une question à ce moment précis. Il la fit attendre en se cachant derrière le temps d'une lampée de café.

— Il sort?

— Une aventure qui a mal tourné pour lui.

— Ah?

— Une petite jeune... Il est parti avec elle deux mois. Et il est revenu. Paraît qu'il n'arrivait même pas à faire l'amour.

— En ce cas tout va pour le mieux, dit Alain en se rappelant ses propres défaillances récentes. Le petit gars est retourné à sa maman, non?

— C'est pas aussi simple.

— Eh bien?

— Il y a un coupable dans toute l'histoire et vous savez qui...

— Dites-moi tu.

— Pardon?

— Tutoie-moi!

— Tu sais qui?

Alain pointa son index vers elle.

— Exactement! Tu es d'accord?

— Je ne sais pas...

— T'as déjà eu une maîtresse?

— Oui.

— C'était la faute à qui?

— À personne! À la vie. C'était ma façon de dire: je suis moi. Ma femme y fut pour quelque chose aussi, c'est sûr. Les femmes y sont pour beaucoup là-dedans, mais ça ne paraît pas. C'est comme pour la violence qui leur est faite parfois. Il y a des cas où elles ont mis cinq ans, dix ans à forger la claque sur

215

un oeil qu'elles vont recevoir un bon soir quand le gars en aura par-dessus la tête de se faire picosser, agresser moralement, diminuer, abreuver de reproches. Il y a des hommes qui boivent à cause de leur femme. Et puis il y en a qui perdent patience. Bon, je ne veux pas dire que c'est général et surtout je ne cherche pas à accabler le beau sexe mais je veux faire ressortir qu'un divorce, ça se bâtit à deux.

— Oui, je comprends tout ça mais ce n'est pas le cas chez moi. Ses arguments pour me faire porter le blâme sont d'une faiblesse...

— Comme?

— Comme le fait que j'écrive pour ma revue parce que ça m'oblige à sortir de chez moi deux jours par semaine. "Pas besoin de ça pour vivre," qu'il dit toujours. C'est bien certain. Mais moi, j'ai besoin de sortir de la maison de temps en temps. Besoin d'air. Besoin d'espace. Me faut rencontrer du monde. Ça devrait se comprendre, ça, non?

— Il fait quoi?

— Ingénieur.

— Combien d'enfants?

— Deux.

— Quel âge?

— Le plus vieux a quatorze, l'autre sept.

— Il sort et te domine: ça suffit pour t'en aller, non? fit Alain sans conviction.

— C'est pas aussi simple.

— Tu dis souvent cette phrase. En effet, ça me paraît compliqué, ta vie.

— Au bord de la quarantaine, on ne ferme pas la porte comme ça, aussi facilement qu'on peut le faire à vingt-cinq ou même dans la trentaine.

— Pourtant les enfants sont plus autonomes!

— Sans doute mais... c'est nous qui le sommes moins. On est accroché à la fois par le moule du passé et par les perspectives d'avenir. D'un côté, il y a les souvenirs, les bonnes choses qu'on a faites ensemble, tout le vécu quoi et même les routines... et même la sclérose... Et d'autre part, l'avenir est

216

moins séduisant, dans un sens, si on repart seul à notre âge. Ou bien on envisage la solitude ou bien il faut se mettre à la recherche de quelqu'un qui nous convienne mieux. Et les bons numéros doivent se faire rares et surtout difficiles à repérer. En tout cas je connais plusieurs femmes seules qui se plaignent de ça

Alain fixait le café qu'il faisait tournoyer, en buvotant sporadiquement. Il se composa un sourire pour dire:

— J'ai peut-être une solution à ton problème.

— Moi je n'en ai pas, soupira-t-elle.

— Tu fais comme lui... Je veux dire... prends un amant...

— C'est pas aussi simple.

Il s'esclaffa.

— Non, mais pourquoi dis-tu toujours ça?

— Faudrait d'abord que j'en trouve un à mon goût...

Elle rit bruyamment à son tour avant de poursuivre:

— Et puis tout le temps que ça prend pour vivre une aventure extra-conjugale!...

— T'as de l'expérience?

— Non, mais j'en ai pris conscience en lisant ton livre.

— En l'esprit de l'un et l'autre, l'approche était faite et cela suffisait pour ce jour-là. Chacun devait laisser mûrir son désir.

Il lui fit part de son intention de quitter la région pour l'année à venir.

— Décision arrêtée? s'enquit-elle.

— Tout à fait, dit-il en fixant des lueurs nostalgiques sur des miroirs ternes tapissant le haut des murs.

Il lui donna les mêmes raisons qu'il avait invoquées devant Viviane, les saupoudra d'une bonne dose de détachement, les rehaussa d'airs déterminés et les servit dans un plat d'obligations financières.

Habitude du métier, flairant anguille sous roche, la journaliste suggéra à travers un sourire parfois entrecoupé:

— Y'aurait pas un appel du coeur derrière ça?

Il se cabra:

— Un homme n'est pas l'esclave de son coeur, chère madame.

— Il n'est l'esclave de rien du tout: il est un maître.

Il sourit. Elle rajouta:

— Pour un temps seulement.

— En ce domaine, toute la question est de savoir si c'est le maître qui choisit l'esclave ou bien l'inverse.

La rencontre prit fin dans l'agrément malgré les divergences de vues. On avait brassé des problèmes sans problème. Comme avec Denise dans les premiers mois, se dit Alain. Comme avec Louise de Rimouski.

Deux jours plus tard, elle l'appela pour lui annoncer que son article avait été refusé par le rédacteur en chef.

— Il soutient que l'affaire de tes droits étant réglée, un article pareil ne pourrait que te nuire.

— Que d'attention!

— Au début, il ne me croyait pas. Il connaît bien ton éditeur. Il trouve curieux que le premier ministre lui-même se soit fait éditer par cette maison.

— Mon oeil! Ils sont du même bord?

— Des penchants.

— Bon... Enterrons tout ça.

— Je me demande si c'est pas plutôt une question d'intérêt. Beaucoup d'éditeurs annoncent dans la revue.

— Édi-Québec?

— Aussi.

— Il te l'a dit?

— Oui.

— Ah, voilà la tête du chat!... Et avec des nuances, ça passerait mieux?

— Je ne pourrais le nuancer... non... Le ton qu'il a pris pour me le dire montre que se ce serait inutile d'insister.

— Ça veut dire que je ne saurai jamais ce qu'il contient?

— Pas nécessairement! Je peux t'en envoyer une copie.

— Par la poste?

— Ou te la remettre en mains propres.

— Ça nous permettrait de poursuivre une conversation fort bien entamée.

— Je pourrais demain après-midi...

218

— Dans un endroit tranquille?...

— O.K.

Ce fut dans une chambre de motel. Il mit son article en poche, reportant sa lecture à plus tard. On ne se parla point de vie de ménage. En fait on s'échangea bien peu de mots, ce qui fit dire à l'homme après l'amour:

— Pour deux amants ayant pour métier de brasser des sentiments et des idées, ça jase pas trop fort ici.

Elle rit. Il ajouta:

— J'aurais pas cru qu'une intellectuelle puisse savoir faire l'amour.

Elle rit plus haut.

— Pas besoin d'un doctorat pour ça! Et puis je ne suis pas intellectuelle tant que ça. Seulement journaliste.

— Mais tu écris des articles de fond, non?

Elle haussa les épaules sans répondre. Il poursuivit:

— Paraît que ça aide à tout faire, des gros diplômes. Sûrement qu'avec un doctorat, la pénétration doit être plus savante!

Elle lui fit un regard de bisc-en-coin et rit encore.

Ils s'entendaient.

Leur liaison dut tenir compte des disponibilités de chacun de sorte qu'ils se virent une fois la semaine par la suite. Chacun le prit comme un échange de services en attendant la séparation de fin d'été qu'ils plaçaient déjà sous le signe de l'humour.

Et l'heure de ce départ se rapprochait de plus en plus vite. Trop au goût d'Alain. Il passa le plus clair de son été à pondre une pièce de théâtre et à réfléchir. Seul. Viviane n'était plus qu'une ombre furtive. Aline n'était encore rien de plus qu'un sourire. Et Louise, comme elle l'avait prédit et voulu, s'éloignait dans son passé.

Plus la fin approchait, plus les données se mélangeaient dans son esprit et moins il était sûr de sa décision. Des jours il songeait à toutes ces pages merveilleuses qu'il écrirait au bord du fleuve. D'autres, il soliloquait en se rappelant le bon sens de sa décision de vivre plutôt dans la région métropolitaine et sur laquelle Louise, dans sa lettre, avait apposé un sceau d'approbation... ou de certitude.

Un matin blême, il s'assit à son bureau, prit un crayon et dessina cinq cercles sur une feuille blanche et les réunit à un moyeu central. C'étaient les panneaux d'une balance imaginaire dont l'existence eût été aussi impossible dans l'abstraction que, dans la réalité. Le pensa-t-il du moins. Car une balance oscille du plus au moins et fait fi des peut-être. Puis il se dit tout haut:

— Mais non voyons! Être aussi simpliste à l'âge des ordinateurs!... Et puis, je vais me faire intellectuel pour l'avant-midi.

Il se mit à écrire des mots dans les cercles. Dans l'un: grand cru. Dans l'autre: champagne. Puis: eau. Ensuite un $. Et finalement: un soleil vite dessiné. Et il réfléchit profondément aux cinq données du problème, à ces cinq poids qu'il fallait évaluer et soupeser avant de trancher la question sans rémission.

Le grand cru, c'était Louise, le dépaysement, le fleuve, la poésie, le rêve... Pour ne pas la troubler mais surtout pour qu'elle sache hors de tout doute qu'il avait pris sa décision comme un grand garçon, il ne lui avait pas donné signe de vie de tout l'été.

Aline, c'était le champagne joyeux, léger, effervescent d'une pensée sans complications, claire: la première intellectuelle rencontrée à ne pas se prendre au sérieux. Rafraîchissante. Aussi facile au lit.

Et l'eau qui assoiffe quand on en est privé, dont l'absence déshydrate et tue: Viviane, le fantôme à la fois nulle part et partout. Hors de sa vie et pourtant dans chacune de ses cellules. Nés d'un même paysage montueux, en vue d'un même rêve dessiné par les montagnes américaines et qu'elle avait refusé de voir pendant des années pour ensuite les franchir sans crier gare en le laissant, lui, derrière, sans souffle ni chaussures comme les soldats d'Arnold.

Et l'argent. Le vil, le sale argent qu'il avait toujours aimé et respecté pour la liberté qu'il donne et la longévité qu'il promet. L'on savait engranger dans sa famille. Quelle décision l'assurerait de la meilleure récolte? Il calcula ses recevables, fit une moue souriante. Seul pour tout faire, et il avait réussi en quelques mois à gagner plus avec son deuxième roman pondu en l'espace d'un Carême qu'avec son premier qui lui avait coûté tant de sueur et de sang. Il avait la preuve qu'on peut se passer d'un éditeur. Mais il était encore loin de celle qu'on peut survivre de ce métier. Une chose à ce chapitre était indéniable: il lui fallait un emploi parallèle. Et le seul alors en vue se trouvait à Rimouski.

Le soleil, c'était sa carrière. Ce plateau penchait vers le statuquo. Certes l'auteur serait-il choyé par Rimouski mais l'éditeur se devait de rester à Montréal. Malgré qu'il savait que les meilleurs imprimeurs se trouvaient en province, aussi les meilleurs ateliers de composition et surtout les média favorables et accueillants.

Il y avait ceci, il y avait cela et quand midi sonna, il en eut marre de discuter avec lui-même.

En parcourant un journal local, il trouva l'annonce d'une nouvelle librairie. Une heure plus tard, il y arrivait pour présenter son livre.

Une clochette au son clair au-dessus de la porte donnait au lieu des airs d'ancien magasin général et les piles de livres dégageaient des odeurs d'entrepôt. Personne à l'intérieur! Il déposa sa valise près de la caisse en se disant que le propriétaire était certes nouveau-venu dans le coin pour agir aussi imprudemment. Ou bien ce sera un employé peu consciencieux. Puis il pensa au rythme des ventes du produit livre et il ouvrit des mains désabusées voulant dire: il n'y a pas de danger à s'éloigner d'une caisse vide.

Soudain le bruit d'une chasse d'eau lui parvint alors qu'il feuilletait une briquette de Grandet en se demandant combien de chapitres en avaient été subventionnés. Puis une porte perdue entre deux étagères et qu'il n'avait pas aperçue, laissa passer un homme à l'oeil d'aigle qui fit aussitôt un large sourire de bienvenue. Alain fit mine de n'avoir rien vu et continua son exploration de la place. Beaucoup de livres mais peu de titres. Des piles parfois plus hautes qu'un homme. Et surtout des albums pour les enfants.

— Si vous désirez aller derrière, il y a un choix beaucoup plus vaste, dit l'homme en se dirigeant à la caisse.

Alain leva la tête en se disant: "Il aura compris que je ne veux pas être achalé..." Mais il répondit:

— À vrai dire, ce n'est pas pour acheter que je suis là, mais je vais jeter un coup d'oeil quand même.

— Mais certainement!

— Je peux laisser ma valise là-bas.

— Pour la voler, il faudrait me passer sur le corps, mon cher monsieur.

"Il est gentil, ce bonhomme," pensa Alain en se rendant à l'arrière-boutique séparée de la partie avant par une demi-cloison servant d'étal.

"Sa tête me dit quelque chose... Il n'a pas sourcillé quand j'ai annoncé que je n'étais pas là pour acheter. Ça paraît que c'est pas un Québécois... Il fait sombre par ici... Il a un accent français, ce bonhomme... mais il n'en a pas l'allure. Ouais, y'en a des livres pour ce qu'il y a de clients dans sa cabane!..."

Il parcourut les rayons, son esprit alternant des livres qu'il examinait superficiellement au personnage hors de l'ordinaire qui s'était assis derrière sa caisse et se dessinait dans une demi-ombre chinoise sur la vitrine éclatante d'un soleil devenu fort.

Pour le jauger mieux, Alain s'accouda à une tablette et ouvrit un bouquin qu'il se trouva à porter à hauteur de ses yeux. Mais il ne lisait pas et observait son futur client.

Tout d'abord il grimaça en constatant que l'autre avait plus une tête de vendeur que d'acheteur. De loin, l'homme offrait un profil hitchcockien: longue courbe ventrale, menton et front fuyant chacun dans sa direction, séparés par un nez...

Alain interrompit son observation pour se crier mentalement:

"C'est pas un Français, c'est un Juif!"

Il en déduisit qu'il avait dû le voir quelque part sur un marché aux puces. Et d'un souvenir à l'autre, il se rappela avoir acheté des livres d'italien d'un bonhomme qu'il avait plaint de vendre sa marchandise à des prix aussi ridicules. Une demi-heure qu'il avait passée dans sa roulotte et il avait été le seul client, et le total de ses achats n'avait pas dépassé les trois dollars.

Il balaya tout l'inventaire d'un rapide coup d'oeil et se dit qu'il s'y trouvait un bon trente mille dollars de stock au coûtant. Et peut-être plus.

"Il n'a pas dû passer son temps à vendre à des fantômes."

Les extrêmes bas prix qu'il constata sur les livres confirmèrent les rappels de sa mémoire.

"C'est pas possible: il a sûrement une passe quelque part. Peut-être du stock volé." Je pourrais glisser un livre dans ma poche qu'il ne le saurait qu'en enfer... Il doit s'en faire piquer... Bon, si je ne veux pas perdre mon après-midi pour vendre trois, quatre exemplaires..."

Il explora quelques secondes encore puis retourna en avant. Mains ouvertes loin du corps, il dit:

— Je vous l'avais dit: je n'ai pas de sous. Ce sera pour la prochaine fois.

— Mais certainement! Mais certainement! fit le libraire avec une chaleur telle dans le ton qu'Alain regretta de n'avoir pas au moins acheté une briquette à Grandet à vingt-cinq cents.

— Je vais... vous présenter mes produits... à vrai dire mon produit...

— Mais bien sûr!

Alain se pencha vers sa valise et retarda les gestes de sortir ses deux romans en cogitant une dernière fois sur le bonhomme avant de l'attaquer. "Son empressement est suspect. Ça me surprendrait de lui vendre... ou bien il voudra me renvendre quelque chose en retour..."

Il se releva, tendit ses livres, s'en présenta comme l'auteur et dit qu'il distribuait l'un deux.

— Combien voulez-vous m'en laisser?

— Ce que vous voudrez.

— Ailleurs?

— Huit, dix et même jusqu'à quinze.

— Mettez-en... vingt-quatre... Et quand ils seront vendus, je vous rappelle.

— Faudra laisser le message. Je ne serai pas là. Je quitte le secteur pour une année. Mais je reviendrai chaque quinze jours... J'y pense mais avec ces livres et ces prix-là, vous devriez aller exposer dans les écoles. Y'a plein d'endroits qui n'ont pas de librairie...

L'autre approuvait de la tête en souriant et quand il put interrompre Alain, il dit:

— Mais c'est précisément ce que nous faisons depuis un an. Aussi les marchés aux puces...

— Ah, ah, c'est bien là que je vous ai rencontré.

Des échanges rapides mais suivis les firent se mieux connaître. L'homme qui avait cinq ans d'expérience dans le domaine du livre fut étonné d'apprendre qu'Alain avait écoulé presque tout son tirage. Il le fut davantage de constater que l'auteur avait peut-être gaspillé sa chance en mettant de côté l'éditeur de son premier livre. Alain relata son altercation, parla de son intention d'en arriver à l'écriture à plein temps et du seul chemin qui puisse lui permettre d'atteindre son objectif.

L'autre souleva les traditionnelles objections et en fin de compte, force lui fut de dire, après avoir mentalement jonglé avec les chiffres cités par son visiteur, que l'idée n'était pas totalement utopique.

— Dix mille exemplaires par année et je gagne fort bien mon sel. Vingt mille et je suis gras dur. Quarante mille et je vis en millionnaire.

Les yeux de l'homme s'emplirent de lumière. Sa lèvre inférieure trembla. Ses doigts se mirent à lui tapoter le ventre, machinalement.

— Je vous le souhaite très sincèrement.

Alain était heureux de rencontrer quelqu'un qui comprenne aussi bien son langage des affaires.

— C'est pas parce que ça s'est jamais fait que c'est infaisable.

Cette parole déterminée plut à l'autre mais en même temps alimenta son scepticisme et il l'exprima:

— Curieux, mais vous me paraissez bien plus un homme d'affaires qu'un intellectuel.

— Autrement dit vous doutez de la qualité de mon écriture?

— Mais non... J'ai lu quelques mots tout à l'heure et je suis persuadé de votre immense talent. Je veux dire qu'un créateur, habituellement... se tient loin au-dessus des questions d'argent et laisse au petit peuple le soin de s'occuper de ces... choses-là.

Alain sut, par l'humour provocant qui avait nuancé la phrase, qu'il pouvait s'emballer. L'homme lirait par-delà les mots et les sentiments.

— Un: j'écris sans être un intellectuel, ce qui n'est d'ailleurs pas du tout requis. Deux: je fais des affaires à la fois par nécessité et par plaisir et ce ne sont que de toutes petites affaires. Trois: il appartient à l'ensemble du public de juger ma valeur et mon talent. Quatre: personne, pas un éditeur, ne touchera à mes livres de mon vivant. Et si l'addition ne donne pas les résultats espérés, rêvés, alors que je crève!

— Si vous y arrivez, vous risquez d'être combattu par tout le système.

— Ça, c'est bien commencé. Chez ceux-là même qui me concédaient tous les talents du temps d'Édi-Québec voilà qu'on me harlequinise.

— Pardon?

— On me rapproche des romans Harlequin pour me discréditer. De toute façon, tout ce qui se vend bien et n'a pas reçu le sceau de l'intelligentsia se fait automatiquement harlequiniser. Le chantage intellectuel au monde du livre a la belle vie. Aime ce qu'on aime sinon t'es con! Sauf quelques incorruptibles, Édi-Québec en embarque un paquet dans ce jeu-là.

— Vous n'aimez pas les romans à l'eau de rose?

— Je n'ai absolument rien contre. C'est du rêve en chapitres et ça ne fait de mal à personne. Les intellos s'en choquent, ils s'imaginent que le livre est un véhicule ne devant appartenir qu'à eux seuls.

— Vous avez bien raison, cent fois raison, fit l'autre avec une conviction qui emplit Alain de bonheur.

Puis il s'enquit du travail à venir à Rimouski.

— Expositions de livres dans les écoles... comme vous faites. Jusque là confortablement installé sur l'inconfort de son petit banc de bois, l'autre alors parut ne plus tenir en place. Il se promena une main nerveuse dans des cheveux indifférents. Son visage passa du rouge qu'il était habituellement au plus pur cramoisi. Il se leva, regarda un lointain que lui seul pouvait apercevoir, s'exclama:

— Mais pourquoi aller si loin? Quel sera votre salaire? Et si je vous proposais la même chose?

— Je... ne sais pas... Faudrait que j'y réfléchisse. Je devais partir dimanche dans dix jours...

— J'en parle à mon chef d'opposition et je vous rappelle... dit l'homme.

— Qui donc?

— Ma femme.

— Ah bon!

Alain aurait cru qu'un personnage aussi volontaire et intelligent soit en mesure de décider par lui-même puis il se dit que l'autre, habile négociant, devait ainsi se ménager une porte de sortie pour le cas où il changerait d'avis.

Lui n'avait pas besoin de l'opinion de Viviane pour partir ou pour rester et il ne la demanderait pas non plus. À quoi bon puisqu'ils vivaient comme de parfaits étrangers et qu'elle se serait bien moquée de lui donner quelque conseil que ce soit?

L'on s'entretint à nouveau de questions d'argent. Alain s'enquit du pourquoi des bas prix de la marchandise exposée. L'autre lui fit remarquer qu'il ne s'agissait pas de nouveautés mais plutôt de surplus d'éditions, de stocks liquidés par des gens en mal de billets verts, de queues de tirage, de fonds de faillite et parfois d'exemplaires imparfaits.

— J'en ai une vingtaine à la couverture cassée.

— Je vous les achète. Faites-moi un prix.

L'on s'entendit. Alain apporterait les bouquins le jour suivant. Il se rendit chercher ceux déjà commandés, les factura.

— Soixante jours, ça va?

— Parfait, parfait.

— Les abîmés, je peux vous les payer tout de suite si vous le désirez.

— Demain, demain... J'ignore la quantité exacte.

226

Alain consulta sa montre et annonça son départ.

— Je ne sais pas votre nom, fit-il en soulevant sa valise.

— Joseph Nichol.

— Français?

— Juif... Et Français puisqu'on le reste toujours quand on l'a été. Américain et Canadien. Quatre en un.

On se donna la main en échangeant les formules de politesse et Alain reprit la route en jubilant. Il se remit en tête la balance mentale qu'il avait conçue le matin. La solution au puzzle venait de surgir d'elle-même. En acceptant la proposition du Juif, il gagnerait sur tous les plateaux. Pas de rupture précipitée avec Viviane. Il continuerait de voir Aline par ci par là. Il aurait certes l'occasion d'aller dans la région de Rimouski et d'y passer d'autres heures folles avec Louise. Il assiérait sa carrière sur des rencontres d'étudiants parallèles aux expositions de livres et cela non pas dans une seule région mais par tout le Québec, donnerait des conférences, visiterait les média.

Décidément ce Juif était un Messie de minuit moins cinq, possédait au surplus d'immenses qualités dont la plus grande de considérer un livre comme un objet de consommation d'abord. Le lendemain, les deux hommes se parlèrent à nouveau, s'appelèrent par leur prénom. Joseph voulut s'assurer que l'autre était bel et bien capable d'autre chose que de travail intellectuel.

— C'est très physique... Fastidieux.

— Bon pour la ligne.

— Des heures indues...

— Ça me connaît déjà.

— C'est pas un salaire d'enseignant...

— Ça ne te coûtera rien...

— Ah?

— J'achète de toi et je revends.

— Moins payant peut-être! Pour toi, je veux dire...

— La liberté n'a pas de prix.

— Tu commences en septembre?

— Minute, on va parler d'escompte d'abord. Et puis j'ai donné ma parole aux gens de Rimouski. Je dois m'en faire rele-

227

ver.

— T'as rien signé?

— Ma parole est un contrat.

On s'entendit vite sur un pourcentage puis l'on se donna rendez-vous le dimanche après-midi à un marché aux puces où Joseph aurait une installation. Il y eut échange de livres et d'argent puis Alain s'apprêta à partir.

— Attends que je te présente ma femme. La voilà justement qui arrive.

D'elle, ce sont les pas qui firent une première impression sur Alain. Il les entendait venir: égaux, longs, lourds sur le ciment du trottoir puis sur l'asphalte de la cour. Elle parut bientôt dans l'embrasure de la porte grande ouverte. À la voir, il eut une seconde impression qui effaça carrément la première: il la perçut en poète, comme un soleil levant, une bouffée d'air frais. Un visage de fillette aux yeux pleins de confiance. Pour la première fois de son existence, il ne remarqua pas le physique d'une femme en premier lieu et ce n'est que longtemps après dans les échanges de propos qui suivirent, qu'il la détailla mais sans trop porter d'attention tant sa personnalité rayonnante éclipsait tout le reste.

— Angéline, voici l'auteur dont je t'ai parlé, monsieur Alain Martel... Rencontre mon épouse Angéline.

Même s'il lui avait trouvé un pas dur, Alain évalua qu'elle pouvait avoir le poids d'un ange et que pour cette raison, elle portait un nom évocateur.

Il avait souvent de ces idées aussi farfelues que simplistes quand on lui présentait quelqu'un afin de reporter à plus tard un vrai jugement sur la personne et qui alors, s'imprimerait en profondeur dans son âme.

Elle donna une poignée de main douce en disant:

— Je suis très heureuse de vous connaître et j'ai même commencé à lire votre livre.

Les r avaient été tournés et appuyés comme des escargots; chaque syllabe bien prononcée; le débit très lent. Un accent particulier qu'Alain ne put trouver malgré la rapide élimination qu'il fit alors: Française, Suisse, intellectuelle...

— Vous êtes Belge!? interrogea-t-il affirmativement.

— Non...

— Ah?

— Montréalaise.

— Je m'excuse... J'ai perçu comme un accent.

— Ce n'est pas volontaire, dit-elle posément.

Il lui donna un mauvais point plus parce qu'elle était de Montréal qu'à cause de son accent emprunté. Mais il l'oublia aussitôt à cause de son sourire ciselé, diamanté, relevé par une brillante rangée de dents hollywoodiennes. Elle s'en servait méthodiquement, méticuleusement pour sous-tendre ses phrases.

Alain fit le décompte: le pas et le sourire d'un être volontaire; le charme et la gentillesse d'une fillette. À cet instant, il lui trouva une vague ressemblance avec Viviane. Même type de tête. ''J'espère qu'elle n'est pas aussi vide!'' pensa-t-il.

Joseph surveillait, analysait. Lui donnerait-elle sa bénédiction pour qu'il fasse d'Alain son ami? Si ce n'était pas ce jour-là, ce serait plus tard. Car il finissait invariablement par la persuader bien qu'il attendait toujours d'elle une solide opposition, ce qui le forçait à puiser à toutes ses ressources mentales et donc à étayer ses plans d'action de l'argumentation susceptible d'être la meilleure. Alain put saisir cette dimension du couple dans la scène qui se déroulait. Invoquant la raison que l'auteur aurait sans doute à travailler en collaboration avec eux, Joseph demanda à sa femme de tenir la caisse le temps de faire une tournée des stocks. Elle refusa net:

— Il y a de la tenue de livres qui m'attend, je regrette. Et je suis sûre que monsieur Alain peut faire son exploration comme un grand tout seul.

Et elle partit dans l'arrière-boutique.

Joseph l'excusa:

— Elle en a trop: les enfants, la maison, la comptabilité... Mais c'est un être merveilleux. Le peu que j'ai bâti ces dernières années, c'est grâce à elle. Elle est ma discipline...

— Et très jolie, dit Alain tout haut en pensant qu'il la trouvait quand même un peu pète-sec.

— Merci pour elle.

Puis il éclata d'un rire physique lui soulevant les épaules qui retombaient lourdement à chaque syllabe de rire. Et il ajouta plaisamment:

— Et pour moi qui l'ai choisie.

Malgré la joie persuasive exprimée si vigoureusement, Alain s'assombrit. Le bonheur de l'autre lui faisait mal. Il fallait qu'il en sache plus. Il procéda à un véritable interrogatoire, apprit que Joseph, au milieu de la trentaine, avait décroché de tout, famille, amis, pays, et recommencé à zéro. Nouvelle femme, d'autres enfants, nouveau métier.

C'était rassurant, encourageant pour Alain, lui-même sur le point d'achever de faire table rase après avoir tranché toutes les vieilles cordes sauf la plus attachante. Ce couple saurait le comprendre et qui sait, peut-être l'aider à traverser de grandes tempêtes se rapprochant très vite, poussées violemment par LES GRANDS VENTS et les commentaires que sa femme en essuyait. Forts d'extraits du livre sortis du grand contexte, privés de leur sens profond, les nouveaux amis de Viviane alimentaient quotidiennement son refus du passé... Et de l'avenir avec lui.

— Et vous-même, cher monsieur? fit Joseph dans un vouvoiement taquin.

— Moi quoi?

— Marié? Enfants?...

— On en reparlera...

*

Ce dimanche matin, Alain mit la dernière main à sa réflexion, ajusta tous les pourquoi et comment de sa décision de rester et de jouer sur tous les tableaux à la fois.

Au cours de sa vie conjugale, il lui était parfois arrivé de menacer de quitter le foyer. Chaque fois Viviane était venue s'agenouiller pour qu'il reste. Cette fois-ci, elle ne l'avait pas abreuvé de ''je m'excuse'' et ''j'ai besoin de toi'' ou ''reste''. Convaincu que c'était à cause de sa nouvelle indépendance et de son orgueil, il ne faisait pas de doute en son esprit que malgré leur éloignement, elle cacherait un soupir de soulagement quand il lui ferait part de sa décision de rester.

Lui-même, une heure plus tard, en poussa un quand les gens de Rimouski le dégagèrent de sa parole. Puis il s'avoua qu'il avait eu la trouille de partir. Que Viviane prenne l'initiative de la séparation! Après tout, c'était d'abord elle, l'offensée. Ne passerait-il pas l'éponge, lui, si elle en revenait à de meilleurs sentiments?

Après qu'il sut qu'elle était debout, il attendit qu'elle s'installe au bout de la table avec sa cigarette et son café, toutes choses devinables à l'oreille, avec la complicité d'un plancher bavard.

Puis il monta, s'assit en face, dit sur un ton d'homme d'affaires pour lui donner l'opportunité de le prendre froidement, avec son éternelle indifférence:

— J'ai appelé Rimouski. Je ne pars pas. J'ai une meilleure offre ici.

Elle sursauta, écrasa nerveusement sa cigarette en crachant:

— Cristi de cristi! Tu nous fais languir des mois, ta fille et moi, en renotant sans arrêt que tu pars et à la dernière minute, tu changes d'idée!

— Oui mais... mes affaires...

— Tes affaires? Tes affaires? Quelles affaires? Tes lubies, tes... tes... mais quelle sorte d'écocurant es-tu donc?

— Qu'est-ce que j'ai fait de si épouvantable? J'ai décidé de rester parce que ça va m'apporter plus... nous apporter plus. Peut-être que je vais sauver le peu qu'il reste à sauver de notre ménage. Ma foi de Dieu, on croirait que tu veux te débarrasser...

— Oui, va t'en. Fiche le camp. J'ai besoin d'un an à moi... pour réfléchir... pour vivre.

Sidéré, abasourdi, il secoua la tête afin de trouver un sens à cette réaction inattendue. Elle devait croire qu'il avait utilisé Rimouski pour lui faire du chantage et le lui reprochait violemment.

Elle se ralluma une cigarette, fondit en larmes en criant:

— Je veux être seule, seule... tu entends?... Au moins un an...

— Et pourquoi pas toujours?

— Peut-être! Mais débarrasse donc la place!

Frappé à la poitrine et au front, éberlué, glacé dans des veines vides, il prononça d'une voix blanche:

— Tu ne veux plus me voir?

— Non, je ne veux plus te voir. De loin et encore. Va t'en mais va t'en...

Il recula bruyamment sa chaise et changea de pièce où il s'affala sur un divan en se cachant derrière une revue pour essayer d'y voir clair. Elle continua de gémir dans des mots inintelligibles puis elle le rejoignit avant même qu'il n'ait eu le temps de reprendre un peu de ses esprits.

— Pourquoi nous torturer comme tu le fais? demanda-t-elle en se jetant dans un fauteuil.

— Moi, si je fais du mal, ce n'est pas volontairement comme plusieurs que je connais.

— T'es qu'un salaud... et un sauvage!

— Ça ne te donne rien de me crier des noms, ma décision est finale: je reste.

— Je te demande un an... un an...

Il se releva, se rendit au garde-manger, ne quittant le salon qu'à demi. Il trouva et ramena avec lui un sachet de biscuits en répondant.

— Tu voudrais que je m'en aille parce que t'as derrière la tête l'idée de garder la maison pour prendre tes aises, pour bambocher à ton goût sans le mari pour surveiller tes allées et venues... Je te dis merde! Je reste: c'est fini, terminé.

Il ouvrit le petit sac avec ses dents et se prit un biscuit qu'il entama en se plongeant dans sa revue.

— Qu'est-ce que j'ai fait au bon Dieu, qu'est-ce que j'ai donc fait?

— Comme toutes les femmes, tu te sers trop du reste pour ce que tu te sers de ta tête.

Elle jeta sa cigarette dans un cendrier mais sans l'écraser pour ne pas perdre de temps et sauta jusqu'à lui, se pencha

232

pour lui crier à dents serrées:

— Va t'en que je te dis, va t'en!

Il releva la tête et répondit dans le mépris le plus total:

— Ne... ver... Tu t'en feras acheter par tes petits copains, des maisons.

Au paroxysme de la colère, elle lui administra une gifle qu'Alain sentit se répercuter depuis sa mâchoire jusque dans son crâne derrière la nuque.

"Ça y est, je la tue," pensa-t-il en crispant les poings. Le geste fit se renverser sa décision et injecter à sa volonté une détermination inébranlable, incommensurable. Il concentra toute sa pensée sur les biscuits qu'il écrasait et la revue qu'il froissait. Les paupières fortement closes, il se laissa frapper à nouveau. Les coups pleuvaient, à mains ouvertes, à poing fermé sur la tête, les tempes, le nez, la bouche. Dix, vingt, trente...

Il sentit la morve lui couler du nez. Elle s'arrêta. Il l'entendit courir, fermer une porte et ce fut tout. Silence.

Alors il se rendit à la salle de bains, jeta ce qu'il tenait à la poubelle, se regarda dans le miroir. Un filet de sang foncé lui sortait d'une narine. Des larmes lui montèrent aux yeux mais il se les refoula dans la gorge et jusqu'au coeur par grands à-coups des mâchoires et de la pomme d'Adam.

Sa tête bourdonnait, ses oreilles sifflaient: il attribua tout cela à la rage qui l'habitait, une fureur que seule sa fille pouvait l'aider à contenir. Il se souvint qu'elle n'était pas là, qu'elle était partie chez ses cousins pour toute la fin de semaine. Alors comme un moine se flagellant pour dompter sa chair, il se donna cinquante coups de poing sur chaque bras, tâchant désespérément de chasser toutes les autres douleurs.

Puis il alla se coucher afin de faire le vide dans son esprit en attendant midi alors qu'il se mettrait en route pour le marché aux puces. Il sombra aussitôt dans un état de demi-conscience duquel des coups à la porte le firent émerger.

— Es-tu correct? demanda sèchement Viviane.

Y'a de quoi rire d'entendre ça, se dit-il. Que voulait-elle dire par correct?

— Pourquoi ça?

— Ben... je t'ai fait saigner du nez...

— Y'a rien là!

Un silence de mort s'abattit sur son dimanche. Il retourna à sa somnolence...

Il consulta sa montre. Un heure.

— Bon Dieu, je suis en retard...

Et il se leva brusquement. La chambre se mit à tournoyer. Il fut pris d'une forte envie de vomir et dut se coucher quelques minutes encore afin de récupérer un peu d'ordre dans son estomac. Il chercha à en mettre aussi dans son visage vultueux avant de partir.

Tout le long de la route jusqu'au marché, les oreilles lui bourdonnèrent. Cela s'en irait quand il aurait rempli son estomac. Aussitôt après avoir stationné l'auto, il se rendit à un stand à hamburgers où il avala frites et hot dogs, l'esprit toujours concentré, comme depuis l'altercation, sur le vide absolu. La seule façon de l'empêcher d'exploser et de faire sauter tout l'être avec elle, c'était d'isoler son émotivité derrière un mur d'absence et de néant; mais il n'y arrivait que grâce à sa faculté de concentration qu'il avait décuplée depuis qu'il avait commencé à écrire.

La place grouillait. Il se mit à la recherche du stand des livres, arpentant les allées entre des installations achalandées, suivant un flot dense de gens qui tuaient à bon compte leur après-midi tout en cherchant une bonne affaire.

"Achètent-ils vraiment des objets, réfléchissait-il, ou bien ne se procurent-ils pas des aubaines et la satisfaction d'avoir dépensé plus intelligemment que d'autres?"

Des nuages nerveux voilaient à tout instant l'éclat du soleil. Les marchands espéraient une ondée, juste ce qu'il fallait pour que le public se réfugie sous leur toile, ce qui, invariablement, doublait leur chiffre de ventes. Mais une lavasse les aurait chassés impitoyablement. Un ciel favorable devait donc pleuvoir avec mesure.

C'est la prière que faisait son nouvel ami juif et les propos qu'il lui tint quand Alain arriva au kiosque. Puis il annonça, triomphant:

— J'ai une surprise... J'ai mis la main sur une douzaine de ton premier roman. Regarde, ils sont là à côté des autres.

Alain jeta les yeux dans la direction indiquée, vers une table donnant sur l'allée des passants. Il vit des clientes lisant l'argument de LES GRANDS VENTS. Alors il fut saisi d'un énorme vertige fait de colère s'échappant d'énormes fissures dans son isolement intérieur. Le soleil reparut, ajoutant ses insultes à celles que ces voyeuses lui faisaient de vouloir connaître les détails pas trop reluisants de sa vie passée et intime. Sa rage décupla quand il se rendit compte qu'il venait de confondre le personnage de son livre avec lui-même. Il fallait les arracher de leurs mains, ces exemplaires, et rappeler tous les autres dans tout le pays, en faire un grand feu, un autodafé à l'exemple de Hitler ou comme dans Farenheit 451 pour en oublier à tout jamais le contenu de même que l'usage présumé que les femmes en faisaient, en profitant pour mettre au pilori tout l'homme québécois. Une sorte de bilan de toutes les réactions féminines reçues jusque là s'inscrivit en son esprit en lettres insupportables: sciemment, savamment, diaboliquement, elles avaient mis le contenu du livre au service de leur cause féministe. Quant aux lecteurs masculins, son éditeur en premier, ils avaient fait des yeux de carpe comme si le bouquin avait été l'oeuvre d'un extra-terrestre.

— Tu devrais aller parler à tes futures admiratrices, suggéra Joseph.

Alain le regarda avec son caluron de toile. Il savait se protéger du soleil, lui.

"Autant rester ici, autrement je leur fous mon poing sur la gueule à ces bonnes-femmes!" se dit-il.

— Et alors, tu y vas?

Il sortit de sa torpeur et hocha la tête.

— Non, je ne voudrais pas les mettre à la gêne.

— Absolument pas! Ça leur ferait plaisir. Et puis pense aux sous un peu...

Alain s'interrogea, jeta un oeil à la caisse. L'autre comprit, s'exclama:

— Ça ne changera rien pour moi, tu comprends bien; si elles n'achètent pas des tiens, elles prendront autre chose.

— Ni pour moi non plus; je ne retire plus rien de ce livre.

— Mais l'avenir, cher ami, l'avenir. Une lectrice de LES GRANDS VENTS achètera peut-être le suivant puis les autres que tu écriras. Tu vas te bâtir une carrière brique par brique, l'une sur l'autre, petit à petit. C'est ça qu'il faut faire.

Alain reconnaissait là sa propre pensée mais elle ne lui donnait en ce moment aucun plaisir.

— Pour ce que ça apporte, écrire. Au prix que ça coûte. Se mettre le coeur sur la table et entendre tout à chacun le mépriser. Se faire exploiter par un éditeur. Se faire ignorer par les média, rapetisser par la critique. Essuyer des opinions vaches. Y'a-t-il un seul produit qui se fasse autant analyser, décortiquer, autopsier? Et c'est une petite minorité qui le consomme. On se le prête pour ne pas l'acheter. On dit qu'un livre c'est cher pour s'excuser de n'en jamais acheter. C'est un sale, sale métier que personne ne respecte.

— Allons, allons! Le monde t'attend.

Et voilà qu'on rêvait pour lui maintenant.

— Oublions l'écriture; je suis ici pour apprendre autre chose de plus... payant.

— Tu t'es cogné quelque part? T'as une lèvre bleue et enflée.

— Un coin de porte...

— Tiens, je te présente Stéphane.

Et Joseph fit connaître un adolescent qui l'aidait à monter et défaire les installations et qui tenait la caisse à l'occasion.

Alain lui posa des questions sur la tâche tandis que Joseph retournait répondre à des clients.

Moins d'une minute après, on le toucha à l'épaule et Joseph lui dit:

— J'ai deux clientes qui voudraient bien que tu signes leur livre. Viens...

Il tourna la tête, vit qu'il s'agissait des mêmes personnes, une blonde longiforme à cheveux emmêlés et une petite brunette à grands yeux naïfs.

''Qu'est-ce que je fiche ici?'' se demanda-t-il en même

temps que Joseph l'entraînait par le bras.

Il fut présenté, se composa un sourire commercial. Il les abreuverait d'hypocrisie... et ça le soulagerait et ça le vengerait d'avoir à lire dans leurs yeux ces petites lueurs de curiosité morbide. Il dit à la blonde avant de signer le second:

— Vous devriez plutôt prendre mon autre là-bas. Vous pourriez vous l'échanger.

— On en a discuté mais chacune veut le sien. L'autre... ça nous intéresse moins... Trop politique... Le référendum, nous autres, on laisse Lévesque et Trudeau s'arranger avec ça entre eux.

— Votre prénom?

— Diane.

Après l'autographie, l'auteur remit les livres à Joseph qui demanda:

— Vous voulez qu'on les mette dans le même sac?

Elles acquiescèrent.

Puis elles repartirent, inondées des sourires reconnaissants de Joseph qui adressa aussitôt son amical reproche à Alain.

— Tu n'es pas assez chaud avec tes lectrices.

— C'est que j'ai pas le goût aujourd'hui.

— T'as des problèmes?

— Une petite engueulade. Ma femme est pas contente parce que je reste.

Joseph questionna. Alain fit des réponses vagues mais l'autre sut lire entre les lignes et jusqu'entre les mots. Et entre deux clientes, il déclara:

— Mais qu'est-ce que tu fais dans cette galère? Enterre le passé. Tu trouveras quelqu'un facilement. C'est plein de jolies femmes: regarde devant toi...

— Faut pas me parler des jolies femmes aujourd'hui!

— Je crois qu'il va pleuvoir, hein?

— Il en tombe déjà des brins, commenta Alain en allongeant une main ouverte.

On vint demander des renseignements. En une phrase, Joseph bâcla la vente. Il répondit au salut de clientes familières passant devant. Une voix domina la rumeur et les bruits:

— Pep... si... Cho... colat... Cigares, cigarettes. Pep... si.

Une adolescente, l'oeil indifférent, la démarche masculine, criait les syllabes en traînant une voiturette à triple étage, remplie d'effets. Un coup de vent vint annoncer l'averse. À cette minute précise, dans tout ce brouhaha, Alain prit conscience que Viviane avait fini par jeter à terre les ruines déjà bancales de leur union. Alors lui vinrent au coeur les mots les plus simples et les plus idiots qu'il connût:

"Je l'aime pourtant!"

— Écoute que je te raconte mon premier ménage...

Alain enregistra l'histoire entière de Joseph mais il ne devait rien en tirer pour lui-même ce dimanche. Quatre jours plus tard, il se la remémora lorsque la femme de Joseph la lui raconta à son tour avec les nuances qu'y pouvaient imprimer ses propres perceptions de femme.

Absente le dimanche après-midi, c'était à son tour d'aller vendre des livres et il avait été convenu qu'Alain l'accompagnerait afin de parfaire ses connaissances du métier.

Tout était monté quand il arriva au stand au coeur de ce jour nuageux et menaçant. Angéline n'avait qu'une jeune fille pour l'aider. Il se demanda qui avait pu les installer, marier les tubes de la structure, tendre cette toile lourde, placer les tables puis les stocks. Pour le savoir, il dit:

— C'est de valeur que je ne sois pas arrivé avant; j'aurais pu vous aider à monter le display.

— Aucun problème, je suis habituée.

— Les ventes sont bonnes?

— Tranquille... Mais ici c'est meilleur le soir.

Dans les heures qui suivirent, elle l'instruisit de plusieurs trucs et ils ne se parlèrent que de livres. Puis elle confia la caisse à son aide et invita Alain à l'accompagner dans une marche sur le terrain. Et c'est alors qu'elle remonta le temps jusqu'au jour où elle avait connu Joseph, six ans auparavant. Et dans une deuxième longue tournée des stands, elle répondit à ses questions sur elle-même, son milieu familial, son premier mariage.

Ils allèrent ensuite manger dans une bâtisse où se tenait un encan d'animaux, assistèrent au spectacle donné par l'encanteur bilingue et dont la chanson monocorde fascina Alain qui se serait laissé aller à renchérir s'il n'avait craint de rester collé avec un veau.

Angéline conclut sur sa vie dans un jugement qu'elle appliqua à tout le conjugal:

— Quand on se marie la première fois, on ne sait pas ce qu'on fait. Mais la deuxième, c'est très différent et c'est pour ça que ça va mieux alors.

En soirée les clients affluèrent. La caisse gonfla. Une femme au regard dur tapota un dictionnaire, fit confirmer le prix, dit:

— Deux dollars de moins et je le prends.

— Nos prix sont fermes, madame, fit Angéline en appuyant sur chaque mot. Ce sont les plus bas, mais ils sont fermes.

La femme jeta un regard vicieux et marmonna en ouvrant son sac:

— Avec des Juifs, on s'essaie.

— Chère madame, je suis juive et j'en suis fière. Si le prix ne vous convient pas, vous pouvez toujours passer votre chemin.

Et pendant que l'autre payait tout de même, elle renchérit d'une voix autoritaire:

— Je n'ai jamais cassé le bras de quelqu'un pour lui vendre quelque chose. Le dictionnaire est en français pas en hébreu. Si vous trouvez que le prix est juif, tant mieux parce que vous ne l'aurez nulle part à si bon marché. Voici votre monnaie. Je calcule... trente... quarante dollars. Et libre à vous de me dire merci. Bonsoir chère madame.

La cliente repartit sans un mot ni même sourciller, le regard froid et haut.

— Comment juive? s'enquit Alain.

— J'ai embrassé la religion de Joseph.

— Je veux croire mais comment l'a-t-elle su?

La femme montra un médaillon, étoile de David en or qu'elle portait dans son décolleté.

Sur le chemin du retour, Alain additionna les événements des derniers jours. La solidarité de ce couple l'étonnait. Cette façon que Joseph avait de la rendre responsable de tous ses bonheurs. Et cette poigne solide qu'elle avait pour le soutenir.

Mais bien au-delà, il les trouvait libres comme des Gitans et ce grand air frais venu d'horizons neufs lui redonnait du souffle.

Il fixa souvent le dôme lumineux au-dessus de la métropole en s'imaginant des lendemains de toutes les réussites.

Quelques jours après, souffrant d'otalgie, il subit un examen médical. On localisa une légère perforation du tympan déjà en voie de guérison.

— Vous saisirez quelques décibels de moins, commenta le docteur en souriant.

— Pour ce que la vie vaut d'être entendue, fit Alain sur le même ton.

Quinze jours plus tard, il commença sa tournée. Lever tôt. Route. Travail de mise en place dans l'école visitée. Encaisse. Journées interminables. Retour. Réapprovisionnement. Sommeil écourté. Nouveau départ.

Quelques rencontres impromptues. Échanges brefs avec Aline. Les vents d'automne. La neige. Les semaines, les mois qui se confondent. Noël est arrivé. Il est minuit passé. Alain quitte un petit restaurant où il a fêté avec ses nouveaux amis.

Le gel blanchit les noirs. La rue est vide. Les colonnes de fumée s'échappant des cheminées et que dessine la lune sont d'un silence éloquent.

L'homme reste debout. Ses yeux luisants parcourent la nuit. Il est seul au milieu de la rue. Sa famille, ses amis, son passé, son futur: tout est ailleurs, ailleurs...

Chapitre 3

1980

— T'as pris un peu de poids, on dirait.

— Qu'est-ce qui te le fait dire?

— Tes seins sont plus ronds, plus pleins.

— Monsieur a les mains averties.

— Les autres qui te touchent le sont-elles moins?

— Il n'y a que celles de mon cher mari et ça leur arrive pas souvent.

— Vous ne faites pas l'amour tous les jours comme de vieux habitués?

— Presque... mais il le fait à la 1930. Vite dedans. Vite dehors. Vite endormi.

— Bah!... c'est de la vieille salade, ça! Y'a plus d'hommes comme ça! La mode est à la performance mâle!

— C'est tout ce que tu peux dire. Mais moi, ça me dérange pas; je me suis adaptée à sa manière. T'as vu que ça me prend pas une heure...

— En effet! Mais je dois dire que t'es plutôt exceptionnelle... Du moins, je pense, parce que mon jardin n'est pas si grand.

Elle ne fit aucun commentaire, ferma les yeux pour mieux se

laisser bercer par la caresse légère que lui prodiguait son compagnon de lit depuis qu'ils avaient fait l'amour quelques minutes plus tôt dans cette chambre luxueuse à tons fauves.

Dans un soupir exprimant plus d'inquiétude que d'espérance, il dit d'une voix traînante:

— Ouais... l'année du renouveau a déjà sept jours... J'espère que la séparation se passera dans la dignité... Qu'on restera de bons amis, cette chère épouse et moi.

— Ils disent tous ça.

— Mais moi, je le pense... je le pense...

Ses yeux quittèrent la poitrine que ses doigts continuèrent de douilleter, pour se poser dans un lointain profond par delà le grand miroir de la commode qui allongeait des lignes délicatement modernes sur un mur si long qu'il en paraissait faussement bas.

— Parle-moi de toi, fit-il soudain pour chasser de sa gorge un noeud qui avait commencé de s'y former.

— Tu sais tout de moi.

— On ne sait jamais tout d'une femme; on ne connaît que sa version.

Aline ouvrit subitement les yeux. Alain attribuait à toutes les femmes l'image de la sienne et cela devenait agaçant certains jours où la patte de son mari s'était posée sur elle plus lourdement que d'habitude. Mais elle l'oublia illico. Après tout elle ne sentait aucune menace venir de son amant. Il était son nounours d'occasion en qui elle puisait des énergies pour affronter celui dont elle partageait le lit depuis quinze ans, qui y prenait toute la place et qu'elle avait surnommé King Con.

En laissant courir sa main jusqu'entre ses jambes, Alain jeta, pince-sans rire:

— Au fond, tu l'aimes, ton homme. Lui, il l'a la vraie méthode avec une femme.

— Ça fait dix fois que tu me chantes cet air-là et ça fait dix fois que je te réponds la même chose.

— Vas-y pour la onzième.

— S'il ne relâche pas sa pression, je le quitte cette année. J'en ai ras-le-bol.

— Erreur, erreur, erreur, fit Alain en secouant la tête et plissant le front.

— L'erreur, c'est de comparer ta situation à la mienne. Y'a pas deux soupes pareilles. Mais ne t'inquiète pas, si je le laisse, ça ne sera pas pour aller avec toi ou un autre. Je vivrai seule... Et libre! Enfin libre!

C'est ce que je vais faire à partir de juillet. Encore que je me demande si la solitude libère ou bien emprisonne. Qu'en dis-tu?

Elle s'esclaffa, répondit:

— C'est une prison que je voudrais bien avoir, moi, en tout cas.

— Même si je suis contre l'idée, je me demande bien pourquoi tu ne pars pas de chez toi.

— Premièrement j'ai un enfant trop jeune. Deux, je ne gagne pas assez d'argent.

— Tu te débrouillerais facilement.

— C'est moins facile que tu penses.

— On finit toujours par s'en sortir. C'est de la paresse morale, celles qui disent qu'elles sont vis-à-vis de rien après dix ou quinze ans consacrés à leur mari et aux enfants. On se crache dans les mains et on fonce...

— T'as peut-être raison? Possible que je manque de courage... Je me le demande chaque matin devant mon miroir.

Elle sourit, lui toucha le pénis, dit:

— Tu devrais m'en injecter une deuxième dose pour que je passe mieux la semaine.

— Je ne sais si je le pourrais. Deux fois de suite, je laisse ça aux plus jeunes. Au lieu d'un amant de quarante, prends-en deux de vingt et tu auras huit fois plus de sexe.

— Quand femme veut...

Et elle appuya sa caresse.

Il ferma les yeux avec force, dit:

— Curieux, j'ai jamais raté mon coup avec toi. Et avec d'autres bien...

— Comme ça monsieur ne m'est pas fidèle sur la route?

— De cœur, bien sûr.

— Et de corps?

— Comment veux-tu honnêtement que je puisse refuser de faire l'amour avec une lectrice qui le désire et fait les avances?

— Ça t'arrive vrai?

— Assez souvent.

— Ça me fait peur.

— Pourquoi?

— Les maladies...

— Minute, mes lectrices sont pas des femmes à maladies, qu'est-ce que tu vas chercher là?

— Qui sont-elles?

— Elles m'aiment bien et je le leur rends.

— Oui mais quel type de femmes sont-elles?

— Y'a pas de prototype.

— Soyons plus précis: celles avec qui tu as fait l'amour, comment étaient-elles?

— Physiquement?

— Question superflue. On ne va pas au lit avec une femme qui n'a pas d'attraits.

— Et au lit?... Voilà ce que tu veux savoir, hein? T'a pris tout un détour. Les femmes veulent toutes être la meilleure.

— Mon oeil! Ça, c'est de l'homme tout pur.

— Je vais te dire... Esther était fougueuse; Dorothée, peureuse; Louise, exquise; et Normande, gourmande.

Les confidences ajoutèrent au résultat des caresses mutuelles.

— Je commence à être pas mal prête... et semble que toi aussi. Viens voir ta meilleure, mon grand.

Il roula sur elle, se mit entre ses jambes et la pénétra doucement.

— Tu continues à me raconter tes exploits?

— Oui, j'ai manqué mon coup souvent, je te l'ai dit tantôt. Une était complètement passive. Une autre manquait d'hygiène et dégageait de mauvaises odeurs et ça, ça ferait débander King Kong lui-même.

Elle éclata d'un long rire sonore qui se répercuta dans son ventre et qui fit perdre à son amant ses grands moyens. Il rit et se rejeta sur le côté.

— Faire l'amour c'est sérieux. On se reprendra quand on le sera. Et puis, c'était pas si drôle, ce que j'ai dit.

— C'est que tu m'as fait penser à mon cher mari.

Et elle parla à nouveau de ses attitudes envers elle et de l'image de grand singe dominateur qu'il lui donnait souvent.

— J'ai froid aux fesses, pas toi?

— Non.

— Je nous recouvre quand même.

Il tira sur eux un drap puis le couvre-lit et ils s'étendirent en parallèle.

— Ce qui se passe, c'est que la vie de papillon à quarante ans, c'est pas si simple. Avec une femme tu peux t'entendre tout de suite, mais avec une autre, rien ne marchera au lit. Chacun arrive avec ses bibittes. Comme moi, j'en ai un bon voyage...

— J'espère que tu m'en feras pas attraper.

— Arrête de me niaiser.

— L'herpès et tout ce qui court.

— Non, mais t'as une phobie des maladies, madame Howard Hugues.

— J'ai remarqué que tu parles souvent de Howard Hugues. Est-ce que par hasard, tu ne lui ressemblerais pas un peu? Un tantinet moins riche bien entendu...

— Tu te moques de moi; je vais te pincer les fesses. Tiens...

Elle cria joyeusement et quand il eut fini de se venger, elle ajouta:

— T'es original... solitaire... mystérieux... Tu rêves grand...

— Je cours les jolies femmes.

— Je ne te l'ai pas fait dire.

— J'ai des lubies plein la tête...

— Revenons à tes blondes d'occasion.

— Ah non!...

— Dis, dis. Raconte, raconte.

— Ecouteuse!

*

Quelques jours plus tard il devait reprendre sa course effrénée autour du Québec. Avant de quitter, il avait laissé un mot à l'intention de sa femme. C'est à cela qu'il pensait en jetant, depuis sa chambre, un regard intense sur le lac Témiscouata dont l'interminable plaque se découpait jusqu'à l'horizon bleu entre des côteaux gelés.

Il pensa au monstre qu'on disait y apercevoir les soirs de pleine lune, l'été. Le pauvre aurait eu bien du mal à se montrer la crête à travers cette épaisseur blanche. Il devait dormir paisiblement quelque part au fond en attendant son heure de faire peur.

Alain alluma la télé, s'assit devant sans y porter attention. Les mots de son mot s'écrivaient sans cesse en son esprit:

"À mon retour, j'entrerai en contact avec un agent immobilier pour la vente de la maison. Le plus tôt sera le mieux. Tu auras ensuite tout le temps... Toute la vie pour te rebâtir ailleurs..."

Bien sûr qu'elle ne dirait rien. Et ce n'était surtout pas pour obtenir une réaction, mais au nom de la dignité, pour qu'elle sache à quoi s'en tenir. Car il l'avait avisée froidement un soir, deux semaines après qu'elle l'eut frappé, qu'il s'en irait fin juin et qu'elle devrait se reloger aussi puisque la maison serait alors vendue. Il avait dit que l'équité serait séparée également entre chacun à condition qu'elle se comporte dignement. Elle avait déclaré qu'elle acceptait sa décision, le passé ayant démontré que ça ne pourrait jamais aller entre eux.

Il retourna à sa fenêtre et se dit tout haut avec nostalgie:

— Elle voudrait revenir sur tout cela que je ne le pourrais pas. Tout est démoli. Tout est consommé dirait Jésus-Christ, ce cher Jésus-Christ.

Il sourit, poursuivit:

— Joseph aussi pense comme ça: quand c'est fini, c'est fini. Ils ont le sens de la coupure, ces Juifs-là. Tranchent comme dans du beurre dans les vieilles attaches. Coupent les prix... les prépuces... Tout...

Il alla s'étendre sur le lit, se mit à psalmodier:

"Qu'est-ce qu'on peut faire à Cabano un soir de spleen quand son frère dort au fond du lac gelé! Qu'est-ce qu'on peut faire un soir d'hiver à Cabano au bord de l'eau quand le passé n'a pas été, que l'avenir n'a pas d'été? Une petite bière? Tout est fermé car c'est dimanche. Une petite femme? Toutes sont cachées; c'est soirée blanche. De Gatineau à Cabano et de Rigaud à Baie-Comeau, je roule ma vie page par page et sans savoir qu'en toutes les eaux se cachent des rêves et des regrets. Regrets et rêves. Rêves et regrets. Qu'est-ce qu'on peut faire à Cabano le coeur gelé sous un lac blanc?..."

Au souper, il se rendit au centre du village, trouva comme il l'espérait un restaurant ouvert. Quelques clients, des couples de jeunes, y flânaient en discutant à des cabines de bois verni séparées par des rangées de fuseaux luisants.

Il s'assit dans un coin opposé. Il n'avait rien à faire à ce moment-là des propos de gens de cet âge et voulait manger en écoutant ses propres réflexions. Une serveuse aussi pâle que timide vint lui indiquer que le menu se trouvait déjà sur la table entre salière et poivrière. Il le consulta longuement sans pourtant lire quoi que ce soit. Son esprit voyageait en l'époque de son adolescence alors qu'il avait passé tant de soirées au restaurant du village à téter un Pepsi avec une paille comme ces jeunes là-bas. Le curé qui promène sa vieille pipe fumante sur le chemin du presbytère. Six soeurs aux allures de pingouins qui jacassent en groupe serré en revenant d'une marche qui les a conduites Dieu sait où. Un taxi manchot à cheveux en brosse qui retient son ventre et son souffle à l'arrivée de l'autobus qui lui offrira peut-être un client.

Un temps de grande solitude déjà! Il est tard: neuf heures. Les copains sont rentrés. C'est la lutte à la télévision. Kowalski. Jonathan. Yvon Robert...

— Vous avez choisi? dit la voix craintive qui le fit pourtant sursauter.

— Oui, répondit Alain en lisant quelques lignes à la hâte. Une soupe riz poulet et... un steak haché.

— Medium?

— Bien cuit.

— Breuvage?

— Bah!... un café... Non, je ne dormirai pas... Un lait

plutôt. Tiens, un Seven-Up et tout de suite; j'ai une soif. Et un lait avec le dessert tantôt. Ça va?

Elle fit un signe de tête affirmatif et repartit. Il retourna à son passé, remonta plus loin que précédemment, s'arrêta quelque part vers 1950.

La cloche de l'église appelle enfants et vieillards à la prière du soir. Alain est déjà sceptique: "Pourquoi aller là, hein, maman?" "Pour que finisse la guerre de Corée." "C'est quoi la Corée?" "Un pays." "Et pourquoi vous y allez pas vous, hein?" "Parce que j'ai le souper de ton père à préparer, la vaisselle à laver, du ménage..." "C'est plate, la prière..." "Tiens, regarde les petites Blais, elles y vont, elles." Il jette un oeil brillant sur les gamines. Gaëtane y est. Alors il dit hypocritement: "O.K. d'abord!" Gaëtane c'est sa blonde. Il l'a déclaré devant ses copains. Il l'a choisie; elle est à lui. Il y a pensé le premier. "Tu lui à même pas parlé!" a dit Claude. "Oui, menteur, plusieurs fois," ment-il. "Ben moi, c'est Denise," affirme Claude. "Moi c'est Hélène," dit le petit Clément qui a toujours le dernier choix. "Ha, ha, ha, Hélène, elle a les yeux croches!" "Pis Gaëtane, elle a des picots dans la face!" "Baise ma galette!"

Le vicaire marche dans le choeur d'un pas rapide qui fait claquer sa soutane comme drapeau par grand vent de printemps. Alain a pris place derrière l'église, dans le dernier banc. Mais il n'a pu repérer les fillettes. Et pourtant il y a si peu de monde. Peuvent-elles n'avoir fait qu'un arrêt pour saluer le Seigneur avant de ressortir par la porte de l'autre bout pour aller au couvent? Non, les soeurs sont là.

"Au nom du Père et du Fils et du Saint-Es..."

La monotonie de la voix du prêtre s'installe en l'âme de l'enfant. Il rêve. Dans la semaine, il a joué avec les filles dans la cour de récréation. On a fait la chaîne. Il a pris la main de Gaëtane. Elle lui a fait des sourires. Mais il n'a pas osé lui parler. Et puis la soeur est venue sur la galerie lui dire de s'en aller jouer avec les garçons.

"Je vous salue Marie pleine de grâce, le Seign...

Une note d'orgue se fait entendre. Des rires étouffés fusent.

Alain comprend pourquoi il n'a pas vu les fillettes. Elles sont au jubé de l'orgue. Sans doute pour une pratique de la petite chorale...

Une soupe aussi claire que celle que lui servait sa mère trente ans auparavant lui fut mise sous le nez. Mais celle-ci dégageait un délicieux arôme. Il la goûta, la trouva bonne, l'accompagna de pain beurré.

Les personnages de son enfance vinrent hanter sa mémoire. Tous beaux, même et surtout dans leurs travers. Il eût voulu qu'existât une machine à retourner dans le temps pour le plonger tout entier dans l'insouciance de l'enfance, époque de normes, de lois, qu'il avait tant d'émotion à transgresser.

Il porta la main à l'intérieur de son veston en sortit machinalement un stylo avec lequel il écrivit des noms sur une serviette de table. À chacun il se rappela toute la couleur du personnage, se dit que chaque village, chaque paroisse de 1950 avait dû en contenir de semblables.

Soudain il leva son stylo, en regarda la pointe, promena ensuite son regard sur les bancs qu'il jugea vieux d'un quart de siècle...

— Excusez, fit la serveuse en approchant l'assiette.

— Ça va, ça va, j'étais un peu parti.

Quand elle s'éloigna, il se dit que la jeune fille devait certes lui trouver un petit air débile de fixer de la sorte ce qui pour elle, ne pouvait être que le vide.

Mais il venait de la trouver, sa machine à remonter le temps. Il la tenait entre ses doigts. Sa plume lui permettrait de s'évader vers le passé, d'y revivre les situations les plus belles, d'en retracer les valeurs les plus intéressantes et les plus sûres.

Il en ferait un roman de tous ces noms. Il les lierait, les imbriquerait dans une intrigue. Puis il coucha des mots pour qualifier cette histoire: simple, belle, plausible pour le temps. Il fallait d'autres personnages: des fictifs qu'il suivrait plus aisément à la trace par les dédales de son imagination jusque dans leur intimité.

Quand il avala la première bouchée, la frite était froide. Mais nombre de serviettes de table étaient noircies. Il les plia, les empocha...

Tôt le lundi matin, il recula son camion aux portes de l'école polyvalente. Elles étaient verrouillées. Pas âme qui vive dans le large couloir qu'il pouvait apercevoir à travers les vitres. Pas de véhicules dans la cour. Qu'une poudrerie vicieuse et glaciale s'insinuant et brûlant! Les concierges, les gens de cuisine sont toujours si tôt en poste, songea-t-il. Il y aura, comme c'est fréquent autour des polyvalentes, quelque cour cachée avec des autos garées. Il fut sur le point de retourner dans son camion pour s'y protéger de l'hiver et mieux explorer les environs lorsqu'il aperçut, débouchant d'une issue dans le grand couloir, un homme armé d'une large vadrouille. Il l'alerta en frappant la vitre avec une clef. L'autre fit un signe empressé, s'approcha, ouvrit, demanda de quoi il retournait. Alain s'expliqua. L'homme s'exclama:

— Mon cher monsieur, on m'a parlé de vous. Votre exposition, ça va se passer juste là. Si vous avez besoin d'aide ou de quoi que ce soit, je suis votre homme. Appelez-moi Ti-Rouge comme tout le monde.

— Un diable suffirait.

— Entrez vous chauffer, je reviens dans trois minutes.

Il fallut deux heures pour que l'exposition soit prête à recevoir des groupes d'étudiants. Et alors la pièce devint une ruche bourdonnante. Rires, enthousiasme, éclats de voix, le tout dans un ordre qu'il se surprenait à découvrir chaque fois qu'il visitait un de ces monstres à mauvaise réputation souvent bâtie de toutes pièces par les journalistes.

Alain se plut dans cet environnement de chaleur humaine et de joie adolescente. Elle était bien loin de son esprit l'image de l'étudiant blasé, bardé de cuir et de pot, la jambe appuyée à un mur et les mains dans les poches, s'exprimant par onomatopées et grimaces sur un monde adulte à renverser. Là comme ailleurs, il put voir les exceptionnels m'as-tu-vu des écoles qui, bien que peu représentatifs, leur bâtissent trop souvent un mauvais nom.

Le lendemain, Ti-Rouge lui présenta un document énorme et lui glissa avec un clin d'oeil:

252

— Notes personnelles.

— Ah!

— J'ai fait une partie de l'Europe à pied durant la deuxième guerre. J'ai assisté à l'ouverture des camps en 45. J'avais écrit un petit journal. Oh, pas grand-chose! C'est ça plus des souvenirs... J'aimerais votre avis. Qu'est-ce qu'on pourrait faire avec ça?

Durant la journée Alain en prit connaissance. Le manuscrit fourmillait de détails pittoresques et du plus grand intérêt. Il fut attristé de ne savoir qu'en faire et au moment de partir, il en fit part à Ti-Rouge en lui remettant la pile de feuilles.

— J'avais pensé... des fois...

— Je serais mal à l'aise d'écrire sur un sujet qui ne soit pas d'ici... Au moins nord-américain, je veux dire. Quand l'action se déroule au pays ou bien aux Etats, ça va; mais ailleurs, faudrait que j'y vive.

— Ah, ça se comprend! La deuxième guerre, c'est un sujet usé à la corde.

— Faudrait vous adresser à de gros éditeurs. Certains ont des nègres... je veux dire des auteurs qui peuvent comme ça prêter leur plume à d'autres.

— J'ai écrit à plusieurs: pas de réponse de personne.

— Vous comprenez, ils ont besoin de tout leur temps pour remplir des formules de demandes de subventions.

— Bon, je vais remettre ça dans ma vieille valise de l'armée...

— Donnez-moi deux ou trois ans... Peut-être qu'alors je pourrai... On sait jamais.

L'année suivante, Alain devait apprendre que Ti-Rouge était décédé. Et alors, il se dirait que la réponse qu'il lui avait donnée en avait été une d'éditeur.

*

Les semaines s'entassèrent, l'enterrant d'oubli. Les rares journées où il était chez lui, il restait dans l'attente d'une réaction de Viviane, d'un mot, d'une question, d'un soupir.

Quand le soleil de mars eut fait caler de moitié les montagnes de neige devant les maisons de la rue, elle en posa une:

— T'avais pas dit que tu prendrais un agent immobilier?

— Ouais, ces jours-ci là!

Mais c'était si facile de remettre à plus tard. À l'altercation suivante qu'elle provoqua pour qu'il bouge, il se décida. Il descendit de quelques marches l'escalier fermé le conduisant à son bureau et s'assit pour prendre un dernier souffle. On l'ignorait là et il surprit une conversation qui mit le point final à sa décision.

— Tu vois bien maman qu'il n'y a rien à faire avec lui.

— T'inquiète pas, ça achève.

— Il s'est décidé à vendre la maison?

— Ça fait vingt fois qu'il le dit; j'espère que ça va finir par être vrai.

Il ferma les paupières le plus fort qu'il put pour retenir ses larmes que trois mots incessants lançaient sans pitié à l'assaut de ses yeux "Et toi aussi... et toi aussi..."

Puis il dévala l'escalier sans prendre garde au bruit. Parvenu à son bureau, il étala devant lui les journaux locaux. Il appella la plus belle et la plus blonde des agents.

Après avoir raccroché, d'autres larmes lui échappèrent. Une fois encore il les rejeta dans sa rage en se remémorant l'objet de la dernière prise de bec avec Viviane dix minutes auparavant.

— Tu tournes autour de mes compagnes de travail et ça, je te le défends, avait-elle dit.

— Ça ne te regarde en rien puisque tu ne vis plus avec moi.

— Je suis toujours là.

— En étrangère... Tu ne veux plus de ton mari mais ton mari n'est pas encore mort.

— En tout cas, je te préviens...

Il reprit le récepteur, plissa les yeux, serra les dents, composa le numéro de la meilleure amie de Viviane. Aux deux occasions où il lui avait parlé, il avait pu lire son acceptation dans ses yeux et entre les mots.

Quand elle répondit, ils s'échangèrent des banalités puis il fonça droit au but bien qu'à voix retenue:

— Je ne peux te parler très fort ni très longtemps mais... je me demande si on ne pourrait pas se voir...

— On peut bien? Qu'est-ce que t'en penses? dit-elle, espiègle.

On prit rendez-vous. L'après-midi suivant, il était en elle. Après l'amour il dit ce qu'il n'aurait pas osé dire avant, de crainte qu'elle ne se refusât au dernier moment:

— As-tu songé que tu venais de faire l'amour avec le mari de ta meilleure amie?

— Et puis quoi? Ça ne lui enlève rien, non?

— Les femmes, d'habitude...

— Si l'homme me plaît, l'offre est acceptée. Je vis pour moi-même. Et si je mourais la semaine prochaine, hein? Je ne veux pas en perdre une goutte de cette vie. C'était bon tantôt? Ça l'est encore? Et si t'as le goût, je suis prête à recommencer tout de suite.

— Toi, tu me fais penser à quelqu'un... C'est vrai que les femmes commencent à se libérer.

— Ça te fait peur? Comme à tous les hommes?

— Probablement!

Il cligna des paupières puis se mit sur le côté pour la caresser en goûtant tous les attraits de ce corps, neuf pour lui.

— Comme ça, je t'ai fait une offre que tu ne pouvais refuser!

— Écoute, mon grand, c'est que t'as de l'allure.

— Ça pleut les hommes qui ont de l'allure et qui font des offres, non?

— Y'en a pas mal.

— Ah, ah...

— Y'a autre chose que tu voudrais savoir?

Il fit un geste des épaules, dit:

— Peut-être...

— Tout ce que tu voudras.

— Ça, tu refuseras de me le dire.

— Essaie toujours.

— Raconte-moi la minute, l'instant du plus fort orgasme de ta vie.

Elle s'esclaffa. Il ajouta:

— Et puis, pas de diplomatie... Avec les circonstances, la chaleur qu'il fait ici, c'est sûrement pas aujourd'hui. Mais pour te mettre à l'aise, disons avant aujourd'hui. Peut-être que tu t'es jamais posé la question?

— Sûrement! Et j'ai la réponse.

— Alors?

— C'était en Floride... sur une plage... Dix ans, douze ans de ça...

— Pas le mari de ton amie, j'espère?

— Presque...

— Comment ça?

— Fiancé avec une fille que je connaissais bien. J'étais là-bas avec deux autres femmes. Un clin d'oeil sans que ça paraisse et il s'y est pris pour me donner rendez-vous. Il m'a emmenée dans un coin désert sur une plage. C'était la première fois que ça m'arrivait dans le sable.

— Et c'est tout?

— Tu veux d'autres détails?

— Pourquoi pas? Ça commence seulement à avoir du piquant.

— J'avais les fesses dans le sable. Il m'a pénétrée, m'a fait monter, monter... Et quand j'ai été sur le bord du bout, il est sorti et il est allé me mordre... là... sur le pu... comment on dit?

— Pubis.

— Voilà!

— Il t'a fait mal?

— Je pense bien; j'ai eu des marques de dents durant trois jours. Mais j'ai perdu le nord, pas rien que le nord, tous les autres points cardinaux. Il est revenu finir en moi mais j'étais partie chez les anges.

Alain taquina:

— C'est pas rose de laisser des femmes partir en vacances toutes seules.

— C'est juste une petite revanche pour ce que les hommes se permettent à l'année longue.

— Tu veux que je te morde?

— Faudrait que tu me fasses monter avant.

— Tu me fais penser à une femme qui m'a dit que son meilleur orgasme, elle l'a eu en accouchant. Maso, non?

256

— Et toi, qu'est-ce que ça fait de tromper ta femme avec sa meilleure amie?

Il la mordilla un peu avant de répondre!

— Ça fait du bien, beaucoup de bien.

*

Des jours amers remplirent son coeur. Cette colère triste faisait s'envoler la promesse de dignité. Il ruminait sans cesse mille façons de se venger. Car dans ce qu'il appelait le partage des guenilles, s'il avait voulu s'écarter de la formule kif kif entendue, elle l'aurait fait passer pour mesquin et avec raison, se disait-il avec le peu de bon sens qu'il mettait dans ses décisions portant sur ce qui avait trait à leur séparation prochaine.

Mais dès que l'occasion le lui permettait, il crachait des mots violents, choisis, pesés pour faire du mal.

"Je vais refaire ma vie avec une plus jeune."

Et pour piquer aussi sa fille qui l'avait frappé plus durement que sa mère en prenant position contre lui, il ajoutait:

"Et j'aurai d'autres enfants."

"Le jour n'est pas loin où j'aurai de l'argent comme ça; pour toi, il sera trop tard."

Si dures étaient toutes ses phrases, elles se heurtaient à une véritable muraille de Chine. Il avait beau courir et chercher une ouverture pour le traverser, le mur orbe n'avait ni failles ni fin.

Un jour, il se rendit compte que Viviane refusait de coopérer quant aux visites de la maison par des acheteurs éventuels, et qu'elle s'en prenait à l'agent. Quelle chance de lui en faire baver! Il tâcherait de multiplier les rendez-vous avec la jeune femme, ferait visiter lui-même les lieux les vendredis et samedis à son retour de voyage. Sous prétexte de faire connaître à Viviane l'évolution de la situation, il soulevait souvent le voile sur la fréquence, la longueur et l'agrément de ses rencontres avec l'agent. Divorcée de fraîche date, la flamboyante jeune femme se plaisait au jeu. Mais puisqu'il fallait un aboutissement, un soir il donna sa signature, en retour de quoi il sabla le champagne avec elle dans une chambre de motel.

Pourtant, de retour chez lui, il s'effondra corps et âme et il pleura le reste de la nuit. Les sanglots, par longues vagues interminables, lui agitaient la poitrine et la gorge pour sortir de ses yeux clos en un violent ressac. Une fin, une brisure, une mort alimentaient ce déferlement qui le noyait, le noyait.

La tournée des écoles avait pris fin. C'était mai. Un mai qui s'achevait dans des ciels bleus et des immensités verdoyantes, ce qui, contrairement à la croyance populaire, conduit bien plus que la pluie et les grands vents d'automne, l'âme au vague, le coeur à la mélancolie et l'esprit au suicide.

Mais lui devint fébrile. Mille détails prirent de l'importance. Il fallait régler ceci, s'occuper de cela. Il avait annoncé posément la nouvelle de la vente de la maison et c'est ainsi qu'il continuait de se comporter dans la dignité retrouvée.

Le premier jour de juin, l'oeil rempli d'émotion et braqué sur des temps heureux, il écrivit sur une feuille blanche le titre de son prochain roman: ANNÉE SAINTE. Une histoire d'amour serait le fil conducteur de l'intrigue. Un amour sans fin ni banalité, impossible pour la plupart et, pour cette raison baigné de religion, d'inaccessible, de sublime. Le prêtre parut en son esprit puis la jeune fille puis les situations... Elle fonctionnait à merveille sa petite machine à remonter le temps... Juin s'égrena comme un rosaire tandis que son esprit folâtrait entre l'église paroissiale, le presbytère et le couvent de ses jeunes années. Drogué volontairement d'intensités, de souvenirs, de travail forcené, il oublia tout à fait les derniers tourments d'une vie familiale vieille de dix-sept ans.

Viviane était devenue une parfaite étrangère, froide et dure comme le fer. Quant à sa fille, dans son habituelle discrétion, elle fuyait sa rare présence.

Vint le moment de déménager. Il s'était trouvé une maison tranquille à proximité d'un lac. C'est là qu'il pourrait le mieux faire l'amour avec la solitude et l'écriture, ces maîtresses superbes et dociles dont il disposerait à sa guise comme de poupées gonflables.

Peu importent les montagnes de terre autour de la maison, la grande pièce non finie aux murs en blocs de béton, le téléphone qui n'est pas encore raccordé, les meubles qui manquent! En 1950, on ne disposait pas du quart de tout cela et pourtant les moindres gestes pouvaient valoir tant de ces sublimes vibrations à jamais enfuies avec les valeurs d'alors.

Il disposa vite de ses choses afin de se remettre à la tâche sans perdre une seule heure. Toiles baissées, climatiseur au maximum, ni téléphone, ni réfrigérateur, personne qui lui marche sur la tête, qui pose d'inutiles questions! Quel auteur a donc eu la chance que j'ai? songea-t-il en reprenant la cognée.

Premier jour, on parachève ce chapitre sur la Saint-Jean-Baptiste. Les repas sont vite avalés, lentement digérés: 'fast food' le midi, 'junk food' le soir. L'esprit est plus lourd que l'estomac et le sommeil s'écrase sur le cerveau comme du plomb fondu.

Deuxième soir, on ne sait trop ce qui s'est passé dans la journée. Il y a eu ce gros chien aux aboiements caverneux dont un voisin a dit qu'il n'était pas plus dangereux qu'une femme, ce qui a fait sourire le nouveau célibataire.

Au sortir d'un dépanneur où on a fait des yeux doux à une jeune fille, on se dit, le troisième soir, qu'un homme, un vrai, se rebâtit en trois jours.

Le quatrième jour, le poseur du téléphone vient déranger. Mais ça sert et suggère un petit accident qui permet de grands événements: l'héroïne s'approche du prêtre, le touche, le soigne, se donne tout entière par un simple geste fugace. Tout inspire.

Le cinquième jour Aline a téléphoné. Elle part en voyage pour cinq semaines avec son mari. En Europe. Scandinavie. "Bon voyage!" "Oui ça va!" "Envoie-moi une carte!" "Difficile?" "Ça ne fait rien".

Le sixième jour on découvre dans le quartier des courts de tennis et de croquet. Ça aussi devient source de rappels. Un bedeau atteint de nutation qui dit oui en paroles et fait non de la tête, mieux qu'un politicien. Un vicaire au croquet qui, à l'abri de sa soutane, déplace une boule sans en avoir l'air et si habilement qu'il finit par ne plus savoir lui-même s'il l'a fait exprès ou non. Mais l'image ne saurait servir de cette façon; il faut transformer le souvenir... Le prêter au curé tiens, et dans un match qui opposerait le vicaire à un étranger. Le faire tricher un brin pour sa paroisse. Charmant, non?

Septième jour. On met l'étranger dans l'eau bouillante. Tentative de viol dans la grange du curé. Ça va plaire; le mal ne peut venir que d'ailleurs, loin de soi.

On s'endort moins vite le huitième soir. Un café pris trop tard. On entend bien les criquets quand on est couché sur le côté gauche mais pas sur l'autre. Et on se souvient des coups reçus qui ont rendu un peu sourd. Accident, oui mais...

Le neuvième matin, on se lève, triomphant. Le sevrage a pris fin. Quand donc? Ça s'est fait en douceur plus aisément qu'après avoir cessé de fumer. Elle n'est plus là. Elle n'y était plus de toute façon depuis deux ans. Elles ne sont plus là...

Le dixième jour, la petite voix d'une grande fille dit sur le fil "Papa ça va? J'ai eu ton numéro par ma tante. Tu ne me donnes pas beaucoup de tes nouvelles." "Tu sais, je suis plongé dans mon livre. Je dois finir pour le vingt septembre. Chaque minute compte." "Ah?" "Je te verrai je ne sais trop quand. Je te rappellerai." "Ah!"

Onzième jour: un chapitre de candeur enfantine.

Douzième: un appel de Viviane. "Pourquoi tu ne veux pas voir ta fille?" "Le temps..." "Tu devrais voir comme elle a le coeur gros." "Faudra qu'elle s'y fasse!"

Treizième. Les amis se manifestent. "Tu viens faire un tennis?" "Pas le temps." "Come on, ça va te changer les idées." "Faut surtout pas!"

Quatorzième, quinzième, seizième: un chapitre facile à pondre. La mort d'un homme. Accident. Tête écrasée. C'est doux, libérateur.

Dix-septième: souper avec Caroline. On ne parle que d'Année Sainte. Il sait qu'elle ne pose pas les vraies questions, celles qu'elle voudrait poser. Et puis quoi?

Dix-huitième: à soir on sort. Faut faire l'amour! C'est une fonction biologique normale. On tente sa chance avec une connaissance. Ça marche. Fruits de mer, un bon cru. On couche. Ça rate. La chaleur, la fatigue, trop passive, se dit-on avant de s'endormir.

De dix-neuf à vingt-neuf, on reste trente ans derrière. C'est si bon d'être loin.

Trentième. Joseph insiste: "Une fille superbe que j'ai pour toi. Sors de ton trou. Elle est douce, chaleureuse et libre." "Pas le temps." "Tu feras du mauvais travail si tu ne te donnes pas un peu de mou. Qu'est-ce que c'est que cette histoire? C'est pas bon pour le mental de s'enterrer comme ça. Angéline et moi, on t'attend à six heures." "C'est quoi son nom à la donzelle?" "Julie" "Julie qui?" "Je ne sais pas... Julie Machin."

Trente-cinquième. On couche avec Julie Machin. Ça ne marche pas encore. "Ah, tu sais, une longue période de concentration... Le cerveau c'est comme une pile. Quand il travaille trop, il tombe à plat. Pour le recharger, ça prend du repos... deux, trois jours."

Quarantième. Souper avec Caroline. "Ta mère va bien?" "Elle est toujours pimpante comme une gamine." "Tant mieux pour elle!" "Et toi?" "Ça avance."

Cinquantième. Deuxième échec au lit avec Julie Machin.

Cinquante-deuxième soirée. Tennis avec Joseph et sa femme. Angéline sait le nom de Julie Machin. Joseph proteste: "Pourquoi ça ne va pas avec elle? C'est une femme remplie de qualités." "Elle a en trop. Je ne suis pas habitué à ça."

Le reste de la dizaine jusqu'au soixantième: les chapitres s'additionnent, s'empressent vers l'apothéose, la suprême consécration de l'amour.

Retard d'un jour. Reste l'épilogue: scène de cimetière située dans l'avenir. Ça ressemble à ce qu'on désire.

Soixante et unième: appel de Joseph. "Trois donzelles veulent absolument connaître l'auteur de 'Les Grands Vents'." "Curiosité morbide!" "Mais non, ce sont des admiratrices!" "Elles ne veulent que voir de près une bête de cirque." "Pas du tout! Qu'est-ce que tu vas encore chercher. Arrête ton cinéma." "Tu veux dire ma paranoïa?" "Sois chic. Je leur ai promis de leur faire te rencontrer. Je paye le dîner." "Toi, tu mets trop ton grand nez dans ma soupe." "Je te la paye, ta soupe. Sois là à midi.''

Soixante-deuxième. Dernière ligne du livre: ''Dors en paix, mon amour!''

Il relut trois fois sa phrase, dit tout haut avant de mettre le point d'exclamation final:

— Y'a de quoi rire de finir un livre avec des mots aussi... vieux-jeu!

Et après?

Alors il regarda le quantième sur le calendrier mais c'est le millésime de l'année qui retint son attention comme quelqu'un qui aurait dormi depuis trente ans et se réveillerait tout juste.

Au dire de sa montre, il était seize heures. À quoi occuper ce reste de journée? Entreprendre la deuxième étape de son travail? Commencer à dactylographier le manuscrit, à bonifier le texte, fleurir le style? Non! Après un long voyage à travers le temps, l'explorateur doit faire une pause, se regarder un peu lui-même. Il calcula son temps jusqu'au deux octobre alors que reprendrait l'essoufflante tournée du Québec, trouva qu'il aurait bien quelques heures à consacrer au repos du guerrier, pour sortir, boire et se chercher une partenaire de lit.

Il appela Joseph, lui demanda d'entreprendre les démarches pour le rachat des droits de 'Les Grands Vents'.

— J'ai déjà téléphoné. Le cochon demande trois mille dollars.

— Mais le livre m'a rapporté cinq mille.

— Je vais tâcher de renégocier... Et alors, tu as fini l'oeuvre?

— Il y a une heure.

— Bravo! Tu es content?

— Reste beaucoup à faire.

— Prends un break.

— Aujourd'hui, oui; mais je ne sais trop où aller.

— Le club des personnes seules de l'autre côté du pont, tu connais?

— Dis donc Joe, j'ai pas le coeur brisé, moi!

— Bien sûr, bien sûr!

— On est quelle journée aujourd'hui?

— Mardi.

262

— Ça doit être tranquille un peu partout.

— Viens faire un tour ici.

— Non... merci... faut que je commence à goûter à ma liberté. Je vais faire une petite tournée des bars. À Montréal, ça doit bien bouger un peu, même en début de semaine.

Comme il restait des heures à tuer avant de partir pour le centre-ville, il sortit pour jeter un coup d'oeil plus attentif sur un environnement, qu'il n'avait même pas remarqué depuis les deux mois qu'il s'y trouvait plongé.

C'était une de ces journées à soleil sombre comme il les aimait, qui font paraître les arbres plus verts, les lacs plus paisibles et les pelouses plus fraîches. De l'autre côté de la rue, entre les maisons, apparaissait la surface noire de l'eau. Mais peu car on avait érigé un mur pour protéger les riverains des crues printanières, le lac étant en fait une rivière élargie. Le béton n'avait aucun effet dépresseur sur son âme. Il s'était toujours bien moqué des chantres de la nature qui condamnent toutes les actions humaines la modifiant.

Il fit quelques pas dans la rue. Des cris d'enfants se mélangeaient aux chants des oiseaux ce qui, plus encore que le mur, le laissa froid. Quand il eut franchi une ligne invisible sans doute tracée par le chien lui-même, un énorme saint-bernard surgit d'une cour en jappant et en bavant. Alain se dit que cette race a bon caractère et que la bête manifestait sa présence en bruit mais aussi en toute amitié. Et puis l'animal, même s'il aboyait sans arrêt, ne montrait pas les crocs. Il arriva jusqu'à l'homme qui contint un mouvement de recul. Et il fit un obstacle de son corps comme pour l'empêcher de faire un pas de plus. Alain comprit son raisonnement quand il vit émerger de la même cour un groupe de petits enfants. Il décida de retraiter pour se diriger vers la rue transversale. Mais l'animal poursuivit son manège envahissant et autoritaire si bien qu'Alain se sentit un parfait prisonnier en plein coeur de sa rue et de sa liberté.

— Toi, je vais t'assommer si je peux mettre la main sur un bâton.

Il réfléchit pourtant malgré un malaise grandissant qui se

promenait dans son échine et tous ses membres. S'énerver risquait de provoquer la bête qui pourrait lui sauter au cou. Il fallait reculer sans trop en avoir l'air jusqu'à la pelouse, y monter, marcher jusqu'au perron de ciment et rentrer. Mais l'idée le choquait au plus haut point. Ça n'avait aucun sens de sacrifier ainsi son espace vital à cause de gens égoïstes cherchant à l'accaparer pour eux-mêmes par animal interposé. On ne pouvait ignorer le comportement tyrannique de cette bête. L'injustice criait et provoquait en lui des sentiments hargneux: goût de vengeance, besoin de protester avec véhémence, désir de faire disparaître une bête aussi sotte. Car il devait bien se dégager des ondes de son cerveau montrant qu'il n'avait rien contre les enfants. Ça se sent ces choses-là quand on est un chien qui a de l'allure!

Le saint-bernard gardait ses reins en cerceau pour confiner l'imposteur dans une tour menaçante et sa gueule crachait des avertissements ponctués de regards en biais. Alain se déplaça de trois pas. Il fut stoppé. De trois encore. Le chien ajouta des coups de sa grosse tête de lion à l'imposition d'une nouvelle barrière. Plus les enfants s'approchaient, plus le molosse hurlait et sautait.

— Il va finir par m'égorger, se dit l'homme tout haut en sentant la panique l'envahir.

Il voulut le flatter hypocritement mais le cabot se démenait si fort que la main de l'homme en pâtit. Une automobile déboucha sur la rue depuis une autre rue d'entre les arbres. Les petits s'étaient arrêtés, s'intéressaient à une trouvaille. Quand l'auto fut à une certaine distance, le chien délaissa son prisonnier et rejoignit le groupe de bambins. Alain retourna chez lui en mesurant des pas à égale distance entre la peur et la sauvegarde de son amour-propre.

Il ressortit par la porte arrière et se rendit explorer le jardin du propriétaire. En soulevant les feuilles rudes des concombres, il se rappelait les petits carrés que Viviane brassait chaque été et qui produisaient tant.

Il se souvint qu'elle y avait perdu une chaînette qu'il lui avait offerte pour son anniversaire et que deux jours après, elle s'en était procuré une nouvelle elle-même. Ou bien était-elle de quelqu'un d'autre et avait-elle semé la sienne volontairement? Peu importait maintenant que le passé avait vécu. Et qu'importe alors puisqu'il vivait aux grandes heures des illusions! Il avait ressenti pour elle un violent sentiment amoureux précisément en cette époque alors qu'elle s'occupait à cultiver un autre jardin ailleurs.

Il venait de trouver deux concombres pansus à ventre jaune. "Tout juste bons pour la graine," eût dit sa mère. Et cette pensée le ramena avant même 1950 alors qu'un soir à la brunante, rentrant à la maison, après avoir laissé claquer la porte à treillis refermée par la vertu d'un long ressort, il avait pris conscience de l'existence de son père.

Parti dans les chantiers, absent depuis six mois, l'homme, jusqu'à la veille, n'avait été en l'esprit du garçonnet qu'une notion vague dont se servait parfois sa mère les soirs d'hiver pour ramener un peu d'ordre dans la maison quand elle disait: "Laisse faire quand ton père va revenir, toi!"

Et il était là, l'homme noir, assis dans sa berceuse, les pieds accrochés au bout d'une marche d'escalier, plus hauts que la tête, fumant sa pipe et lançant, dans un bruit de bouche des jets d'une broue foncée dont le gros aboutissait dans un crachoir posé à terre et à demi rempli d'un mélange d'eau, de cendre, de tabac, d'allumettes de bois et de crachat goudronneux.

— Pourquoi c'est faire que tu la fermes pas comme du monde, la porte? dit l'homme de sa voix terrible.

Alain s'arrête. La chair de poule parcourt ses bras, son corps. Il fait deux pas.

— Et où c'est que tu vas comme ça? As-tu le diable qui te court au cul?

Le gamin hésite, jette un oeil craintif vers sa mère assise dans l'autre coin et qui grignote un bonbon dur. Elle se remet le nez dans son travail; sa main tire une aiguille bien haut puis repique.

Alain voulait aller aux toilettes mais il en a perdu l'envie. Il ne sait plus pourquoi il se trouve là planté debout entre l'étranger et l'habitude. Tiens, il va se rendre à la cave et retourner dehors par la porte qui s'y trouve. Il s'élance, frappe le crachoir du pied, arrive à la porte... Une poigne énorme le soulève de terre, le retourne, l'écrase au mur.

— Mon maudit bâtard, regarde ce que t'as fait.

Son pied se souvient en même temps que le petit aperçoit le dégât sur le prélart où se confondent les plaques usées et les traînées du vase retourné.

— Je vas te mettre le nez dedans.

Les visions se succèdent à un train d'enfer. Il y a toutes ces images nouvelles des choses de la maison qu'il n'a jamais vues sous cet angle. Cette face charbonneuse animée par des yeux de feu. Sa mère au regard d'impuissance et qui dit d'une voix plaintive:

— Mais lâche-le; il l'a pas fait exprès.

Ses genoux frappent le plancher. Son dos est poussé. Sa nuque prise dans un étau. Ça sent fort. Il ferme les yeux. C'est gluant. Il étouffe. On le laisse. En courant dehors, il entend de loin:

— Tu nettèyeras ça, la mére!

Il reste sur la galerie, s'essuie avec les mains, essuie ses mains sur la rampe. Il a mal à une lèvre. Mais il est libre et cela seul compte. À l'intérieur le tonnerre gronde à nouveau:

— Tu le vois que des enfants élevés dans le village, ça fait rien de service.

— J'irai pas plus c't'année que l'année passée rester sur ta terre. T'as voulu l'acheter, fais ce que tu veux avec. Mais moi j'reste icitte au village.

Et l'orage se poursuit longtemps. Et Alain se trouve responsable de ces hurlements d'enfer qui assaillent sa mère. C'est à cause de lui cette tempête impossible.

Deux autres petits, son frère et sa soeur, arrivent de leurs jeux. Ils n'osent entrer, viennent s'agglutiner à lui et les trois restent sur le banc de la galerie, serrés par la peur, à trembler dans leur culpabilité honteuse.

— Les enfants, ils vont tous rester avec moi. Pas un voudra jamais y aller sur ta maudite terre.

— Ma terre est moins maudite que toi. Et pis qui c'est qui va les faire vivre tes maudits bâtards?

— On se mettra sur le secours direct.

— Je vas la vendre la maison icitte.

— Y'a des loyers.

— Quand j'vas décider qu'on s'en va, tu vas suivre itou... Y m'a fallu des années pour réussir à m'acheter un bien parce que mon père m'a pas établi comme ses autres garçons. Asteur que je l'ai, ma terre, j'vas la cultiver. C'est ça mon vrai métier. C'est avec ça que je vas vous faire manger. Pis je commence à être tanné de courir les bois les trois quarts du temps.

— On approche de la cinquantaine. C'est pas le temps de s'installer sur une terre, c'est le temps pour un cultivateur de penser à dégréer...

Les aboiements du saint-bernard ramenèrent Alain à la réalité. Le chien arriva jusqu'à sa hauteur sur la rue. Il tourna sur lui-même à plusieurs reprises et des traînées baveuses coulaient de sa gueule nerveuse.

— Toi, je vas te dompter mon écoeurant! cria l'homme dans sa rage menaçante, cherchant du regard quelque objet contondant.

Mais une fois de plus il dut retraiter et rentrer.

*

Y faire quoi dans un bar du centre-ville quand on a toute la vic devant soi? Prendre son temps? Le gaspiller. Quel plaisir que de jeter des heures par les fenêtres! Observer les noctambules, croiser des yeux, leur transmettre un désir. Choisir. Ne pas être choisi. Errer comme vagabond, riche d'air frais. Aller d'abord dans l'ouest et, s'il n'y a personne, arpenter St-Denis, fureter derrière les portes. Et s'il faut encenser une intello pour la coucher, pourquoi pas? Julien en a fait son système, lui, et il s'en tire aussi bien avec les sous qu'avec les honneurs.

Il ne trouva pas grand monde sur St-Denis. Des groupes bruyants et fermés. Des cercles indifférents. Des rondeurs trop maigres. Il tourna, tournoya, se noya dans des tourbillons aux vents d'absence. Alors il se rendit quadriller l'ouest. Il entra dans un bar où quelques ombres bâillantes se marmonnaient des rumeurs noires. Dans un autre tout à fait vide, un barman à l'air sec rangeait interminablement des bouteilles.

Alain changea encore d'endroit. Cette fois il mit plus de temps à se faire à l'obscurité et plus encore à identifier la forme de colonnades omniprésentes. Pas âme qui vive là non plus à part le barman. Mais sitôt qu'il fut servi, il vit s'asseoir juste à côté de lui un jeune homme à large sourire et qui se commanda une bière de la même sorte.

— Quelle heure avez-vous? lui demanda-t-il d'une voix très douce et en lui effleurant la main.

— Minuit et vingt!

— Fait beau ce soir?

— Oui, belle soirée.

— Chaude.

— Plutôt!

— Mais là, c'est plus frais un peu.

— Belle nuit en vue.

L'autre sourit, demanda:

— Vous n'êtes pas un habitué de la place?

— À vrai dire non! Nouveau célibataire, tu comprends? Faut fêter ça un peu.

— C'est tranquille ce soir, soupira le jeune homme qu'Alain évaluait au milieu de la vingtaine, j'ai fait la tournée: c'est de même pas mal partout.

Il se fit un silence au cours duquel l'auteur monta en surface et chercha à circonscrire le pittoresque de la tête de l'autre. Oblongue. Cheveux coupés très ras et qui la démodaient. Mais moustache qui la remodelait.

Comme il avait eu la gentillesse de s'ouvrir à lui, de lui tendre la main et de le sortir un peu de sa solitude, Alain crut bon de ne pas laisser s'éterniser le silence qu'il rompit:

— Célibataire aussi, je suppose?

L'autre eut un sourire perplexe et fit de la tête un geste d'affirmation incrédule.

— T'embarque jamais dans le bazar du mariage, dit Alain en lui empoignant le bras.

Le jeune homme mit sa main sur celle qui le touchait et dit:

— Tu viens faire un tour?

Alain se dégagea, l'âme aux prises avec un sentiment curieux. Il regarda autour et, en même temps qu'il découvrait les colonnades aux formes masculines, l'autre lui dit:

— C'est quarante dollars pour une heure... ou deux à ton goût.

Alain se sentit honteux. Il avait honte de se trouver là, de n'avoir pas su avant. Il voyait dans tous les coins des centaines d'yeux de gens qui le connaissaient. Comment leur dire qu'il n'était pas gai? Jamais on ne voudrait le croire! Il prit une lampée pour se donner deux secondes de réflexion, cherchant les mots à dire. Une seule idée se répétait dans son esprit en s'exprimant: "Hostie, qu'est-ce que je fais là-dedans?"

Il remit son verre près de la bouteille en disant:

— Faut j'parte!

Puis il se hâta de s'en aller. Haussant les épaules et consultant sa montre, il ne cessait de redire les mêmes mots:

— Faut j'parte! Faut j'parte!

Il retourna chez lui en se traitant de tous les noms.

Il n'y avait plus rien qui vaille à la télé. Alors il se mit à marcher de long en large, d'une pièce à l'autre. De plus en plus vite pour chasser ce vide absolu qui l'environnait. Courir vers quelque chose. N'importe quoi. Il devait bien se trouver une vibration quelque part. Pourquoi ce sale chien, n'aboyait-il pas maintenant qu'il en avait tant besoin? Il fallait qu'il reprenne la route, retourner à ce bar, payer le jeune homme pour qu'il dise n'importe quoi. Aller s'asseoir sur le mur de béton, parler au lac et à la lune.

— Lucifer, viens me chercher, parce que d'en parler à ton chum du ciel, ça sert à rien, cria-t-il dans une grande prière vide et noire qui lui répéta ses inutiles paroles comme dans un écho creux.

Une frénésie alors l'emporta jusque dans sa chambre où il fouilla dans maints tiroirs à la recherche d'une boîte de passé dans laquelle devaient se trouver quelques photos que Viviane avait bien voulu lui laisser. Elle l'avait mise dans ses affaires lors du partage, mais lui ne l'avait jamais ouverte pour ne pas tomber dans de l'enfantillage féminin! Il la trouva enfin, perdue dans des vieilles chemises d'hiver et des bas de laine. Il y avait une Sainte Vierge avec l'enfant Jésus dans ses bras sur le couvercle d'un bleu fade. Il l'ouvrit, la vida sur le lit, retourna toutes les photos sur leur face. Quand il eut fini, il cria de rage et de désespoir des sons inintelligibles émis en monosyllabes.

Elle n'avait mis dans la boîte que des photos de lui-même. Pas une qui contienne un autre personnage, une autre face. Pas même une main qui ne soit la sienne.

— Salope de salope! gémit-il en se jetant à plat ventre pour se cacher la tête dans les oreillers, écrasant ainsi les photos en les emprisonnant sous ses hanches et ses cuisses.

Des mois entiers de névrose cachée lui sortirent du corps par les yeux et par les poings. À se noyer de fatigue. À se faire kidnapper par un sommeil brutal. À chevaucher sans fin dans des mondes elliptiques malgré les chamades du coeur et les coups de marteau au cerveau.

Un jour frais lui tombait sur le dos. Une nuit brûlante continuait de virevolter aux quatre coins de son crâne. Il reprit conscience peu à peu. Des rebords de photos lui piquaient la peau du ventre. Il les ramassa, en fit une pile qu'il fut sur le point de rejeter dans la boîte. La clarté du jour s'ajoutant à celle des lampes lui permit de voir qu'il restait une dernière face cachée au fond de la boîte.

Il la sortit. La reconnut. Treize ans qu'elle avait, cette photo. Donc trois ans, la fillette dans sa robe verte et son sourire incertain.

Expo 67. Une main menue s'insinue dans la sienne. "Elle est moins brave qu'à la maison, la petite, hein?" "Et tant mieux!" Il fait bon la protéger de l'humanité entière: Il lui a fait la leçon, la veille. Pour qu'elle cesse un petit jeu dangereux rapporté par une voisine et consistant à traverser la rue à l'approche d'un véhicule comme pour le défier. Assis dans l'escalier extérieur, il l'a emprisonnée dans ses bras, a collé sa joue sur la sienne pour lui expliquer doucement les raisons pour ne pas recommencer. Elle a fait les grands yeux puis des petits signes d'approbation avec sa tête.

270

— Tu ferais beaucoup de peine à papa si tu te faisais blesser ou tuer. Un papa ça meurt avant sa petite fille, tu comprends? Tu l'aimes ton papa, hein? Tu vas rester ici quand il viendra une auto, hein?

Pendant une heure l'homme se souvint. De vieilles émotions enterrées par des siècles de douleur et de rage ressurgissaient avec de nouvelles couleurs et d'autres brillances. Quand il eut fini de sourire à la photo, alors il pleura.

Puis il repensa à sa désespérance de la nuit. Il devait s'agir du choc de fin de création d'un roman alors qu'il avait quitté un passé qui l'avait émerveillé pendant deux mois pour émerger dans une réalité difficile. Suffisait de pleurer, de se vider! S'il était plus intellectuel, il trouverait bien quelque raisonnement pour atténuer sa douleur, pour planer lui aussi au-dessus des souffrances morales insignifiantes. Mais aucune idée ne parvenait à circonscrire le coeur dont jaillissait comme l'eau de la source de son enfance des pleurs incessants qui roulaient, cahotaient en sa poitrine jusqu'à ses yeux.

Pour apaiser l'esprit, il fallait une solution physique. Et c'est à cela qu'il occuperait tout son temps ce jour-là. Une douche vigoureuse. Peut-être un set de tennis en après-midi si Joseph en avait le temps. Un souper de gourmet. Puis une heure avec Aline. Sinon il appellerait Julie Machin; peut-être qu'en s'y prenant autrement avec elle...

Après la douche, rien du reste de ses prévisions ne se produisit. Personne n'était disponible. Sa journée prit fin devant le téléviseur, un appareil noir et blanc qu'il avait acheté sans trop s'en rendre compte quelques jours après sa séparation. Il lui fallut avaler des comprimés pour faciliter la digestion et faire diminuer les brûlements.

Le jour suivant, il fut réveillé tôt par les aboiements du saint-bernard. Il eut alors l'idée de faire disparaître cette bête qui n'avait pas le droit de lui arracher de si gros morceaux de liberté. Il se ravisa. Après tout il n'était qu'un nouveau-venu dans le quartier; le voisinage avait aussi ses droits.

Alors il plongea dans la seconde étape de son travail: l'émendation. L'effort de concentration étant plus difficile que durant la première, il fut sans cesse distrait par les aboiements du chien,si bien qu'à chaque heure, la bête faisait augmenter la pression en lui.

Il se dit qu'il devrait parler au propriétaire, lui faire comprendre qu'un travail intellectuel ne pouvait s'accommoder d'un animal pareil. Ça ne donnerait rien, strictement rien. On lui dirait de changer de quartier. La bête ne jappait pas la nuit. Un saint-bernard s'identifiait tout de même bien davantage à un quartier de résidences unifamiliales qu'un auteur en mal d'inspiration. Que l'homme s'en aille dans la forêt en cette époque du règne du chien et des enfants. Le saint-bernard n'était tout de même pas un ours... comme lui!

D'un jour à l'autre l'obsession augmenta. Quand une phrase, qu'il répétait tout haut pour la rendre plus musicale et rythmée, se heurtait à une vague de vociférations, alors il levait le poing en disant:

— Mon hostie de grosse gueule, je vas t'avoir.

Il prit des renseignements, sut qu'on pouvait faire crever un cabot en cachant un ressort de montre dans une boulette de viande. L'animal avalerait tout rond et à l'intérieur, quelque part dans les intestins, le métal ferait son oeuvre en se dépliant pour perforer un boyau quelconque ou l'estomac.

Un soir, il concocta son mélange létal. Mais comment être sûr que le bon chien le mange? Il y avait plein de petites bêtes sauvages affamées rôdant la nuit tandis que, repu, monsieur bernard dormait du sommeil du juste en digérant la récompense de ses serviables efforts du jour. Lui jeter la viande à l'aube, il y avait le risque d'être vu, pris, banni par le quartier, mis à l'amende. C'est en plein coeur de midi qu'il agirait. Facile d'attirer le mâtin; il lui suffirait de flâner dans la rue quand des enfants se trouvaient par là. La viande serait par terre, près du perron de ciment, offerte, odorante, juteuse.

C'est le coeur triomphant et rempli d'une joie vengeresse que l'homme vit la bête renifler la viande puis l'avaler d'un coup. Alain jeta un coup d'oeil sournois sur les environs et rentra. Il prit du temps à faire brunir et à manger un médaillon de filet mignon qu'il accompagna d'une coupe de vin comme pour mieux se donner raison d'avoir procédé à l'exécution du condamné.

Dans l'après-midi la bête fut d'un silence presque ennuyeux. L'homme n'en pouvait croire ses oreilles. Dans la paix retrouvée, il doubla le nombre de pages dactylographiées. À la brunante, il se rendit compte soudain que la bête jappait depuis un bon moment. L'habitude s'ajoutant à l'intensité de son travail lui avait fait oublier que la peine infligée à bernard n'avait pas été capitale. Le chien ne s'était pas mis à l'heure pour mourir malgré le ressort de montre.

Qu'à cela ne tienne, il recommencerait son travail de justicier si apaisant pour l'esprit! Mais cette fois avec de la mort-aux-rats. Une dose de cheval. Et de la sauce piquante pour ajouter à son plaisir et à celui du chien. Faveur faite au supplicié pour nettoyer plus à fond la main du bourreau.

Vers la même heure deux jours après, l'animal mangea la potion tartare. Après-midi de silence. Nouveau triomphe du bourreau. Écoute à la brunante. Silence. Écoute à cœur battant le jour suivant: néant. Mais à l'aube du troisième jour, ce fut l'explosion: une vague furieuse d'aboiements vigoureux. Alain écarta un pan de rideau, vit la bête plus nerveuse que jamais et qui menaçait une colonie de mouffettes déambulant à son train-train égal.

— Ah, mon enfant de chienne! Je vas t'en donner tous les midis. À force d'en prendre, tu vas finir par crever.

Il ne réussit pas à le tuer mais à l'apprivoiser. Et il commença à lui donner de la viande sans poison.

Quelques jours plus tard, la bête ne se présenta pas au rendez-vous. Elle ne se fit plus entendre.

Quelques jours encore et un voisin lui confia que le propriétaire avait fait abattre son animal qui s'en était pris à des enfants.

— Peut-être qu'il était malade? s'inquiéta Alain tout haut.

— Il a toujours été agressif… L'année passée, il y a deux ans, c'était pareil. Un saint-bernard qui se comporte de même, y'a qu'une solution. Ils l'ont gardé trop longtemps.

En fin de mois, Alain décida de déménager. Il trouva un sous-locateur et donna comme motif de son départ, que le coin était trop tranquille. Il lui fallait sentir plein de monde autour de lui, et c'est pourquoi il se prit un appartement.

— Et le bruit? s'enquit-il en louant.

— Aucun problème, lui répondit-on. Au-dessus, c'est un couple de personnes âgées. Elles se comportent comme des petits poulets. Discrétion absolue.

Dans les semaines suivantes, il apprit que les poulets se levaient avant la barre du jour et qu'ils avaient les pattes bien pesantes pour des volatiles. Et entre deux voyages, car entretemps il avait repris sa tournée de la province, il déménagea encore une fois.

Les quinzaines s'accumulèrent, le conduisirent de Roberval à Huntington, de Papineauville à Matane, de Maniwaki à Hauterive. De brèves rencontres. Des gens connus, salués, quittés. Quelques arrêts pour refaire le plein de marchandise. Des appels téléphoniques. Un chèque de pension alimentaire. Par la poste. Corrections des épreuves de Année Sainte.

Novembre claqua les portes avec un grand coup de froid. Alors décembre s'emmitoufla sous plusieurs couvertures moelleuses. La route fut difficile, dangereuse et toujours longue quelle que soit la distance à avaler.

Joseph avait entrepris la tâche difficile de rebâtir pour Alain une réputation d'homme discutable. Il trouva un distributeur pour Année Sainte qui eut bientôt un mois. Il fallut alors un second tirage. Le public avait bien répondu.

Un vendredi, en arrivant de Québec, Alain s'entendit suggérer par Angéline d'accompagner Joseph à Paris dans un voyage d'affaires.

— Pas le temps!

— Ça te ferait du bien de prendre une semaine.

— Pas d'argent.

— Je t'en prête, s'empressa de proposer Joseph pour donner le change à sa femme.

— Qu'est-ce que vous voulez que j'aille faire à Paris, moi, hein?

— Mais… mais comment peux-tu seulement penser devenir un auteur international si tu n'as jamais mis les pieds à Paris, la Mecque de la culture française mondiale?

— J'en ai rien à foutre de Paris; ma richesse, c'est le Québec.

— Le Québec, mais c'est petit, tout petit! Un artiste qui se respecte et surtout qui veut obtenir le respect de tous les Québécois doit se faire consacrer là-bas. C'est comme ça depuis Félix, depuis toujours; et ça ne changera pas demain.

Alain leva un index menaçant à l'endroit de la jeune femme en disant:

— Toi, mon Angéline, tu veux que j'aille le chaperonner là-bas, hein? T'as peur qu'il coure la galipotte s'il est tout seul. J'ai des petites nouvelles pour toi: si je pars avec lui, sois sûre qu'on passera pas toutes nos veillées à Notre-Dame ou à la Madeleine.

— Mon cher, j'ai parfaite confiance en Joseph.

— Alors laisse-le partir seul.

— Tu m'accuses d'être jalouse et de vouloir le surveiller par toi alors que je ne cherche que ton bien. Qu'est-ce que tu veux que je dise? fit-elle à bras haut levés.

— Des farces… Je vais y songer.

— Faut te décider, je pars dans cinq jours.

— Trop tard pour un passeport.

— Non, ça prend vingt-quatre heures si tu présentes ton billet d'avion avec ta demande.

— Tant qu'à y aller, faudrait que j'y reste une quinzaine.

Angéline et Joseph s'échangèrent des regards complices. Ils avaient fait une brèche dans la forteresse.

Alain rajouta en se composant sur le front des rides avertisseuses

— Si j'y vais, sortez-vous de la tête que c'est votre argument sur la carrière internationale qui m'aura fait bouger, hein?

— D'accord, d'accord, fit Joseph en penchant la tête en biais. Tu es nord-américain; ça, tu nous le dis chaque semaine. Faudrait pas que ça te bouche les yeux et que ça t'empêche d'ouvrir ton esprit sur ailleurs. D'autant plus qu'au monde du livre, c'est Paris qui mène, pas Montréal.

— Je me passerai bien de Paris.

— Tu ne le pourras jamais, jamais.

— J'avais envie de me décider, mais tu me niaises, là...

— J'ai rien dit, rien du tout.

Debout près d'une longue table surchargée de piles de livres, l'on se remit au travail soit à compter des exemplaires et des sous, Angéline vantant les agréments de Paris et Joseph vérifiant soigneusement les additions.

Quelques jours plus tard, Alain confia ses obligations à deux grévistes, mais en dernière minute seulement. Et le lendemain il prenait l'avion avec son ami.

En route, Joseph lui avoua qu'il avait pris dans ses bagages quelques exemplaires de Année Sainte qu'il voulait présenter à des éditeurs.

— C'est un sujet trop local. Qu'est-ce ça peut bien leur faire, aux Français, le Québec de 1950?

— Rien du tout! Mais on a en poche un atout majeur: cinq mille exemplaires en trois semaines au Québec et sans campagne de presse. Des hommes d'affaires comprennent vite ce type de langage. En général, chez les éditeurs qui ne sont pas idiots, le directeur commercial est plus pesant que le directeur littéraire: ça, tu ne l'ignores pas.

— Ça me dit rien d'aller voir ces gens-là.

— Tu crains l'échec, le refus?

— J'avoue que ça pourrait me démoraliser. Il n'y a qu'un jugement pour moi qui compte: celui du grand public québécois, francophone nord-américain.

Dans une question-reproche presque chantée pour mieux l'édulcorer, Joseph dit:

— Mais puisqu'il t'est favorable, ce jugement jusqu'ici, qu'est-ce que tu risques?

— Je ne le sais pas. Y'a quelque chose que j'blaire pas là-dedans.

Joseph augmenta l'emphase, ce qui attira l'attention de voyageurs des banquettes voisines:

— Mais qu'est-ce que tu as à perdre? Et si ça marche, tu n'aurais plus qu'à t'asseoir et à laisser entrer les sous. Tu feras de l'argent comme de l'eau.

Il se frotta les mains à plusieurs reprises en ajoutant:

— Rien à t'occuper. Juste déposer tes chèques. Ter-mi-né. Mer-veil-leux!

— Joe, je me demande pourquoi je ne te prends pas comme éditeur.

L'autre dit à travers une quinte de rires:

— Tu veux qu'on signe un contrat sur ma serviette de table? Je te donne dix pour cent du prix public sur les entiers tirages. Qui a jamais fait une offre pareille à un pauvre écrivain? C'est du gâteau, non?

— Jamais dans mille ans!

— Je suis persuadé qu'un jour ou l'autre, je serai ton éditeur.

— Joe, si on parlait des hôtesses. T'as remarqué la grande blonde avez le nez pointu?

— Pas tout à fait mon genre, fit Joseph avec une moue désolée. Un peu snob. Trop parisienne. Et puis de toute manière, je respecte mon pacte...

— De non-agression, avec ta femme? Ça ne compte pas en voyage. Les voyages, c'est un peu pour se refaire la main avec les bonnes-femmes, non?

— Toi, tu es célibataire, tu en profiteras pour deux. Moi, j'ai fait plus que ma part dans le passé.

— On a six heures devant nous, raconte. Le coup le plus insolite de ta vie par exemple...

Joseph fouilla dans ses vieux souvenirs puis il entama un long récit qu'interrompit une voix angélique annonçant l'arrivée d'une zone de turbulence.

Enfin parut Paris. Paris, le Montréal des Québécois, le Néandertal des Anthropoïdes avec son premier signe de piste se profilant au loin dans un horizon rose.

*

— C'est l'hôtel le plus cher de la ville, dit Joseph quand ils furent installés dans une chambre grand luxe qui promettait une facture à l'avenant.

— Heureusement que c'est toi qui payes.

— Tu ne la garderas pas après mon départ?

— Jamais de la vie!...

— Je ne saurais me contenter de moins. Question d'affaires... pour annoncer mes couleurs.

L'on prit quelques heures de repos puis Joseph logea une série d'appels à ses fournisseurs. Chaque fois, il glissa subtilement le nom de l'hôtel.

— C'est à ne pas croire, lui disait Alain quand l'autre raccrochait.

Et Joseph gémissait:

— Ils sont comme ça, qu'est-ce que je peux y faire?

— Avoue que tu aimes bien.

— Tiens, je te parie qu'on va obtenir tous les rendez-vous qu'on voudra chez tous les éditeurs que tu voudras. Consulte le livre de téléphone et nomme-moi deux ou trois de ces brasseurs de papier.

Alain joua le jeu et un quart d'heure plus tard, ils avaient pris cinq rendez-vous s'étalant sur les trois prochains jours.

Joseph conclut:

— Tu vois la magie du snobisme: ça, c'est Paris.

*

Ce soir-là, sous une pluie fine et froide, ils arpentèrent l'avenue des Champs-Elysées, histoire de partager la flânerie collective. Selon Joseph, c'était un soir tranquille. Mieux valait prendre un petit repas et aller le digérer, ainsi que le décalage horaire, par une longue nuit de sommeil.

Joseph propose d'aller chez un roi de la pizza rue Tilsitt. Alain objecte que ça ne s'ajuste pas trop bien avec le standing de leur voyage. On s'y dirige. Des filles bleues les accostent. Puis des rouges. Puis des vertes. On tient bon au nom du pacte. Joseph triomphe à regret. On marche sur Tilsitt. Une ombre se dessine dans un portique. Alain regarde. C'est une Eurasienne. Il baisse les yeux, les relève. Elle a tourné la tête. Elle est timide. Il l'est. Puis il s'exclame!

— Maudit qu'elle est belle celle-là! T'as vu?

— Certainement!

— Par chance que je doive te surveiller...

— Qu'est-ce que tu dis? Mais va la voir, je t'attendrai bien une demi-heure, fit Joseph avec un grand regard généreux.

— Non...

— Une heure si tu veux.

— Non... je suis fatigué.

— Tu sais pas hein? Ces filles, elles ne sont pas bâties comme les nôtres. Elles ont l'intérieur plus droit, comme ça.

Et il montre en étendant la main parallèlement au sol.

— Et après?

— Tu ne me crois pas? Tu ne me crois pas! Eh bien, je te paye le coup. Vas-y et je te paye le coup.

— Toi, mon pervers, tu veux tromper ta femme par personne interposée.

— Qu'est-ce que c'est, cette histoire? Mais pas du tout! Tu la trouves jolie, pourquoi tu ne vas pas avec? Profite un peu de ta liberté! Et quand tu auras une nouvelle compagne alors tu te rangeras: c'est ça la vie!

— Cesse de me parler comme à un petit gars de quinze ans. Elle est belle mais j'ai pas envie ce soir.

— On va manger; ça va te remettre d'aplomb et après tu la retrouves, la petite.

Quand ils reprirent la direction de l'avenue, la jeune femme avait disparu. Il la revirent derrière la vitrine d'un restaurant voisin; elle était en vive discussion avec un jeune homme, visiblement son souteneur.

— Alors tu veux l'attendre? demanda Joseph.

— Non, mais tu y tiens!

Le jour suivant, les deux compagnons firent des achats de lots de livres. À chaque décision, Joseph demandait conseil. Alain savait qu'il n'en avait aucun besoin mais il entra dans le jeu et se marra d'être pris au sérieux. Les vendeurs jouaient à l'indifférence mais ils revenaient à tout coup tenter de boucler une transaction manquée quelques minutes auparavant.

Après un sandwich, ce fut la visite d'un premier éditeur. Un grand nom mais une petite boîte. Des escaliers étroits. Un bureau oppressant. Une directrice hautaine à cheveux et vêtements négligés.

On lui servit l'argument de la vente rapide au Québec. Elle le retourna aussitôt contre ses visiteurs.

— Vous savez, les auteurs québécois, ça ne marche pas en France à moins de les imposer comme par exemple par le Goncourt ou un Club de livres.

— Plusieurs sont publiés ici pourtant.

— Si, mais ce n'est pas le marché français qui les achète. Oh, cinq cents, mille exemplaires au maximum. Mais dès lors qu'un livre d'auteur québécois paraît en France, votre presse lui donne une couverture de premier ordre, ce qui nous permet d'en vendre cinq, dix mille exemplaires chez vous. En d'autres mots, ce que vous êtes venus me proposer, nonobstant le contenu de cet ouvrage dont je ne doute pas qu'il soit excellent, c'est de garder pour vous la crème et de nous laisser le petit lait. Vous comprendrez que ce n'est pas possible. Votre prochain manuscrit, alors là... peut-être que nous pourrons l'examiner...

Une heure plus tard, ailleurs, même réponse. En sortant, Alain claqua la porte et sortit de ses gonds:

— C'est l'hostie de mentalité de colonisés de nos média québécois qui fait qu'on a de la misère à s'affirmer ici.

— Tu comprends maintenant ce que je te disais?

— Quoi?

— Que tu dois être consacré ici pour te faire reconnaître chez nous.

— De la merde! Le marché canadien, je le garde et que tout ce qu'il y a de critiques, chroniqueurs et recherchistes aille au diable et continue de lécher le cul des Français. Pas besoin d'eux autres.

— Pourquoi tout ce pessimisme? Au moindre obstacle, tu brandis les poings. Sois donc persuasif, souriant...

— Qu'est-ce que j'ai eu dans nos média depuis que je publie moi-même? Zéro par-dessus zéro.

— Au prochain, je te signe un contrat et tu me laisses me

démerder avec toutes ces questions.

— Et ça recommence!

En soirée, Joseph conduisit Alain chez un ami de jeunesse et ex-associé, homme nerveux aux yeux noircis, marié à une femme toute en finesse et en élégance. Chacun prit des heures à expliquer à l'autre que les véritables raisons de sa réussite sont extérieures à lui-même.

— Ah, j'ai eu de la chance! C'est incroyable de ce que j'en ai de la chance! Faut dire que je le travaillais depuis un moment tout de même, ce contrat... Les Allemands sont bien particuliers en affaires, dit l'homme la bouche en cul-de-poule.

— Ma chance a peut-être été plus grande encore du fait que je n'étais rien avant de rencontrer ma femme, rétorqua Joseph, les yeux brillants. C'est elle qui m'a fait. Entièrement! Enfin... Angéline, c'est... comment dirais-je...

— Ta discipline, intervint Alain.

— Vous avez l'air de bien vous connaître, dit le Français. Comme nous à l'époque. Tu te souviens du type...

Le jour suivant, ce furent d'autres séances d'achats. Puis d'autres éditeurs qui confirmaient les affirmations de ceux déjà rencontrés. Un dîner à Saint-Germain-des-Prés avec une vieille tante de Joseph. Attente sous la pluie battante. Des taxis qui dorment. Ou qui se cachent.

On finit par s'attabler voisin d'un groupe d'Américains. Des serveurs froids se multiplient. Le dernier s'enquiert de ce qu'on voudrait bien. Alain demande un décaféiné.

— Plaît-il? fait le serveur sans s'arrêter de ranger des objets sur son plateau.

— Un décaféiné, répète Alain plus fort et plus lentement.

— Je vous demande pardon, fait le serveur avec un regard oblique.

Joseph intervient:

— Il veut un déca.

— Fallait le dire! Un déca, bien sûr! dit le Français avec mépris.

— Hey, ça va faire! s'exclame Alain.

Mais l'homme a déjà tourné les talons.

La tante garde ses airs de mystère. Elle est dentiste, ne veut blesser personne. Ses enfants la passionnent comme toutes les mères. L'amour filial n'est pas plus snob à Paris qu'ailleurs.

Le jour suivant, d'autres affaires se bâclent entre le croissant et le sandwich. Des taxis meuglent. L'un s'égare. On est en banlieue. Il n'y va jamais. Il n'est pas né à Paris. Il est noir. Honnête, il donne un rabais substantiel sur le montant de la course.

En soirée, on va au théâtre. Pièce ennuyeuse mais bien jouée. Des pros. Des têtes connues par le cinéma. De ceux devant qui on met le tapis rouge au Québec. Vieille habitude léguée par un passé clérical à l'encensoir omniprésent.

Et le troisième soir, c'est Pigalle. Les bars ont allure de boulangeries avec tous ces seins rebondis, alignés et chauds. Et les faces sont farineuses dans le clair-obscur. Des bras s'agitent. On exhibe des salutations tentatrices, rondes et roses. Puis les yeux disent "Je t'emmerde" quand on sait que les passants ne s'amusent qu'à voir. On va au Moulin Rouge. "Ce n'est que ça?"

Une dernière balade entre les sombres pulpeuses. Sur cette voie, elles sont dehors. Le temps cru garde les chairs plus fraîches.

— C'est cent francs, propose une rousse mince et plissée.

— Nous sommes deux, dit Joseph.

— Cent soixante-quinze pour les deux.

— C'est que nous n'avons pas tout à fait les mêmes goûts, mon copain et moi.

— Il y a ma compagne de l'autre côté. On fait la partouze. Sandrine, Sandrine, les petits copains veulent te voir…

— Non, non, c'était juste pour parler, dit Joseph en levant des mains qui opposent un refus.

— Alors quoi, je ne suis pas assez bien pour toi?

— Si, mais nous avons des épouses qui nous attendent.

— Allez, vous garderez un si chaud souvenir de nous deux que vous pourrez tirer deux autres coups avec vos gonzesses avant de vous endormir comme des bébés. C'est trois cents francs pour la fête. Et cent pour des petits suppléments.

— Certainement! Un autre soir, un autre soir, fait Joseph sur un ton goguenard et paterne.

— Ah, je t'emmerde à la fin!

Et la femme retourne s'embusquer dans une encoignure en grommelant des imprécations.

— Il y a trois jours, tu voulais payer le coup et maintenant tu refuses des propositions aussi alléchantes?

— Pas avec celles-là tout de même! Elles sont en solde tu vois bien. Si tu veux t'ébattre, va Place de l'Opéra: la qualité sera meilleure.

— Si j'avais envie d'une fille, j'aurais choisi la petite Eurasienne. Quand tu seras parti, je draguerai et tâcherai de trouver quelqu'un qui ne fasse pas le trottoir. J'espère ne pas être à bout de ressources, hein, malgré mon âge.

*

Le cinquième jour, Joseph repartit. Alain changea d'hôtel pour l'économie et pour le style. Il trouva un endroit plus nord-américain aux abords de la tour Eiffel. Qualité moyenne. Prix moyens. Tout plein de Japonais moyens. Huitième étage. Chambre petite à couleurs claires. Acheta le guide Paris pas cher.

Il retourna avenue des Champs-Elysées, question de se repayer quelque peu en un lieu familier déjà, musarda tout l'après-midi, entama des bières qu'il ne finissait pas, observa, s'acclimata. Quant à être seul, il fallait garder son budget pour d'autres moments et c'est pourquoi, à l'heure de la faim, il s'attabla à un Drugstore et commanda à une serveuse de béton un velouté de tomates et hamburger au poivre, ce qui lui fut servi en un temps record.

Il chercha du regard des yeux seuls, n'en vit aucun, dut manger pour supporter ceux de la serveuse qui le heurtait chaque fois qu'elle passait derrière lui. Le snack bourdonnait. S'y trouvait la moitié de Paris tandis que l'autre préparait ses valises pour s'en aller ailleurs passer la Noël.

Au moment de se commander une pâtisserie, Alain aperçut comme l'image fugitive de Viviane traverser la place, s'approcher... Un sentiment insupportable l'envahit, l'espace d'un éclair, le temps tout juste de voir passer au milieu du flux in-interrompu des badauds qui traversaient les lieux pour aller Dieu sait où, une tête comme la sienne à cheveux dorés, bouclés et ce même regard léger et ces yeux ni gris ni verts et ces lèvres de poupée de porcelaine. Le personnage fut emporté par la vague et disparut à tout jamais. Le coeur, l'âme, le cerveau, la gorge, tout l'homme fut broyé par une idée effrayante, suffocante: il avait vécu de travers dans un milieu qui ne le permettait pas. Il avait perdu des valeurs sûres et ne se retrouvait plus qu'avec une froide liberté. Et l'avenir ne serait guère meilleur; tôt ou tard il perdrait sa petite guerre sans signification pour personne sinon lui-même.

Cette idée noire lui injecta une forte dose d'adrénaline en plein coeur de tête. Il lui fallait s'organiser, planifier à long terme, écrire sur une serviette de table les grandes étapes de son futur, s'emprisonner dans un plan directeur puisque la liberté faisait si vide.

Il se mit à écrire fébrilement. Des mots illisibles pour un autre que lui. Une voix le bouscula:

— Vous avez terminé? Parce qu'il y a cent clients qui attendent là. Voici votre addition.

— C'est que je voudrais un breuvage tout de même.

— Alors quoi?

Il réfléchit deux secondes.

— Pressons, monsieur, s'il vous plaît!

— Un déca

— Un déca?

— Oui, un déca.

Quand elle fut repartie, il se vilipenda. Puis se cuirassa: "Je vais rester à cette table le temps qu'il faudra et mon décaféiné, je le boirai jusqu'à la dernière goutte. Merde de merde!"

Ce qu'il fit mais en deux lampées. Et dès qu'il eut payé la note, la serveuse débarrassa la table, n'y laissant que la petite tasse. Même la serviette barbouillée d'encre disparut dans un tournemain automatique.

Il quitta les lieux en soliloquant presque tout haut, juste

derrière ses lèvres:

— On est le vingt décembre 1980. Me reste neuf jours à passer dans cette sacrée ville. Faut pas les gaspiller à suivre les autres touristes comme un mouton. Doit bien y avoir moyen... Demain, je vais 'cruiser' sur les terrasses et dans les bistrots. Je ne dois pas être la seule âme perdue dans ce pays. Et ce soir, je vais finir la journée à la disco de l'hôtel, tiens!

Dans le métro, il remarqua que les femmes seules donnaient une seconde ou deux de leurs yeux, contrairement à Montréal où elles se dirigent par des antennes cachées mais semblablement à Québec et les autres villes de la province où, dans les lieux publics, la peur est moins omniprésente.

La disco était déserte. Quelques couples indifférents. Une table de Japonaises: îlot perdu mais fort bruyant pour un lieu aussi pacifique. Il se mit en position. Passa juste à côté de leurs jacasseries. Pensa à tout ce qu'il possédait de japonais. Elles repartirent, emportées dans un cyclone de rêves et de mots sans avoir jamais levé les yeux vers qui que ce soit, lui moins que quiconque.

"Je ne pouvais tout de même pas me faire hara-kiri pour attirer leur attention!" se dit-il en prenant l'ascenseur pour l'étage de sa chambre.

La nuit effaça ses intentions et le lendemain, il se retrouva en bateau mouche sur la Seine, y voisinant avec des Américains, des Allemands et des Japonais. Tous en couple ou en groupes. Tous volubiles. Tous joyeux.

Ponctuées de ponts, les époques défilèrent au-dessus de sa tête, expliquées en anglais par une jeune fille aux sourires qui ne sonnaient pas trop faux.

Le plus vieux, c'est le Pont-Neuf, affirma-t-elle malgré les renseignements qu'en pouvait lire Alain dans une brochure. Ses explications incitaient les gens à capturer des images qu'ils enfermaient avec soin et mesure dans des cachots sophistiqués. Alain s'était toujours dit que, d'un voyage, il ne voulait garder de souvenirs que ce qu'en retiendrait sa mémoire et c'est pourquoi il n'avait pas pris d'appareil photographique avec lui.

Au retour, il pensa qu'il valait mieux finir de perdre une

journée déjà sérieusement entamée en se rendant comme un bon touriste normal dans la tour Eiffel. Pourtant la visite lui plut. Tout d'abord, rendu au deuxième étage, le plus élevé accessible en cette période de l'année, il jeta quelques regards furtifs sur la grisaille estompant les reliefs de la cité, cherchant à identifier les ponts de la Seine sans y parvenir tant leurs formes fumeuses se perdaient dans l'eau.

Les graffiti captèrent longuement son attention. D'où venaient-ils, qui étaient-ils tous ceux qui, sous formes d'initiales, de pactes ou de subtiles pensées, avaient gravé sur l'acier leur désir de vivre longtemps. Il les imagina solidaires, dépendants et heureux, ces chercheurs de pérennité refusant de voir, comme Viviane, que le mortel meurt seul. Toujours. Inexorablement seul.

Et puis les autres, ceux qui avaient sauté par-dessus les gardes pour trouver la paix? Ceux-là qu'on empêchait de le faire par des treillis et barbelés et qu'on privait d'une mort romantique et spectaculaire!

Les premiers et les seconds se succédaient en son esprit, tournèrent comme en un lent carrousel, certains les mains crispées sur l'acier protecteur, d'autres prenant leur envol. Mais tous absorbés par le temps.

Dans cette foulée, il vécut les jours suivants en tous lieux fréquentés par les touristes qui se respectent. Des Invalides au Trocadéro, du Musée de l'Armée à Montmartre, d'un restaurant à l'autre, d'une solitude à la suivante! Les placards du métro finirent par le vaincre et un soir, il se rendit au cinéma pour assister à Superman II. Il s'en voulut tout au long de la représentation. Aller à Paris pour voir le rêve américain: quelle connerie!

Invariablement à son retour à l'hôtel se trouvait sur les marches de l'entrée une prostituée à col frileux. La première fois, elle lui fit des avances. Il en profita pour parler, reculant tant qu'il put sa réponse derrière un échange de banalités qu'elle crut devoir investir.

Blonde, mal maquillée et cheveux décoiffés, elle avait tout l'air d'une fille-dépanneur vendant ses charmes pour se tirer elle-même d'un embarras certain.

— Tu viens passer un bon moment? J'ai mon appartement tout près.

— C'est où?

— À cinq minutes pas plus.

— Vous n'avez pas froid ici? La nuit est glaciale.

— Vous n'êtes pas d'ici? Suisse? Belge?

— Du Québec.

— Ah, Canadien! On les aime bien ici, les Canadiens.

— Nous sommes à la mode, paraît-il.

— Alors tu viens? On va jaser à ma chambre; ce sera plus chaleureux, non?

— Vous êtes Parisienne?

— Oui et non... Enfin j'habite ici depuis cinq ans tout de même.

— C'est une ville intéressante mais plutôt déserte à ce temps-ci de l'année.

— Évidemment! fit-elle comme s'il avait dit une bêtise. On est l'avant-veille de Noël.

— Et qu'est-ce que ça peut... signifier de particulier? demanda-t-il hypocritement puisqu'il savait d'avance la réponse.

Tant qu'il ne passa personne, elle tint l'échange mais après l'arrivée de deux hommes qui empruntèrent la seconde allée, elle perdit patience.

— Alors tu viens ou pas?

— Je regrette mais... c'est déjà fait pour ce soir.

— Bon, donc à la prochaine, fit-elle sèchement en s'éloignant et marmonnant.

— C'est ça, une autre fois, là.

Dans sa chambre, il se mit à la fenêtre pour l'observer. Il se murmura en pensant à Viviane:

— Si c'est pas de la fidélité, ça, je me demande bien ce que c'est.

Vue de cette hauteur, la fille donnait l'air d'une héroïne de film muet. Elle bougeait comme à un rythme accéléré, marchant d'un client potentiel à l'autre sans jamais bâcler de transaction.

Il finit par la plaindre d'avoir à gagner son pain par ces heures et ce froid et il eut du regret de l'avoir fait marcher. Par sa faute, elle avait peut-être perdu sa soirée.

Peut-être la faire monter? Juste parler. La payer. Elle saurait qu'il avait un peu de coeur. L'idée venait trop tard. La jeune femme quittait les lieux. Et seule.

— Fou de con! se dit-il en s'allongeant sur son lit. Encore une mauvaise décision! J'aurais été mieux que rien pour elle. Elle aurait été mieux que rien pour moi.

Paupières closes, il survola le temps, vit une série d'images résumant son coeur depuis le jour où il avait connu Viviane vingt ans auparavant. Il reconnut en leur addition le bien-être, la valeur d'acier sur laquelle son âme était imprimée et qui la burinait. Et ce visage de Viviane, si rassurant, si doux quand elle était douce... Et leur commune mesure qui avait grandi si paisiblement: enfant prometteuse et qui avait toujours tenu ses promesses.

— Et dire que j'ai trafiqué les deux seuls êtres qui me sont nécessaires pour des graffiti et des Japonaises furtives! pensa-t-il tout haut dans un sourire qui se moquait de ses larmes.

Après une nuit agitée, il se rendit au Louvre. Ce fut jour d'émerveillement douloureux. Des joies à ne pas pouvoir dire. Des émotions à se refouler jusqu'aux pieds. Des visiteurs distancés, moins lents que lui. Des muscles désireux de quitter.

Cent mille personnes autour de Notre-Dame applaudirent, ce soir-là, la chanteuse américaine Joan Baez. L'artiste chanta en anglais, parla en anglais. Les Parisiens étaient aux anges: l'Amérique vibrait sur leur parvis. Alain se sentit chez lui, adossé à un mur plusieurs fois centenaire car il connaissait Joan Baez, son nom, sa voix, sa langue.

Il rentra tôt. La prostituée n'était pas au poste. De sa chambre, il jeta plusieurs coups d'oeil en bas mais ne la vit jamais. Quelque part vert minuit, il s'endormit tout habillé après avoir comptabilisé maints souvenirs, des justifications, des accusations mais tout cela à propos de lui-même.

C'était presque désert à la gare en ce matin de Noël. Il se

retrouva fin seul dans un wagon en voie pour Versailles. Il descendit au mauvais arrêt, dut marcher longtemps. Les taxis, pas plus que les putains, ne sont à louer aux alentours de Paris à Noël.

Le château était fermé. "Il est ouvert toute l'année sauf aujourd'hui se dirent des touristes pas loin. Mais on peut se rendre au Grand Trianon"...

Il les suivit quelque temps, imper sur le bras, admiratif devant le calme et la beauté des pièces d'eau et à cause du soleil français qu'il voyait tomber sur toutes choses pour la première fois.

Sa marche fut interminable, dura l'après-midi entier, s'éternisa entre de vieux arbres à tronc vert, aux abords d'étangs aux eaux glauques, le long des sombres miroirs qui reflétèrent aux rois leur auguste majesté, à l'examen des sculptures...

Si le roi brillait par son absence, le soleil lui, n'avait rien d'emprunté. Arrivés à la même heure qu'Alain, ses tristes rayons le reconduisirent jusqu'à la gare.

Étendu sur son lit pour endormir quelque peu sa lassitude, il fit le bilan de sa journée pour se rappeler l'avoir mieux vécue. Il ramena à Versailles Louis XIV et sa brillante cour en une époque où les marginaux avaient plus de plaisir que les réguliers. Il jasa avec courtisanes et princes, hommes de lettres et servantes. Le rêve parut durer plus longtemps que la marche de l'après-midi. Il eût voulu qu'il durât éternellement, mais il s'effaça pourtant sans crier gare, laissant dans l'esprit le même vide rocailleux que celui de la cour du château.

Qu'est-ce qu'on fait à Paris quand il ne reste qu'un jour à y vivre? se demanda-t-il en écartant les tentures pour voir en bas l'absence de la blonde à prix élevé. Car les plus luxueusement motorisées plafonnaient tout de même à deux cents francs.

Narguer la solitude! Embêter la souffrance intérieure. Faire chier ses remords. Enterrer tous ses états morbides en communiant plus intensément avec la mort et ses quartiers. Passer des heures au Père-Lachaise. Quadriller cent allées du vaste cimetière. Lire toutes les épitaphes. Les assimiler. En faire un roman Harlequin "Piaf, je t'aime!" "Baudelaire, mon sale frère!''

Le ciel s'était remis à crachiner durant la nuit. À la grille de l'entrée, un groupe de personnes graves voûtaient l'esprit en attendant quelque défunt qui avait l'air de se faire espérer. Sur la rue adjacente, avenue de Ménilmontant, parut bientôt un corbillard à lourde majesté. En descendit un croque-mort filiforme, rayé gris, solennel. Il fit un geste vague que des membres de l'attroupement comprirent, ce qui les regroupa auprès de lui. Il ouvrit la portière. On en tira un cercueil luisant. Le cortège se forma. Cinq suiveurs distraits: deux couples d'âge moyen et une vieille dame. Lincoln prit les devants.

Posté à courte distance dans le cimetière, Alain fut sur le point d'unir sa sombre destinée de ce jour-là au funèbre défilé, mais il se ravisa. On l'eût pris pour un importun aux manières d'un goût douteux.

Il s'engagea dans une allée montante pavée de pierres inégales lui tordant les chevilles. Les obélisques à toits pointus et moussus se tassaient pour former un labyrinthe à districts pourtant numérotés. Pas de fantômes en vue. Il ne croiserait qu'un couple dans tout l'après-midi. Quelques pierres tombales le firent s'arrêter: Bizet, Colette, Balzac... Mais jamais il ne devait trouver Piaf et encore moins Baudelaire, le faux frère qui dormait ailleurs, au cimetière Montparnasse.

Au contact de tout ce qui plonge dans le passé, il avait toujours perdu la notion du temps. Cela devait se produire une fois encore ce jour. La paix anesthésiait la fatigue. Et les inscriptions funéraires nourrissaient l'imagination. Il était de ceux sur qui s'exerce au plus haut degré la fascination des cimetières.

Quand le jour se mit à pencher derrière le mur des Fédérés il prit d'instinct le parti de quitter. Sa recherche fut longue pour retrouver son chemin et ce n'est qu'à la brunante qu'il aboutit à l'entrée principale. Les gris étaient devenus des noirs et les verts, des bruns.

Une heure plus tard, crevé, il s'étendait sur son lit. Une somnolence heureuse l'envahit, le conduisit dans un dédale de pensées harassantes et qui toutes s'inscrivaient dans un noir bilan de vie plus des prévisions pires encore, faites de problèmes financiers, affectifs et de santé. L'une d'elles l'obsédait plus que tout autre: "La mort commence à quarante ans. Le corps s'en va. Le coeur s'émousse. Et l'idée même de la mort imminente harcèle."

Il s'assit sur le bord de son lit, se plia en deux comme quelqu'un qui a mal dans la poitrine et refit de mémoire sa visite du champ des morts. Un sentiment neuf se présenta à lui: les fleurs du suicide. La mort, suprême aventure dans laquelle on plonge comme dans l'histoire, comme dans le temps dont on abaisse les barrières, que l'on commande et domine. La grande dame embusquée dans maints replis de son cerveau, toujours capiteuse et prometteuse, lui offrait ses rondeurs séduisantes. "Et si tu me prends avant que je ne te prenne, le prix sera bien moindre!" lui minauda-t-elle à l'oreille. "Une, deux minutes de souffrances, mais une douleur farcie d'espérance, et puis voilà!"

Tous ces amis à revoir, à connaître. Les grands noms mais surtout les inconnus, les sans-signification, les laissés-pour-compte, les simples unités des petits peuples de toutes les époques, tous ceux enterrés entre Balzac et Michelet, de Piaf à Sarah Bernhardt, aux côtés de Marylin Monroe et d'Elvis Presley. Les exilés, les suppliciés, les ratés. Tous ces auteurs qui jamais ne verront leur premier livre publié. Les ombrageux et les ombragés. Les soldats morts de tuberculose dix ans après leur guerre. Les robineux, les incestueux, les poussiéreux, les back benchers et quatre-vingt-dix-neuf pour cent des femmes.

Des mécanismes esclavagistes inscrits dans l'instinct de vie commencèrent à produire des écrans protecteurs dont, entre autres, l'humour sombre puis la création d'un vacuum au niveau de l'impensable énergie requise pour se donner la fin. Il fallait des gestes intermédiaires à poser, des méticulosités pour occuper les mains et les yeux comme une potion à préparer ou une arme à charger.

Il lui fallut un effort de concentration surhumain, pour simplement lever la tête puis raisonner sur la possibilité qu'offrait la fenêtre juste devant, à deux pas de la main. Il devait savoir si on pouvait l'ouvrir et si elle permettait de livrer passage à un corps, le sien. Jamais il n'aurait plongé vers une surface dure, de béton ou d'asphalte, mais là en bas, c'était une molle pelouse qui protégerait le corps de la charpie. Un choc sourd, juste ce qu'il fallait pour faire comprendre à l'esprit qu'il devait quitter pour des cieux meilleurs. Une terre moelleuse qui tuerait sans faire de mal ni briser: il y envelopperait sa forme comme dans une matrice.

Il voulut travailler dans l'ombre, à l'abri des indiscrétions de toutes ces fenêtres éclairées du Hilton d'à côté. Il éteignit la seule lampe allumée, se pencha au-dessus d'une table-commode, ouvrit les tentures. La mort se trouvait là, sept étages plus bas, à lui adresser ses invites. Mais elle n'eut pas le loisir de le faire longtemps, chassée qu'elle fut par la prostituée d'avant Noël qui, arpentant le trottoir entre les deux hôtels, entra dans son champ de vision.

Tout en lui se métamorphosa soudain. Il ne fallait pas la manquer cette fois. Il fallait lui crier, lui jeter un papier, lui faire des signes.

Ses autres pensées furent toutes balayées par un incontrôlable débordement d'énergie qui le mena de suite à l'ascenseur, en bas, sur le trottoir, près de la femme. Il dit, essoufflé:

— Je suis le Canadien de l'autre soir. C'est combien pour vingt-quatre heures, repas et vin fournis?

*

À son arrivée au pays il téléphona à sa fille pour lui annoncer son retour et lui résumer les côtés touristiques de son voyage. Puis il parla à Viviane qui l'invita à un souper de fin d'année.

Lorsque l'occasion se présenta, qu'il se retrouva seul avec elle, il lui tint un discours fébrile sur l'avenir et la vie heureuse qu'il lui garantissait si elle voulait essayer de rebâtir.

— J'avais trop de mal pour te dire tout cela et je criais, mais c'est fini. J'ai tant appris depuis notre séparation, répéta-t-il à douze reprises.

Pas une seule fois elle ne l'interrompit, mais quand elle sut qu'il avait terminé, elle dit candidement en penchant la tête et d'une voix très douce:

— Il y a longtemps que je ne t'aime plus, Alain. Il y a quelqu'un d'autre maintenant dans ma vie. Et je suis très bien comme je suis. Vois cette bague: c'est lui qui me l'a offerte et je n'ai pas le goût de l'enlever à cause de toi.

Il se composa un sourire qui lui demeura faiblard aux coins des yeux, murmura sans lever la tête:

— Je te comprends, je te comprends. J'ai toujours eu tendance à oublier que tu as aussi ton point de vue. Faut dire que les femmes, vous ne nous aidez pas trop à savoir ce qui mijote dans votre marmite. Je... je suis content pour toi... même si ça serre un petit peu en dedans. C'est la vie! C'est mieux souffrir de ça que du cancer, hein?

— Ça me fait penser: tu connaissais Claude Martin? Tu sais l'ami de mes frères qui venait souvent à la maison quand on s'est connu! Eh bien, il est mort la semaine passée. Crise cardiaque. Trente-sept ans. Ça fait réfléchir.

— À quoi?

— Ben... que notre tour s'en vient.

— Ça!

Chapitre 4

1981

Suicide par névrose obsessionnelle et irréversible, orchestré, planifié par le subconscient. Nelligan. L'idée s'infiltra en lui, il ne sut trop comment. Chaque soir avant de s'endormir, il invoquait le poète en récitant tout haut Le Vaisseau d'Or.

"Il faudra bien que tu viennes me chercher quelque matin pour me guider vers Baudelaire que je n'ai pu trouver et tous les maudits de la terre et de l'enfer," disait-il en fin de prière.

Chicoutimi. L'école des jeunes filles. Elles sont d'une beauté qui rend si triste! Les "vous monsieur" alternent avec les "comment vous n'êtes pas mort?" Un auteur, ça doit être mort et enterré. En soirée on le reçoit chez des religieuses. On forme un cercle. Il est questionné, mal à l'aise. Mais la bonté tourne à une vitesse folle. Il repart comme exorcisé. Pour un temps.

La Tuque. On l'héberge dans une famille. On lui sert un repas fin avec vin rond et conversation plaquée argent. Il se demande ce qu'il devra donner en retour, car qui a fait de la politique et vécu à Montréal sait que rien n'est donné. Mais il doit se rendre à l'évidence: c'est gratuit, c'est par accueil.

Hauterive. LES GRANDS VENTS et ANNÉE SAINTE disparaissent à un rythme fou. Il en a cent exemplaires de chaque sorte à l'arrivée et plus un seul au départ. Chacun sait déjà qui il est. On le traite comme un ami de longue date.

Thetford-Mines. On fait tout le travail pour lui. Manutention des stocks. Surveillance. Encaissement. Il est libre, converse, apprend, fraternise. Il y a eu quatre suicides chez les adolescents depuis le début de l'année scolaire. "Pourquoi eux puisqu'ils ne savent encore rien du bonheur ou du malheur?" songe-t-il.

Charny. Un trio de jeunes filles est toujours présent. On met de l'ordre sur les tables. On veille au grain. Un prof intervient. Une féministe enragée, visage vert, cheveux sales. Elle veut soustraire ses filles à la dangereuse influence mâle. Elle provoque la discussion, s'emporte, crie, hurle, bave.

"Faut lui pardonner, elle est comme ça!" lui apprennent les jeunes filles.

"C'est sa marque de commerce!" affirment les profs qui en fin de journée offrent vin et fromage au visiteur.

Papineauville. Une religieuse responsable de l'expo, toute petite, insiste pour transporter les lourdes boîtes de livres.

Il est embarassé. "On veut que vous reveniez nous voir."

Berthierville. Conférence aux étudiants. Rencontre avec les parents. Des ventes qui n'en finissent pas de chiffrer. Record établi.

Mont-Joli, Matane, La Sarre, Gatineau, Plessisville, Victoriaville, Louiseville, Lac-Mégantic, Lachute, Huntington, St-Damien, Québec, Longueuil, Laprairie, Brossard: toutes les régions sont visitées, toutes les écoles sont accueillantes.

À ce point de vue aussi, Montréal lui reste fermée. Les autorités des polyvalentes sont trop occupées pour s'occuper d'une activité susceptible d'inciter les jeunes à lire davantage. On se fait hautain. Et quand il sort l'argument du haut degré d'intérêt des étudiants de partout ailleurs pour l'activité proposée, on le gratifie de sourires de la plus totale indifférence.

Pourtant malgré les joies qu'on lui dispense profusément de jour il se retrouve avec la grande putain qui l'accueille dans sa chambre de motel le soir. Elle a pris avec elle une compagne plus aguichante encore. Mort et névrose veulent lui faire l'amour et il leur arrive même, comme à la fille de Pigalle, de lui proposer la partouze ainsi que le vécut ce pauvre Van Gogh.

Un matin, à St-Jean-sur-Richelieu, il déjeune. Un lieu animé, propre rare. Oeufs, jambon, rôties, café, marmelade: comme pas un chef de Paris n'eût pu les réussir. De partout on lance du soleil aux serveuses qui ont un oeil à chaque client et un autre aux oeufs qui cuisent sur les grandes plaques noires et luisantes.

On lui offre un journal et un sourire appuyé. Alain remercie, surpris comme il l'est chaque fois par la chaleur de son pays. Parmi les nouvelles du jour, il lit qu'on recherche un garçonnet autistique qui s'est perdu dans un boisé près de Cowansville. À observer autour des longs comptoirs tous ces gars qui discutent joyeusement, il se sent plus emprisonné en lui-même que l'enfant perdu. Et tout ce jour-là il pense à l'autisme et à ces histoires qu'on lui a cent fois racontées sur sa petite enfance alors qu'il ne semblait heureux que dans l'isolement comme en ce jour de noce, un an après sa naissance, alors qu'on l'avait oublié sur une galerie à l'écart de tous. Sept heures qu'il y avait bercé sa tranquillité sans se plaindre, à l'étonnement de la parentèle et provoquant les remords maternels.

Obsédé par l'enfant de Cowansville, il creusa la question de l'autisme, dénicha des livres traitant du sujet, apprit qu'il se trouvait des liens possibles entre ce mal et la schizophrénie, fouilla dans celle-ci.

Le matin suivant, sous la douche, s'inscrivit clairement en son esprit le plan détaillé de son prochain roman. Une fillette autistique retrouvée par la vie et les stimuli mais restée fragile et qui, adulte, heurtée par une série de chocs émotionnels, sombrerait lentement, à la fois volontairement et malgré elle, dans l'univers de la folie, détruisant avec elle-même ceux qu'elle aime le plus au monde.

Personne ne saurait jamais combien ce personnage et lui se ressembleraient! Et tant mieux s'il en venait à la suivre dans son monde mystérieux et libérateur puisqu'il le souhaitait avec tant d'ardeur chaque soir.

En s'asséchant le corps au sortir du bain, il se questionna sur un titre, le définit d'abord avant de le trouver. Il le voulait simple et court, qui ne sonne pas étrange, qui ait de bonnes chances de vendre et qui désigne le personnage central. Un nom de personne. Un nom qui devrait rendre sympathique, du moins au premier coup d'oeil.

AIMÉE.

Le mot s'écrivit tout seul dans son miroir. Il le contempla, l'adopta. Et le soir même, il s'attelait à une tâche qui loin de lui peser sur les épaules, allumait dans son regard des bizarreries étudiées, canalisées, mises au service de l'oeuvre à accomplir.

. Les villes et les chapitres se suivaient. Saint-Jovite lui suggéra de situer l'action dans les Laurentides. Saint-Pamphile lui souffla le personnage d'un oncle américain. À Victoriaville, il fit d'Aimée une infirmière. Une plaque de glace sur la route Montréal-Québec lui fit imaginer une invasion de la chaussée par un corridor de chenilles.

À mesure que progressait le livre, sa propre vie émotionnelle chancelait davantage. Tout en lui devenait excessif par rapport à ce qui l'était d'avance. Une âme scindée en deux parties bien nettes, l'une occupée par la douleur et l'autre par l'amour. Ni peur ni haine: rien d'autre.

La souffrance coulait de sa plume en larmes noires.

Mais l'amour devait s'en échapper de la même façon. En larmes roses. Il fallait qu'il se donne. Mais pas à un être accessible. Il chercha longtemps comment se débarrasser de son amour sans faire de mal et sans danger pour lui. Un soir il se rappela le marin d'un vieux film qui avait voué son coeur à une fille de calendrier. Il définit l'être chimérique: jolie, inaccessible. Il la trouva dans un journal. Une vedette. Il lui écrirait. Elle le prendrait pour un fan amoureux. Ce serait agréable pour elle, libérateur pour lui.

Ses relations avec ses nouveaux amis restaient toujours sur le terrain de l'argent. Ils se rendaient sur ce plan de mutuels services. Le chiffre d'affaires qu'il constitua pour l'entreprise permit à Joseph d'envisager une expansion qui fut rapide et assurée d'une main de maître.

Au coeur de mai ses rendez-vous avec Aline prirent fin. Pour trancher le lien, il prétexta un amour qui l'avait pris par surprise.

De rares rencontres avec sa fille. Jamais un mot de sa mère. Il la félicitait de ses notes scolaires, lui remettait l'argent de la pension alimentaire, accusait le manque de temps pour se faire, lui, si rare.

Et au cours de l'été, il sombra plus profondément dans des états névrotiques en même temps que le personnage de son livre. Il suivait Aimée à la trace, chaque jour, chaque heure. dans des eaux troubles ou bien était-ce Aimée qui le suivait, lui? Il en arriva à ne plus trop savoir qui était qui. Lui-même, enfermé dans son sous-sol, privé d'air et de lumière, il emprisonnait lentement, inexorablement son personnage dans un univers psychotique en des transes de plus en plus prolongées.

Rimouski sonna un matin de juillet. Chez le libraire, on le voulait là-bas pour une soirée de signatures de ses bouquins. Le faire sortir aussi brutalement d'un ouvrage? Il l'aurait refusé à quiconque. Mais pas à Rimouski. Il lui était trop redevable. Il se rappela la fée des trois soirs de mai. Et puis ceux qui le réclamaient ne lui avaient-ils pas lancé une bouée en des heures catastrophiques? Il lui vint à l'esprit que ce n'était pas par hasard si Rimouski venait à la rescousse une fois encore. Peut-être y trouverait-il quelque chose, y rencontrerait-il quelqu'un qui l'aiderait à sortir de l'eau... ou à se noyer.

Il proposa les quatorze et quinze août alors que la première étape de son roman serait à coup sûr terminée. On accepta. Mais lorsqu'il eut raccroché, il regretta de n'avoir pas suggéré des dates plus hâtives pour que justement son livre ne soit pas encore fini, avant que son personnage ne sombre définitivement dans la folie.

La seule journée où il délaissa son manuscrit avant son voyage lui fut imposée par son ami juif qui téléphona par un matin pluvieux. Et sans doute choisi pour cette raison, devait penser Alain plus tard.

C'était un grand bureau aux murs égrianchés, taillé à même une bâtisse centenaire, meublé sans luxe sur moquette commerciale d'un vert foncé. Face à la porte toujours ouverte, Angéline occupait un bureau blanc avec dessus, un bouquet de fleurs. Elle fit un sourire en long et en large quand le visiteur la salua en passant.

— Viens t'asseoir, fit Joseph avec la même intensité que sa femme.

Alain toucha à la porte pour la fermer.

— Non, laisse ouvert. Ça m'évitera de lui répéter ce qu'on aura dit. Elle sait tout ce qui me concerne. Tu comprends, elle est...

— Ta discipline...

Il y eut les échanges habituels. ''Les ventes sont-elles bonnes cet été?'' ''Où en es-tu avec ton nouveau roman?'' Puis Joseph arriva au but. Il se laissa tomber vers l'arrière sur sa chaise et se croisa les doigts sur le ventre pour annoncer qu'il désirait fonder une maison d'édition et qu'il voulait Alain comme p.d.g. et co-propriétaire.

— Saturne est au bord de la faillite. Mauvaise gestion. Leur marché est important. Quelqu'un devra l'occuper. Pourquoi pas nous?

Alain se tourna vers la porte et demanda:

— Et qu'est-ce qu'en dit ta... discipline?

Angéline qui donnait l'air d'être tout à fait absorbée par son travail, leva la tête et laissa tomber:

— Monsieur Joseph la connaît, mon idée, là-dessus, il la connaît.

— Ce qui veut dire en clair qu'elle n'est pas d'accord. Mais je sais que toi et moi, on va trouver les arguments pour la convaincre. Et le meilleur serait de publier un livre et d'en faire un succès. Peut-être qu'on pourrait commencer par celui que t'es en train d'écrire.

''Non, mais ils me prennent pour un poisson ou quoi?'' se dit Alain rempli de méfiance. Il nuança sa pensée:

— Tu sais très bien que je n'ai pas le temps. L'été, j'écris. L'hiver, je cours le pays.

— C'est justement là le point: au lieu de courir le pays, tu fais de l'édition. Tu gagnes plus. Tu pousses davantage tes propres livres. Et tu as plus de temps pour écrire.

— Si je lâche de courir le pays, ce sera pour écrire à plein temps.

— Mais... mais tout ce que t'aurais à faire serait de diriger cette maison d'édition. Donner des ordres. Tiens par exemple tu y travailles l'avant-midi et le reste de la journée, tu écris.

— Pour moi, écrire demande trop. Je dois le faire le matin et...

— Alors tu feras de l'édition l'après-midi.

— Un problème d'édition va m'empêcher de me concentrer.

— Alors écris trois jours et fais de l'édition les trois autres. Quant aux problèmes, je m'arrangerai avec...

— Joseph, le plus important pour moi, c'est d'écrire un roman puis un suivant puis un suivant puis un autre. Et pour pouvoir le faire, il me faut les publier moi-même.

— Ce n'est pas possible. Tu n'y arriveras pas. Le marché est trop étroit. Les média ne veulent pas te voir parce que tu publies toi-même, tu le sais..

— Si je devenais p.d.g. d'une maison d'édition, je cesserais d'écrire. Peut-être un roman par cinq ans comme ça pour m'amuser les fins de semaine. Mais c'est pas ça qui ferait des enfants forts.

— Ça c'est plus logique pourtant!

— Et ça donnerait quel salaire?

— Mais ce que tu voudras. Combien? Tu le fixes toi-même. Cinquante, soixante mille dollars...

Alain fit une grimace d'incrédulité que l'autre prit pour une moue de négociation, ce qui le poussa à ajouter:

— Ça c'est pour commencer. Dès que la roue tournera, tu le rajusteras selon tes besoins.

— Bref, tu voudrais que je cesse de n'être qu'auteur-éditeur et devienne éditeur tout court...

— Je veux que tu te branches entre une chimère appauvrissante et une réalité rentable. Un, c'est un conseil et une proposition. Mais tu es libre de faire ce que tu veux. Deux, je te parle pour ton bien. Tu ne passeras pas ta vie à courir le pays. D'abord parce que c'est dur et ensuite parce que tu vaux plus que ça.

— Y'a pas que l'argent qui compte!

— Salade, salade! C'est aussi important pour toi que pour tout le monde.

— Pour la liberté, pas pour la consommation!

— Tu seras libre et tu pourras consommer comme tu le voudras.

— Ma liberté, c'est d'écrire. La tienne c'est de faire des affaires. Et cela ne peut pas s'interchanger.

— Ça fait deux ans que je t'observe. Tu peux aussi bien faire l'un que l'autre.

— Ou aussi mal...

— Non, si tu as l'appui que nous pouvons te donner.

— On pourrait interpréter ta proposition comme de quoi tu veux me rentabiliser davantage.

— C'est un point de vue!... Non, mais tu es bien trop matérialiste pour vivre en artiste... Un vrai artiste c'est fait pour souffrir, pour manger de la misère. C'est ça qui provoque l'oeuvre... ou le chef-d'oeuvre s'il souffre assez. Ou bien tu embarques dans cette peau-là et alors je deviens ton éditeur ou bien tu fais des sous... nous faisons des sous ensemble.

— Ça ne me dit pas grand-chose.

— Procédons autrement. Dix fois tu t'es plaint de fatigue à force de courir le pays. Vrai?

— Vrai

— Comment t'en sortir?

— Écrire, je te l'ai dit. Produire, produire...

— Produis trop et tu vas sombrer dans la médiocrité. Il faut des années pour écrire un roman.

— Encore un cliché qui fait ton affaire! C'est justement le contraire qui est vrai parce que le temps transforme l'auteur. Celui qui finit un livre commencé trois ans auparavant n'est plus le même homme. Son oeuvre, si elle n'est pas superficielle, ne peut qu'être du rafistolage psychologique. Les oeuvres valables, en n'importe quel domaine de l'art ne traînent pas en chantier pendant des années...

Joseph coupa:

— Autre proposition: deviens éditeur sept mois par an et prends les cinq autres pour écrire exactement comme tu le fais maintenant.

— Meilleure formule! approuva Alain avec signe de la tête à l'appui.

— Alors... tu me donnes ta réponse quand?

— En août je vais aller virguler ma vie à Rimouski et au retour, je te répondrai.

— À la bonne heure! J'ai fait venir des catalogues d'éditeurs américains. Tu veux y choisir une vingtaine de titres?

Joseph jeta sur le bureau une enveloppe brune en ajoutant:

— Tiens, emporte. Après la journée de travail, examine les catalogues.

— Si tu veux!

— Tu auras choisi dans une semaine?

— Oui, mais ça ne voudra pas dire que j'accepte ton offre pour autant.

*

Il trouva distrayant et reposant après plusieurs heures de travail créateur de parcourir les catalogues à la recherche de titres susceptibles d'intéresser le public québécois. Il choisit des guides, des livres de cuisine, de mode, de motivation, de diètes.

Mais sa double personnalité de poète-bricoleur qui depuis toujours l'avait fait se déchirer entre ses forces de repli et celles d'ouverture, entre celles de l'amour et celles de la liberté, ne manqua pas de lui causer une fois de plus un tourment intérieur profond.

L'un des titres mentionnés le ramenait sans cesse à une étude sur le suicide chez les jeunes faite par des professeurs de Harvard à partir d'un cas. Parmi ses choix, ce livre occuperait certes la tête de la liste. Il fallait qu'il en sache plus sur le phénomène que son côté A trouvait horrible mais qui séduisait au plus haut point son côté B. Ses tournées lui avaient appris que dans une école polyvalente sur deux, il y avait eu récemment un ou des cas de suicide. Il avait posé maintes questions aux amis, aux frères, aux sœurs des disparus.

Et puis il y avait ce pacte avec la grande que visiblement il ne pourrait respecter à la façon d'Aimée. Car à un chapitre où il lui avait fallu faire périr deux fillettes, son esprit s'était retiré carrément et les pages avaient dû être rédigées en tout sang-froid. Les interventions de Rimouski et de Joseph avaient aussi contribué à faire garder ses distances à la névrose.

Ce qui n'éloignait pas pour autant la fascination que la mort continuait d'exercer sur lui. C'est la raison pour laquelle il demanda à Joseph de faire venir d'urgence ce livre contenant l'étude sur le suicide. Son ami se crut en voie de gagner son point et appela aussitôt les Américains. Les droits étaient disponibles. Le livre n'avait pas été publié encore mais on fit parvenir un double du manuscrit qui arriva une semaine après et dont Alain prit connaissance alors qu'achevait AIMÉE.

L'étude comportait deux parties de cent pages chacune. La première contenait les témoignages de chaque membre de la famille de la jeune suicidée dont on faisait état. La seconde consistait en une étude scientifique aussi approfondie qu'aride de ces témoignages. L'adolescente avait laissé une dizaine de poèmes et quelques pages d'un journal personnel dont on se servait pour étayer les 'peut-être' et les 'sans doute que'. Cela suffit à émouvoir Alain au plus haut degré. Il se reconnut en elle non à cause des témoignages et des considérations psychanalytiques des doctes gens de Harvard mais à cause de cette grande douleur noire que Paula avait livrée en quelques lignes.

En même temps que son esprit sortait de celui d'Aimée le jour du point final, il vit naître en son coeur et malgré lui un personnage semblable à Paula, vu par l'intérieur, vivant dans un milieu québécois. Elle ferait l'objet de son prochain roman. De son dernier. S'il n'avait pu suivre Aimée jusqu'au bout, c'est Paula qui le guiderait. Ce ne serait plus une tentative comme à trois reprises déjà mais la réussite, le couronnement, la fin. Décision froide.

Comme toujours, il trouva le titre avant même que d'écrire la première ligne: LA MORT ROSE. C'est emporté par ce nouvel enthousiasme qu'il prit la route pour Rimouski, un vendredi matin flamboyant.

Guidé par l'instinct du créateur, il s'arrêta à Québec, trouva que c'est là où devrait vivre Brigitte, son alter ego du nouvel ouvrage. Un père fonctionnaire. Une mère commerçante. Des montagnes protectrices au loin. Une ville chaude, couveuse, bonne. Et des êtres qui s'évanouissent les uns après les autres: un grand-père, une amie, un professeur, un père...

Sur la route vers Montmagny, l'île d'Orléans apparut dans ses décors. Puis l'âme de Brigitte se précisa peu à peu dans le miroir du fleuve.

Au coeur du jour, il entra à Rimouski. Il se prit une chambre de motel. Puis il s'arrêta au coeur de la ville sur le bord de la rue d'à côté du fleuve. Un couple de vieilles personnes était assis sur un banc vert. Les goémons flottaient doucement sous la caresse d'un vent discret. Un bateau retournait à la mer. Une bande de mouettes tournoyait dans un vol retenu. Paysage banal pour un riverain mais pour Alain celui de sa maison qu'un enfant à peine debout sur ses jambes flageolantes découvre dans l'émerveillement.

À quelques milles de là, aussi près que lui d'un semblable panorama, un jeune homme écrivait fébrilement ses pensées du jour. Enfermé dans une chambre étroite aménagée en bureau de lettres, il n'avait vu ni le lever de soleil sur la mer, ni les rivières de diamants étinceler sur le fleuve, ni les oiseaux blancs voler en cercles. C'était le décor de sa naissance et sa vibration du moment passait par la découverte des pays de son esprit.

Au même moment, des lueurs indéfinissables, étranges mais semblables brillèrent dans l'entier regard de chacun des auteurs. Leur esprit s'était peut-être rejoint par delà la matière et le temps. Ni l'un ni l'autre ne le saurait jamais. Et pourtant dans quelques heures, ils se connaîtraient.

Alain s'arracha aux images limpides qui avaient apprivoisé les intensités des heures employées à circonscrire son prochain ouvrage. Il reprit le volant pour aller à l'autre bout de la ville. Devant l'hôtel aux doux souvenirs une jeune fille faisait de l'auto-stop. Il la fit monter. Elle se rendait au même endroit que lui: un centre commercial. Il lui trouva une odeur agréable qu'il ne parvenait pas à identifier. Sa tenue laissait voir des cuisses halées, piquées d'un fin duvet d'or. Ce qu'il imagina de ce qu'il ne pouvait apercevoir lui rendit son visage beaucoup plus intéressant, son nez plus fin, ses cheveux plus charmants dans leur désordre et ses yeux plus vifs sous ses lunettes rondes. Elle était cégépienne et originait de Sainte-Lucie. Il stationna dans la cour, marcha avec elle jusqu'à l'entrée du centre.

— Je ne te l'ai pas dit tout à l'heure pour ne pas être pris pour un faiseur de propositions mais maintenant qu'on se quitte je veux que tu saches que je te trouve jolie, jolie... belle comme la mer.

La jeune fille ne sut que faire du compliment comme si ç'avait été le premier qu'elle eut entendu de toute son existence. Elle fronça les sourcils, bredouilla des remerciements pour la randonnée puis s'en alla dans une direction opposée, au pas de fuite.

"Et dire que je n'ai même pas fait de publicité pour ma soirée de signatures!" se désola-t-il en regardant déambuler l'adolescente.

Puis il s'arrêta devant des carrés de miroir entre deux boutiques pour se dire qu'il n'avait plus l'âge de complimenter des adolescentes. Il aurait dû ne pas s'en priver alors que c'était le temps au lieu de se jeter tête baissée et yeux clos dans la dangereuse aventure du mariage.

"Mais à quoi bon y songer puisque tout cela est déjà loin derrière et qu'il avait maintenant toute lucidité pour façonner à sa guise ses lendemains," pensa-t-il.

Il se rendit à la librairie. Lieu familier. Mais il ne reconnut pas la caissière, une nouvelle, une jeune fille petite à cheveux courts et foncés et dont les yeux brillaient comme l'eau du fleuve par matin clair.

Pour mieux repérer ses ouvrages, il ne s'identifia pas sur le moment et entreprit une tournée des rayons tout en jetant des oeillades vers la jeune fille, la clientèle, l'aménagement du coin à signatures.

Il trouva les livres de Grandet plus en évidence que les siens et cela lui déplut. Surtout que le Victor-Hugo national se glorifiait de ne pas vendre ses oeuvres. Pourtant la jeune fille de la caisse, sans doute responsable des étalages, ne donnait pas l'air d'une tête heureuse. Diplomatie du distributeur? Ou bien à l'instar d'Édi-Québec, Grandet avait-il dans chaque ville des fans à qui il demandait de changer certains livres de place dans les points de vente, mine de rien. Ne trouvait-il pas chaque semaine, perdus parmi des livres d'autres maisons et les cachant, des guides d'Édi-Québec? Alain s'était laissé dire par des préposés aux étalages de la région de Montréal que cette pratique peu loyale touchait très majoritairement les produits d'Édi-Québec, trop en tout cas pour être attribuée au hasard et à la distraction de la clientèle.

Alain sursauta même si la voix qui s'adressait à lui portait un velouté reposant.

— Est-ce qu'on peut vous aider? demanda la caissière qui s'était approchée silencieusement.

— N... non, je ne fais que bouquiner... En réalité je suis là pour la séance de signatures...

— Ah, vous êtes monsieur Martel! Je suis bien contente de vous connaître. Je m'appelle Stéphanie, je suis responsable de la librairie.

— C'est bien tenu, fit-il en jetant un rapide coup d'oeil panoramique. Ordonné.

— Merci!

— Comme vous voyez, j'examinais le rayon québécois.

Elle remarqua qu'il tenait un ouvrage de Grandet et dit:

— Vous êtes un admirateur de notre grand Grandet?

— Ce serait difficile puisque je ne connais pas ses travaux... Si l'intelligentsia dit qu'ils sont géniaux, c'est sans doute vrai. Je dois te dire que l'homme me déplaît, mais c'est personnel. Si je crois que la prétention lui sort par les oreilles, c'est peut-être que j'en porte une semblable en moi.

— Ce n'est pas croyable d'entendre des propos pareils!

Alain rougit, durcit la voix:

— C'est mon opinion. J'y ai droit et ma foi, je la garde.

— Non, non, ne vous sentez pas attaqué par ma réaction. C'est que je n'en reviens pas d'entendre enfin de quelqu'un d'autre ce que mon ami avance depuis des années.

— Ah?

— Luc a même présenté une thèse à l'université sur l'oeuvre de Grandet. En fait c'était pour en soutenir la non-valeur. Il en a comparé l'auteur au roi nu du conte pour enfants. On l'a coulé et il a claqué les portes.

— J'aimerais bien le connaître, ton ami. Il a du caractère, on dirait.

— Il n'en manque pas. Mais il n'aurait pas dû.

— Il a dit ce qu'il croyait juste et il a bien fait.

— Il a une montagne de notes. Sa thèse avait une centaine de pages ou je ne sais trop. Il voudrait qu'elle soit publiée.

— Je pourrais l'aider qui sait?

— Je peux vous le présenter. Probable qu'il serait venu quand même ce soir, mais là c'est certain. Je lui téléphone.

Sautillante, elle retourna à la caisse et logea l'appel. Alain s'approcha, l'observa à la dérobée. Ses doigts se déplaçant doucement sur le récepteur, des éclats sans cesse renouvelés dans ses yeux bruns, une tête se dandinant parfois ou se couchant sur l'épaule, un corps qui bougeait d'une hanche à l'autre: tout en elle criait la passion amoureuse. À tel point qu'Alain se demanda si ce n'était pas lui-même qui cherchait à la percevoir ainsi. Il aurait tout loisir de savoir dans les heures à venir si ce bonheur qui suintait par tous les pores de sa peau originait des profondeurs de la personne ou s'il n'était que transpiration éphémère si fréquente en jeunesse.

Elle raccrocha, garda la main sur le récepteur, fixa un lointain avant de dire:

— Je vais avertir mes patrons de votre arrivée. Ils vont sûrement s'amener eux aussi tout à l'heure. Parce que Luc, lui, se dépêche de venir. Je vous jure qu'il a bondi quand je lui ai parlé de vos opinions sur Grandet...

— Attention, faut pas confondre l'homme et l'oeuvre.

— Luc connaît l'oeuvre; vous connaissez l'homme. Et ça se recoupe. Vous verrez, vous verrez tout à l'heure...

Elle s'interrompit et fit l'appel annoncé puis encaissa quelque argent avant de remettre son ami au centre de la conversation. Il questionna, apprit un peu de leur histoire.

Le couple partageait une maisonnette près du fleuve. Il écrivait. Elle travaillait. Lui, vingt ans. Elle, vingt-deux. Ils avaient fréquenté un groupe de jeunes, futurs penseurs du milieu, mais s'étaient lassés de leurs interminables discussions stériles et ils avaient changé d'amis.

— Luc se méfie des intellectuels. Il les trouve hypocrites et dit qu'ils sont les grands responsables de toutes les aliénations de maintenant.

— Je sens que je vais le trouver sympathique, ce jeune homme.

— Pas plus que moi, dit-elle avec ravissement.

C'était l'heure du souper. Alain se rendit dans une brasserie voisine. Entre autres pensées au cours du repas, il se félicita de ce que Rimouski lui apportait encore: cette fois, la possibilité de connaître quelqu'un d'une autre génération, d'une autre éducation et qui, à première vue, semblait s'habiller dans les mêmes tons que lui.

Au retour, il s'assit au bureau qu'on lui avait assigné pour sa séance de signatures. Une cliente l'attendait. Ils s'entretinrent de 1950 pendant un bon quart d'heure puis une adolescente vint prier sa mère de partir. On avait besoin d'elle pour des achats importants.

Alain se pencha pour remettre de l'ordre sur sa table puis il releva la tête. Une interminable silhouette se dessina devant lui. Bras ballants, épaules démesurément larges, nez busqué: le jeune homme souriait timidement. Stéphanie se libéra d'un client et accourut au bureau situé à l'entrée de la vitrine. Elle fit les présentations.

— Paraît qu'on a un ami commun? dit Alain.

— Ami, c'est beaucoup dire.

Alain se surprit de constater que la voix de Luc avait une pondération qui n'allait pas avec sa taille de géant. Il lui sembla que pas le moindre mot négatif pût sortir de sa bouche tant il parlait avec respect et mesure. Et dans la conversation qui s'engagea, c'est le jeune homme qui fit montre d'un calme de quadragénaire tandis qu'Alain passait par la longue gamme d'émotions que lui valait toujours la narration de toutes les goinfreries vues ou entendues dans la jungle du livre.

Luc questionnait tranquillement. Alain s'emportait, dénonçait, accusait.

— Notre littérature est à l'image de l'oeuvre de Grandet: emphysémateuse, résumait parfois le jeune homme qui avait fait des études littéraires sérieuses jusqu'à ce jour où il avait décroché dans l'écoeurement.

— Moi, je t'avoue que j'en connais plus le trafic que le contenu. Et je peux te dire, comme je t'en donnais des preuves tantôt, qu'à ce chapitre, y'a pas rien que de l'emphysème mais aussi du cancer.

Lorsque se présentait une personne désireuse de faire autographier un livre, Alain faisait en sorte de ne pas prolonger l'échange pour revenir au plus tôt à sa conversation avec le jeune homme qui écoutait bien plus qu'il ne s'exprimait.

À la fermeture du centre, le propriétaire, un petit homme facétieux vint proposer une table ronde à la brasserie. La conversation y fut si intense entre Luc et Alain que Stéphanie décida de retourner à la maison sans son ami afin de lui permettre de tout savoir ce qu'il montrait tant d'avidité à connaître.

Les heures s'envolèrent. Assis dans l'auto d'Alain, les deux nouveaux amis s'entretinrent jusqu'à l'aube. En guise de conclusion, ils firent une entente. Luc travaillerait sa thèse, en vulgariserait davantage le contenu, l'incorporerait à une vue globale de la littérature québécoise. Alain conduirait une étude à ras de sol à partir de ses expériences et connaissances. On combinerait les travaux pour en sortir un livre.

Quand l'autre fut parti, Alain retourna à son motel. Il eut des remords pour ce pacte qui ne saurait outrepasser son autre, le grand avec la grande.

Pareil projet demanderait à Luc d'investir des mois de travail. Et en bout de ligne, Alain ne serait sans doute plus là, le moment venu de marier les rencontres. Et sans lui, ce livre n'avait pas la moindre chance. Pas un éditeur ne voudrait s'y brûler les doigts. Par enthousiasme, il s'était jeté tête première dans des propositions par trop téméraires. Vieille manie!

Il s'endormit en soliloquant:

— Ce n'est tout de même pas une défection de ma part qui le détruirait. Luc n'a-t-il pas Stéphanie? N'a-t-il pas Rimouski? N'a-t-il pas l'avenir, la santé, les forces, l'intelligence, les connaissances?

Pas une seule fois Alain ne se questionna sur la plume de son jeune ami. Sans avoir lu une seule ligne de lui, il sentait, par les propos échangés, que l'autre avait une sorte de génie particulier. Pas besoin d'en savoir plus.

La semaine suivante, il sut à qui il avait affaire sur ce plan. Une lettre lui arriva de Rimouski. Les phrases en étaient superbement tournées. Un intense feu intérieur y coulait abondamment. Luc avait l'ardeur, se sentait la force, se disait l'enthousiasme. Il était déjà au travail.

Alain trouva sa calligraphie étrange. Les barres des T scindaient les mots, coupaient les phrases comme des accents graves, géants, rageurs.

Dans le verbal, Luc se retenait, nuançait, écoutait; par l'écrit, il tranchait dans l'hypocrisie à coups de raisonnements irréfutables et limpides.

"Qu'est-ce que je fiche dans ce métier avec mes petits moyens quand des talents pareils n'ont pas la chance de s'exprimer?" se demanda Alain au moment de lui répondre. Sa lettre ne comporta que deux simples phrases: "Écris! N'importe quoi, mais écris!"

Et en jetant sa lettre dans une boîte, il murmura:

— Ce gars-là n'a aucun besoin de moi.

*

Le surlendemain de son retour, il s'était rendu voir Joseph pour lui faire part de ses récentes décisions.

— Et alors? s'enquit le Juif, les yeux brillants après les banalités d'usage.

— Un: je ne fais plus les écoles.

— À la bonne heure!

— Deux: je vais écrire à plein temps.

Joseph cessa de sourire et dit, le ton bas:

— Six mois pas plus que tu vas faire! Et faudra que tu re-prennes la route avec ton camion.

— Certainement pas!

— J'ai reçu d'autres livres des Américains. Tu veux y jeter un coup d'oeil pour moi? Par contre, celui sur le suicide, c'est manqué. Leur agent en France s'oppose à ce que les droits nous soient vendus.

— Ça ne pouvait mieux tomber parce que je vais écrire mon prochain roman sur le sujet.

— T'as pas le droit.

Alain fit une moue voulant dire qu'il ne prenait pas l'autre au sérieux.

— Plagiat.

Alain s'esclaffa:

— Un sujet n'est pas chasse gardée. Des histoires d'amour impliquant un prêtre, ça fait mille fois que ça sert de prétexte à roman. Même chose pour des bonnes-femmes qui deviennent schizophrènes. Ils ont été des dizaines, les auteurs à s'inspirer de la légende de Don Juan et aucun, pas plus Molière que les autres ne fut accusé de plagiat. Il n'y a qu'un seul roman original: le premier. C'est pas moi qui ai inventé le suicide chez les jeunes. Et c'est pas parce que des professeurs de Harvard ont étudié la question que je vais me priver du sujet. Joe, tu me fais parler pour rien. T'es assez intelligent pour comprendre tout ça.

— Bon... Tu veux jeter un coup d'oeil?...

— Non, Joe, non! Tu perds ton temps à me lancer l'hame-çon. Je m'en vais chez moi. Je publie AIMÉE et en même temps, je m'attable devant mon prochain bébé. Même si l'ovule vient de Harvard...

— Tu es un parfait idiot de rater une chance comme celle-là.

— Ou de te la faire rater? Sérieusement, comprends-moi. Trois mois à faire de l'édition avec vous autres que je voudrais laisser tomber! Je suis un individualiste, un incorrigible indi-vidualiste.

— Ça je le sais!

— Mais tu ne l'acceptes pas. Qu'on me laisse vivre à ma manière, c'est tout ce que je veux! La liberté...

— Dans la vie, y'a des concessions à faire et toi, tu n'en fais jamais... ja...mais... Et c'est loin de conduire à la liberté, le chemin que tu veux prendre.

— Au fond, tu as raison: je suis virtuellement prisonnier de mon oeuvre future.

Un pas qui évoqua en l'esprit d'Alain le souvenir de sa première rencontre avec Angéline se fit entendre. Témoin de leur conversation, elle venait déclarer:

— Je te l'avais dit, Joseph, qu'on ne pouvait pas compter sur monsieur Martel. Il n'en fera toujours qu'à sa tête et restera toujours petit. Sa décision ne me surprend pas et même, elle me convient. Alors n'insiste pas.

Chaque mot avait été haché, chaque syllabe appuyée.

— J'ai fait mon choix...

Elle le dévisagea, poursuivit mais sur un autre ton, conciliant celui-là:

— Quand je dis petit, je pense financièrement. Des hommes d'affaires qui grandissent, il y en a des milliers et des milliers. Mais des romanciers, tu peux les compter sur les doigts de la main. Ton choix va dans la direction la plus dure mais c'est le tien...

Puis se tournant vers son mari, elle conclut:

— J'espère que tu as compris. Moi, je trouve qu'Alain a été bien clair dans sa réponse.

— Il est toujours permis à un homme de se réorienter. Peut-être que dans trois, six mois...

— Lui ne changera pas de voie, dit-elle.

— Qu'est-ce que tu en sais? Il l'a déjà fait trois fois dans sa vie non? Et nous aussi, non?

L'échange se poursuivit si vivement qu'on en vint à ignorer tout à fait sa présence; Alain se rappela le jour où l'on avait ainsi discuté à son propos comme s'il eût été une marchandise. Viviane et Denise avaient supputé sur ses chances de bonheur. Quelle joie il ressentait en ce moment d'avoir résisté aux pressions et d'avoir fait à sa tête comme Joe le déplorait!

Il était libre, il avait grandi ainsi et c'est au grand air et surtout par sa propre volonté qu'il plongerait dans l'ultime et suprême aventure.

Il quitta le bureau pour aller aux toilettes. À son retour, la discussion prit fin lorsque Angeline annonça abruptement qu'elle partait chez son coiffeur. Joseph se mit à fouiller dans des dossiers pour faire comprendre à son visiteur que le rendez-vous était terminé. Alain salua, se dirigea vers la sortie.

— J'espère qu'au moins je pourrai continuer d'acheter des livres de toi sans avoir à passer par le distributeur.

— Y'a pas de raison!

— C'est au moins ça de conservé. Non, mais te rends-tu compte de toute la misère vers laquelle tu t'en vas? dit tristement Joseph dans une dernière tentative qu'il savait vaine.

Alain leva ses mains avec lesquelles il repoussa les paroles de son ami dans un geste qui voulait dire "Bullshit". Il jeta un sec salut et partit en ruminant.

Sans le savoir, Joseph lui avait indiqué la meilleure façon de couper les ponts entre eux: refuser de lui vendre des livres. Suffisait de lui faire des propositions plus serrées quant aux prix. À coup sûr l'autre bondirait. Sinon il serrerait un peu plus la vis jusqu'à ce que Joe crie.

C'est ainsi qu'en octobre, il annonça ses nouveaux prix. L'entretien eut lieu au téléphone et tourna vite à l'orage.

— Qu'est-ce que c'est que cette histoire? Je t'ai tendu la main dix fois alors que tu étais en train de te noyer et c'est toute la reconnaissance que tu as?

— Tu sais bien que les affaires, c'est les affaires! dit Alain avec un cynisme frôlant le sadisme.

— Tu n'étais rien... Je t'ai mis au monde...

— Ça, c'est ma mère, pas toi. Tu n'as jamais rien fait qui ne te rapporte rien. Tu es un homme d'affaires doublé d'un Juif.

— Du racisme par-dessus ça? Mais qu'est-ce...

— Je ne l'ai pas dit comme du voudrais que je l'aie dit et tu le sais fort bien.

La voix puissante faisait grésiller l'intérieur du récepteur. Alain sourit, l'éloigna de son oreille.

— Je ne veux savoir qu'une chose et c'est que ma commande

soit remplie: terminé. Prépare-la, j'envoie un camion la prendre! Ter...mi...né.

Joseph raccrocha. Alain fit de même en souriant froidement. Il se rendit à une table, y interrogea la photographie d'une jeune femme et qui servirait à illustrer la couverture d'AIMÉE dont le processus de publication était enclenché, ce qui signifiait que le livre sortirait dans cinq semaines.

Celle qu'il voyait n'était pas le modèle qu'il avait photographié mais le personnage qu'il avait créé: Aimée, la petite autistique sortie de sa prison intérieure grâce à l'aide de sa soeur aînée et qui, devenue adulte, se faisait rejeter dans une solitude combien plus profonde que celle de l'enfance par l'insouciance et l'inconscience de cette même soeur. Il avait eu beau souffler de son âme dans l'âme du personnage tout au long de la création de l'ouvrage, pousser Aimée jusqu'à une totale aliénation, il n'était pas arrivé à la suivre dans son monde parallèle malgré son désir. Il le comprit mieux en scrutant le regard étrange que le modèle avait su donner à l'appareil photographique et, partant, à tous les futurs lecteurs. Ce sont bel et bien Rimouski et Joe qui, sans le savoir, avaient créé de l'interférence.

Une fin ne doit pas s'improviser ou bien souffrir des imprévus. C'est pourquoi cette brouille avec ses amis lui permettrait de vivre désormais dans un isolement presque total, une réclusion nécessaire pour donner vie au personnage central de LA MORT ROSE, pour la guider lentement mais sûrement vers sa fin, une fin tragique aux yeux du lecteur mais bonne pour elle...

C'est ainsi que le premier novembre, il fit un court bilan des conditions qui l'entouraient. L'année avait été fertile en ruptures ou évanouissements. À peine avait-il entrevu Viviane. Sa fille n'était plus qu'un fantôme furtif rencontré une fois par mois. Aline était retournée à ses chaudrons. Les amis avaient été écartés. Finie la chaleur des tournées! Et Rimouski était bien loin.

Le matin suivant, il écrivit les premières pages de LA MORT ROSE dont il avait en tête l'entière vision. Il ne répondit plus au téléphone que rarement et seulement le soir. Joseph fit de vaines tentatives de rapprochement. Les jours s'accumulèrent.

Indésirée, Brigitte naquit, pleine d'excès: handicap émotionnel comme celui qu'Alain se reconnaissait depuis longtemps mais dont il ne tenait pas toujours compte. Elle grandit ostracisée, mais pas plus qu'une autre, mais tant de fois plus sensible aux mêmes offenses, coupable d'exister, dégoûtée d'elle-même. Elle perdit un à un les êtres chers l'entourant. Son destin se tramait d'un jour à l'autre autant à son insu que par sa propre volonté.

Prisonnier d'un passé d'enseignant, l'auteur avait toujours présente à chaque page une intention pédagogique le distrayant de son mal d'écrire et que, pour cette raison, il trouvait détestable. Cela aussi, comme Rimouski et Joseph, risquait de se mettre en travers de sa glissade.

Le vingt-cinq décembre, il écrivit les paragraphes sur la pendaison de l'adolescente. Pour alimenter sa plume, il eut à expérimenter et c'est pourquoi il se rendit dans la pièce d'à côté qui servait de dépôt de livres.

D'abord il trouva une corde chevelue qu'il attacha à une poutre et il s'y pendit par les mains après s'en être entouré les poignets. La corde céda. Il retourna à son bureau, écrivit un paragraphe. À la dernière ligne, le téléphone sonna. Il regretta de ne pas avoir branché son répondeur. Au cinquième coup, il décrocha. Partie chez sa grand-mère, sa fille l'appelait pour le remercier de son cadeau et pour lui souhaiter un joyeux Noël.

Après l'appel, l'image de sa famille éclatée vint s'inscrire aussi cruellement en sa tête qu'un an auparavant, jour pour jour, dans l'ennui de Paris. C'est dans la même situation qu'il avait mis Brigitte après l'avoir privée de la plupart des êtres chers l'entourant. Et lui-même dans la vraie vie avait fait disparaître systématiquement de son décor toutes les personnes aimées, créant les prétextes de toutes pièces.

Selon son plan, Brigitte mourrait ce jour-là.

Il avait à faire dans la pièce voisine. En s'y rendant, il se dit que c'était d'un fil électrique dont il avait besoin. Il en prit un blanc dans son coffre à outils, grimpa à nouveau sur les caisses de livres mises sous la poutre, l'assujettit. Ce serait trop court.

Il trouva une deuxième corde d'extension, brune celle-là, et la relia à la première. Puis il s'accrocha à l'assemblage. Les noeuds se défirent.

Alors l'idée lui vint d'utiliser un câble dont il s'était servi lors de ses nombreux déménagements et qui se trouvait dans une remise extérieure. En allant le quérir, malgré qu'il fut sans manteau par-dessus son veston, il regarda longuement un rompis dans une cour voisine et les autres folies du verglas dans les branches des arbres et sur les fils électriques.

Au retour et avant même de faire sa dernière expérience, il fit mourir Brigitte dans le plus noir paragraphe qu'il ait jamais écrit. Puis il se rendit dans la pièce d'à côté et entreprit de vérifier techniquement les gestes qu'il avait prêtés à son personnage. Quand le câble fut solidement ancré, il en coupa un bout dont il entoura une caisse de livres. Puis il la pendit et la laissa se balancer dans de sinistres craquements.

Pas une seule fois au cours de ses expériences, l'idée de se pendre pour de vrai ne lui était venue et il avait pris toutes les précautions pour que ne survienne aucun incident fâcheux.

C'est à cela qu'il songeait en se rassoyant pour finir son chapitre. En tuant Brigitte, il s'était vidé tout à fait de son goût de mort, un goût qui s'était amenuisé à mesure que le roman avait progressé. Il s'était donc libéré lui-même, avait libéré son personnage et il se dit que son livre aiderait peut-être des lecteurs à bien connaître et contrôler leur instinct suicidaire.

Alors il eut un éclat de rire qui remplit toute la pièce, se répercuta sous les poutres et se perdit dans le calme de l'étage au-dessus.

"Par chance que je vis seul et que personne ne m'entend; on me prendrait pour un malade!" songea-t-il en reprenant son stylo.

Il eut un second éclat de rire trois jours plus tard quand il retourna dans la pièce d'à côté et revit la caisse pendue. Il se demanda tout d'abord lequel de ses livres elle pouvait contenir, se souvenant qu'il l'avait choisie, cette boîte, parce qu'elle était la plus lourde. En la faisant tourner un peu, il put lire sur l'étiquette apposée par l'imprimeur les mots LES GRANDS VENTS.

Chapitre 5

1982

Exorcisé par l'écriture, Alain entreprit la nouvelle année avec une sérénité qui lui faisait tout drôle. Bilan de fin d'année. Conclusions. Finie la grande noirceur, la chute aux enfers pour des raisons ne faisant pas le poids. Dehors la sempiternelle culpabilité qui ronge et qui naît tout aussi bien de l'agression que de l'amour.

Il fut pris de l'envie de consommer. Il devint membre d'un club sportif, entreprit des séances de conditionnement physique. Désormais il écrirait non plus sous le coup des émotions et de la douleur procréatrice mais en planant au-dessus de ses personnages et très haut. Plus question de se bousiller les tripes avec son stylo!

Cette façon plus raisonnable d'accomplir son aujourd'hui et de faire son devenir s'accompagna pourtant d'une forte attirance pour le passé, le retour aux sources, les vieilles sources, celles d'avant, la si fraîche de sa tendre enfance. Et il applaudissait à la résurgence dans tout l'Occident des valeurs conservatrices.

Et c'est de la sorte qu'il fut conduit à choisir le sujet de son prochain roman. Une idée bien mince mais prometteuse lui trottait parfois en tête et chatouillait son désir créateur: un paragraphe dans un livre sur la petite histoire de sa région natale relatant une spectaculaire inondation survenue en 1917. Ça pourrait s'appeler LA GRANDE CRUE. Un roman visuel. Des faits simples. Du feu. De l'eau. Des aliments. La maladie. Des accidents. La lutte pour la survie. La nature. Des odeurs. Des sons. Mais surtout pas de voyages intérieurs! Que le lecteur se débrouille dans les psychologies! Une vie à fleur de peau, terrienne.

Et pour l'écrire, il s'en irait vivre dans son vieux coin de pays, renouerait avec les connaissances, rencontrerait des personnes âgées, se ferait décrire la vie de leur jeune temps.

Le matin du dix janvier, un dimanche, il eut envie de regarder des choses qu'il n'avait pas vues depuis longtemps car trop proches de son quotidien: la neige, les nuages, les bras secs des arbres gelés mais aussi le béton, les autos... Les maisons surtout captèrent son attention. Il parcourut cinq, dix rues, les comparant à celles des années quarante et du début du siècle.

La configuration de l'une lui rappela vaguement la maison paternelle: haute, en briques, comble pyramidal. La date du jour se combina à ce souvenir pour en générer un autre qu'il exprima tout haut:

— Tiens, mais c'est l'anniversaire de Fernand aujourd'hui!...

Pauvre Fernand, s'il pouvait donc mourir au plus vite, lui, ce condamné à vivre! Le sort l'avait fichu dans une inexorable sclérose en plaques. Il ne se mouvait plus qu'à petits pas pénibles et avait perdu l'usage de la parole. Alain se promit d'aller le voir souvent durant l'été quand il irait s'établir là-bas pour écrire.

Après sa longue marche, il se remit à peaufiner LA MORT ROSE. Car vivre positivement n'incluait pas des manquements à son auto-discipline. Le défi de survivre gardait, lui, toutes ses exigences. D'autant plus qu'il n'avait jamais réussi à convaincre les banquiers sans imagination qu'il avait rencontrés des chances de succès de son entreprise et enfin qu'on était en période de récession profonde. Il fallait que son nouveau roman soit sur le marché pour le Salon du livre de Québec où on ne manquerait pas de lui donner bonne presse puisque l'auteur était originaire de cette région-là, que l'action du roman se situait là-bas et que plusieurs portes lui avaient déjà été ouvertes. Et puisqu'il avait fait ses preuves auprès du grand public... Ce raisonnement le poussa à louer un espace au Salon. Il irait à coup sûr y chercher une certaine rentabilité, sinon à court terme du moins dans les répercussions ultérieures. C'est en tout cas l'argument qu'il avait souvent entendu dans la bouche d'exposants qui ne rentraient pas toujours dans leurs frais lors de pareilles expositions.

Les mois d'hiver détrempaient encore une terre roussie par le gel et par des végétaux morts quand il fit la route Montréal-Québec, l'auto remplie de bouquins, le calepin de rendez-vous avec des journalistes et la tête d'espérance. Québec, c'était chez lui, ses hiers, sa source d'enfance, la chaleur d'un Salon plus fréquenté que celui de Montréal, un public communicatif, intelligent.

Son stand était bien situé. Pas des mieux comme ceux d'Edi-Québec mais aussi stratégiquement que la majorité des autres. Cinq bouquins, ça donnait des étalages plutôt uniformes; il se consola à voir qu'au stand voisin, l'on n'en présentait qu'un seul. Deux jeunes femmes aux yeux timides y exposaient un livre de recettes québécoises du vieux temps. Alain travailla quelques minutes à étendre sa marchandise de base déjà sur place. Les stocks de son véhicule ne serviraient qu'à réapprovisionner en cas de ventes exceptionnelles.

Après échange de sourires, il se présenta aux voisines, les congratula pour la présentation de leur livre qu'il examina avec intérêt. En mal de patrimoine comme quinze ans auparavant, il put s'en gaver d'une certaine façon rien qu'à lire les noms des plats dont on expliquait les manières de préparer.

— Où avez-vous pêché tout ça? leur demanda-t-il sur un ton d'émerveillement.

— On a glané les recettes tout partout jusqu'à Rimouski, répondit l'une d'elles en le regardant de ses grands yeux en forme de question.

— Il vous en aura fallu du temps?

— Deux ans.

— Ensemble?

— Chacune de son côté et on a réuni le tout.

— Et qui l'a publié?

— Nous autres.

— Tu parles! Je me croyais unique dans mon cas...

La plus loquace, une brunette à visage agréable et au regard espiègle, rétorqua:

— Et nous aussi.

— Je veux dire qu'ils sont nombreux ceux qui se lancent à leur propre compte, mais ils meurent de leur belle mort après un premier livre...

— Nous ça va bien en tout cas. On a d'autres projets.

— Mes excuses, j'ai pas voulu faire le prophète de malheur. De toute façon, vous avez dû en vendre beaucoup parce qu'il est très bien, votre livre.

— Votre nom c'est quoi déjà?

— Martel... Et vous c'est?

— Suzanne.

— Et vous?

— Rosanne.

Cette fois il leva les yeux comme pour mieux imprimer les prénoms dans sa mémoire.

Le Salon n'avait pas encore ouvert ses portes. Les tenanciers de kiosques en profitaient pour faire la tournée des stands. Des clientes s'arrêtèrent. Rosanne les reçut tandis que sa compagne et Alain se racontèrent leurs aventures dans le monde complexe de l'édition. Puisqu'il avait quelques années d'avance sur elles, c'est surtout lui qui parlait, la jeune femme questionnant sans arrêt. Il dut prendre congé pour finir son travail. Il le fit en disant:

— On aura tout le temps de jaser dans les quatre jours à venir.

Il aurait une remplaçante quand il devrait quitter le stand pour se présenter à ses rendez-vous. Une amie fidèle qu'il s'était faite lors d'une tournée de librairies et qu'il arrêtait saluer quand l'occasion s'en présentait. Une Française au visage fin, résumé par des yeux d'un brun intense appuyé de reflets subtils.

Elle fut au poste à l'heure.

— Je suis en retard, je crois, dit-elle avec un accent qui ajoutait à son charme naturel.

Il consulta sa montre, dit:

— J'ai parfaitement le temps de me rendre. Si t'as le goût de mettre une touche féminine aux étalages, ne te gêne pas. La caisse est là sur la boîte. Les prix sont indiqués sur les livres. Tout va?

— O.K. mon noir, tu peux compter sur Christine.

Et il quitta les lieux, saluant ses voisines au passage. Une demi-heure plus tard, à son retour, il annonça en grognant que le journaliste avait brillé par son absence, qu'il l'avait appelé au restaurant du rendez-vous pour lui apprendre qu'une urgence le demandait ailleurs et que pour tout le Salon il serait pris par son agenda.

— Je lui ai fait cracher ce qu'était son urgence: tu sais quoi?

— Non...

— Cette chère madame Ladouceur.

— Mais elle n'est qu'un auteur d'occasion!

— Voilà précisément ce que je lui ai dit. Il m'a répondu niaisement: "Oui, mais c'est une vedette. Tous les média se l'arrachent." Par chance que j'ai la télé demain. On m'a justement demandé d'appeler aujourd'hui pour confirmer mon rendez-vous.

Un quart d'heure plus tard, il revint, écumant. Sans cesser de hocher la tête, les yeux comme des braises, il dit qu'on avait dû le céduler pour la semaine suivante à cause des auteurs français de passage au Salon et qui eux, ne pourraient être là que jusqu'au dimanche.

— Maudite mentalité de colonisés! Jamais j'aurais cru ça de quelqu'un de Québec, fit-il en levant les bras au ciel.

— Alain, du monde mesquin, y'en a partout, hein!

— Pas ici, pas à Québec, se désola-t-il dans une moue douloureuse.

Deux autres rendez-vous lui furent annulés le jour suivant pour les mêmes raisons: les arrivées tardives dans le décor des Français et de madame Ladouceur.

Une seule personne tint parole. Animatrice de radio, elle lui donna meilleure place qu'aux Européens et même qu'à madame Montréal ainsi qu'Alain désignait l'ex-politicienne, vedette impromptue du Salon grâce à l'habileté de son éditeur et à la servilité des journalistes.

Il sut de ses voisines qu'elles avaient également eu bonne presse avant le Salon mais que leurs tentatives pour obtenir de la couverture ces jours-là n'avaient pas porté fruit.

— Faut les comprendre, dit Christine quand ils en parlèrent pour la dixième fois ce samedi soir, ils sont noyés de demandes. Ils choisissent les noms les plus connus... sans vouloir t'offenser.

— Ce qui m'offense, c'est la contradiction dans tout ça. On clame et proclame que le noble but principal de nos Salons du livre c'est de faire connaître la production d'ici et les auteurs québécois, et qu'est-ce qu'on fait? On donne toute la place à cette chère madame auteur d'occasion et aux gens d'outre-mer. Peux-tu seulement imaginer des auteurs d'ici aller prendre les premières places aux Salons d'Europe? C'est de la maudite bullshit, tout ça...

— Pardon?

— De la merde...

— Salut Alain Martel! dit une voix juste là.

Alain leva les yeux sur un visage familier, mais il ne pouvait y accoler un nom.

— Tu te souviens de moi?

— Heu... oui! T'es un de mes anciens élèves mais malheureusement, ton nom...

— Moreau... Gilles...

Alain se leva, tendit la main, s'exclama:

— Salut! Qu'est-ce que t'es devenu?

— Ah, pas grand-chose... je fais un peu de journalisme. À la pige, tu comprends. Et puis j'ai attrapé le contrat ici.

328

— Le contrat?

— T'as pas vu dans les brochures? Je suis le responsable de la publicité du Salon.

Jeune homme pâle aux airs timides et à la voix atone, Moreau n'envisageait guère son interlocuteur. Et ses mots accusaient ce même type de sentiment de culpabilité qui avait harcelé Alain si longtemps et dont il se considérait maintenant débarrassé à tout jamais.

— Ah, mon cher ami, je suis content de savoir ça sauf qu'on va se parler un peu, hein? C'est toi qui donnes le ton aux média finalement si je comprends bien.

— Ouais, c'est un peu ça.

— J'ai un petit reproche à t'adresser.

— Je sais d'avance.

— Et c'est?

— T'aurais voulu qu'on te publicise plus.

— Écoute, je me débrouille sans éditeur et avec un maigre appui de la part des média. C'est pas parce que j'aurai une seule couverture au Salon de Québec que ma vie va changer. Ils sont des centaines à n'avoir rien eu du tout...

— Où est la question?

— C'est que c'est Montréal et Paris qui ont donné le ton à votre Salon. Et moi qui suis de la région de Québec, ça me met le feu au cul.

— Tu l'as reniée ta région: t'es rendu à Montréal.

Alain sentit la colère monter mais il la musela en partie.

— Celle-là, j'la prends pas trop mais on s'en reparlera. Revenons au sujet. Explique-moi pourquoi tout le focus a été mis sur madame Ladouceur et les Européens?

— Mon cher Alain, dans ce métier de journaliste on doit faire face à la dictature du vedettariat. L'inconnu qui s'entraîne en vue des Olympiques, ça n'intéresse personne. Mais si le même gars remporte la médaille d'or, tout le monde se l'arrache le jour même.

Alain pleurnicha:

— Sérieusement, où elle est la médaille d'or? T'as vu le livre de la madame? On insiste pour dire que c'est pas un ramassis de potins d'une ex-politicienne désabusée et pourtant s'est exactement ça. C'est un livre pop corn qu'il a fallu souffler, dont il a fallu grossir les caractères d'impression, épaissir le papier pour donner au lecteur l'illusion qu'il en a pour son argent. Mais c'est une vraie farce... Et qui ne fait pas rire en plus.

— Pourtant c'est le super best-seller...

— Parce que les média l'imposent à coups de première page. Y'a pas un hostie de journaliste qui va seulement se poser la question de savoir ce qu'il y a entre les couvertures du livre.

— Alain, t'as fait de la radio, tu le sais: notre job c'est de vendre notre salade et c'est pas avec des inconnus qu'on la vend...

— Parce que vous avez pas le talent de les vendre, les inconnus. Facile de vendre une vedette. Mais faut de la tête pour vendre un inconnu.

— En tout cas... Je me souviens de toi et je sais que mon opinion ne te fera pas changer d'avis. Mon papier et mon Salon, c'est avec les grands noms que je peux les vendre. Un jour peut-être que t'auras ton tour.

— Tu penses que je prêche rien que pour ma paroisse? Regarde à côté. Les petites filles ont passé deux ans à colliger des recettes d'antan. Ça, c'est du patrimoine et des efforts! Tu ne crois pas que c'est plus important que les jérémiades de la mère Ladouceur dont l'éditeur sur-subventionné est un petit ami du régime et du premier ministre? Elles l'ont fait toutes seules, leur bouquin, sans l'aide des gouvernements.

— Je m'excuse mais faut que je parte. Des choses importantes m'attendent, insista le jeune homme.

— En ce qui me concerne, votre Salon à l'avenir vous vous le bâtirez autour des auteurs d'occasion et des Européens.

— C'est pas ton absence qui va changer quoi que ce soit. Salut!

— C'est un bon coup de poing entre les deux yeux qu'il aurait mérité, dit Alain en se rassoyant, les joues purpurines.

Sa voisine qui n'avait pu s'empêcher d'entendre, vint dire à travers un rire gamin:

— Tu lui as tapé sur la tête et c'est bon pour lui.

Le jour suivant, à la fermeture, il fit ses comptes et trouva que le chiffre d'affaires couvrait à peu près les frais. Ses voisines avaient obtenu un résultat similaire.

Les bons moments passés avec elles, Christine et les jeunes filles d'en face, lui avaient fait oublier ses frustations. À son départ, Suzanne lui dit:

— J'espère qu'on se reverra au prochain?

— Ici, je ne sais pas... Va falloir que j'y repense. Y'a les bons côtés malgré le reste. Le public est autrement plus intéressant qu'à Montréal et c'est pas de sa faute si les journalistes sont cons. Et puis y'a ces chères voisines avec qui il fait si bon parler...

*

En mai, il s'occupa de mise en marché. Il tenta vainement de se faire recevoir aux télés de Montréal. Scepticisme. Refus. Parmi ses tentatives, il y eut des demandes écrites adressées aux réalisateurs, recherchistes et animateurs. Néant.

Il se rabattit une fois encore sur la voie longue, difficile et coûteuse en temps et en argent: le contact direct. Pamphlets expédiés aux huit cents écoles secondaires, polyvalentes et privées. Appels aux gens de bibliothèques. Conférences... Les ventes se maintenaient égales et fortes.

Condamné à une certaine réclusion à cause de la récession, le grand public achetait davantage de livres, ce qui aidait notablement les éditeurs subventionnés qui, en l'absence de risques, n'avaient pas diminué leur production et firent, cette année-là, des affaires d'or. Certains jours, malgré ses bonnes résolutions, Alain avait des sautes d'humeur causées par son écoeurement de l'Etat-providence, mais c'est aux murs qu'il devait les faire subir.

Il souhaitait que la crise dure assez longtemps pour faire comprendre à la majorité, l'importance de l'entreprise privée et de l'individualisme et pour que régresse l'intervention étatique si souvent néfaste à moyen et long terme.

Un soir il eut un appel de Rimouski. Luc lui fit part de son mariage prochain. Stéphanie et lui avaient décidé d'avoir un enfant.

— Tu y as bien réfléchi? C'est long comme responsabilité à se mettre sur le dos. Surtout pour un homme qui écrit. Où en es-tu dans notre projet?

— Pas loin...

— Ah?

— Je dois avouer que je n'ai rien fait du tout. J'ai bien réfléchi et je trouve en fin de compte que ce n'est pas possible. Ce serait comme de vouloir changer le cours du fleuve.

— Qu'est-ce que c'est ça? Pas besoin que le livre change quoi que ce soit du jour au lendemain. Pourvu qu'il soit écrit. Et si les effets sont lents à venir, qu'importe!

— Je n'ai pas la motivation...

— Bon... Parfait... Mais commence autre chose!

— Plus tard peut-être!

— Je ne te battrai pas pour que tu écrives, hein? De toute façon, tu es plus fort que moi... Et alors, qu'est-ce que tu deviens?

— Je suis moniteur dans un centre sportif communautaire. J'aime bien. Ça me bâtit.

— Et ça montre que tu es fait pour écrire.

— Ah?

— Un auteur a toujours une double personnalité. Bessette parle d'état second. Rousseau faisait état de la dychotomie qu'il sentait en lui, le coeur appartenant à quelqu'un et l'esprit à quelqu'un d'autre. Et moi je suis aux prises avec l'auteur et l'éditeur qui se chicanent sans arrêt en moi. Et pour toi, c'est le parfait équilibre: le corps, l'esprit...

— Depuis un bout de temps et pour un bout de temps, c'est le corps seulement. Je ne veux même pas m'arrêter à réfléchir.

— Et tu ne lis même plus?

— Parfois. J'ai lu votre livre LA MORT ROSE. C'est fort... pas mal fort...

— J'ai fait de mon mieux...

— Y'a quelque chose de spécial là-dedans.

— C'est peut-être que je suis pas mal le personnage central.

332

Je devrais dire étais... Parce que maintenant, j'ai changé d'esprit. Imagine que j'ai été frappé par une sorte de virus: le goût des vieilleries.

— Les antiquités?

— Dans un sens... Pas tellement les objets comme la petite histoire du monde ordinaire.

Alain parla de son projet à venir, de ses luttes, ce qui lui parut donner beaucoup de satisfaction à son interlocuteur. Il lui en dit le plus qu'il put sur ses états d'âme lors de l'écriture de ses derniers livres, sur le prix à payer pour faire ce métier: solitude, isolement, discipline.

— En contrepartie, il y a des gratifications dont les deux plus grandes pour moi sont les chiffres des ventes et l'encouragement des lecteurs reçu dans le courrier... Mais cessons de parler de mon humble personne et raconte-moi Rimouski... Stéphanie... ta vie... Comme ça, tu sautes à pieds joints dans le mariage?

— Pieds et poings liés...

— Tu as tout pour que ça marche bien. Ta petite amie, elle est drôlement amoureuse, hein?

— Faut pas penser que ça va nécessairement durer toujours.

— Oui, oui il faut le penser, il faut le penser...

*

— Est-ce que j'ai dit quelque chose de... pas correct? dit sa petite compagne de lit d'une voix tremblante.

— Je ne t'ai fait aucun reproche.

— Tu n'as pas l'air content.

— C'est que j'ai eu un raté et que ça m'insulte, mais ce n'est pas de ta faute.

Elle le toucha timidement en disant:

— Je vais t'aider.

— Non laisse. Je ne suis plus dans le mood.

— Ça va revenir, monsieur Martel, ça va revenir.

Mais l'esprit de l'homme se perdait déjà dans une réflexion houleuse, heurtée.

Comment, lorsqu'on sent l'agressivité vous courir sur tout le corps, l'enrober comme un champ de force, en hérisser chaque poil, comment s'en libérer quand la femme qui partage votre lit n'est que douceur, respect et soumission souriante? Cette maudite société ne veut pas reconnaître la violence comme valeur positive. Comment la détruire, la violence sans une action semblable? Et qui accuser de celle qui l'allume par sa bonté et sa candeur ou de celui qui en est la proie tout entier? En ce monde où le sourire doit régner, où donc doit se ficher le grognon?

Souriez dit l'animateur de la télé. Souriez dit la chanteuse. Souriez dit le prêtre, le psychologue, le psychiatre. Tu peux tout cacher derrière un sourire. Tu te meurs, souris. Tu tombes d'un avion sans parachute, souris puisque tu n'y peux rien changer. Pourquoi présente-t-on le sourire comme l'antithèse de la mauvaise humeur puisque l'humain a appris à s'en servir pour assurer sa survie, accaparer pour lui-même, dominer et exploiter?

Quand s'arrêta sa diarrhée mentale, il se traita d'intellectuel dont la dialectique lui avait permis de se glorifier de son agressivité et partant, de l'excuser. Néanmoins, ses pensées, bien que dirigées dans un autre sens, se poursuivirent.

Lutter pour ne pas se sentir coupable en rejetant le blâme sur quelqu'un d'autre: chacun le fait pour soi-même et on a de plus en plus tendance à se livrer à cet exercice au nom même des autres. L'étudiant est paresseux; le système scolaire est coupable. Le criminel est innocent puisqu'il n'est qu'un produit de la société. S'il y a grève, c'est la faute des patrons. S'il y a grève, c'est à cause des syndicats...

— Qu'est-ce que ça peut donner de toujours réfléchir?

— Je... sais pas trop? Je... sais pas trop ce que tu veux dire par là.

— C'est que depuis quelques minutes, je pense. Et je trouve ça con de penser. Au lieu de jouir, au lieu de me détendre, je pense. Je pense, quel con je suis!

Il se tourna. Comme lui, elle n'était couverte que jusqu'à la taille. Il regarda ses seins menus comme ceux d'une jeune adolescente. Elle continuait de le caresser sous la couverture mais lui ne le sentait pas: son corps et son coeur étaient dans sa tête.

D'une voix aussi petite que sa poitrine, elle proposa:

— Tu veux que j'éteigne la lumière? Ça serait plus...

— Elle l'est déjà. En fait, c'est l'obscurité de ma pensée qui règne dans cette chambre.

Elle rit un peu, dit:

— C'est beau tes paroles, mais je ne comprends pas.

— Ni moi non plus mais ça n'a, ou ne devrait avoir aucune importance.

— Ce qui compte, c'est de se sentir bien.

— Vrai... Et tirer des plans pour se sentir bien le plus longtemps possible. Mais le grand problème, vois-tu, c'est de se défendre des agressions subies. Il faut savoir le faire proprement. Sinon on fait du mal et alors on se sent coupable.

— Tu n'as pas à te sentir coupable de quoi que ce soit parce que tu ne pourrais empêcher une mouche de voler.

Il s'esclaffa.

— C'est la meilleure que j'ai jamais entendue. Je suis un ogre pourtant. Y'a des jours où je voudrais tuer juste pour voir ce que ça fait. Non... pas pour cette raison-là... mais pour me libérer de mes rages. Regarde mes grosses pattes griffues.

Et il entreprit de lui labourer la poitrine, y laissant derrière le passage de ses doigts des sillons rosâtres.

Elle eut un petit rire qu'elle teinta volontairement d'inquiétude pour dire:

— De toute façon, c'est moi qui ai la haute main... le bon bout du manche.

Surpris de sa façon de se défendre par des allusions comiques dont il l'aurait jugée incapable, son plaisir se décupla et il lui tapa sur l'épaule de son poing fermé mais en gentillesse et à plusieurs reprises, répétant à chaque fois:

— Elle est bonne!

Puis il ajouta:

— Dans la guerre des sexes, l'arme la plus dangereuse utilisée contre l'homme, c'est lui qui la porte entre ses jambes. Une nouvelle génération de féministes, plus subtile que la précédente, a adopté un slogan gardé secret: "Par le pénis, nous vaincrons!"

— Mardi que t'es fou!

— Par chance que t'as pas dit vendredi, je t'aurais accusée de fai' du wacisme.

Elle rit mais avoua ne pas savoir pourquoi. Il lui parla du nègre dans Robison Crusoe puis constata que la farce ne tenait pas debout et donc ne prêtait pas à rire.

— Qu'importe si on se trompe quand on rit pourvu qu'on le fasse, hein? Passer pour con à rire inutilement ou le passer à débiter des conneries sérieuses: c'est du pareil au même, non?

Elle fit signe que oui mais par son regard, elle dit qu'elle n'avait pas eu le temps de le suivre.

Il se fit un silence qu'elle coupa.

— Monsieur Alain, vous me paraissez heureux.

— Je le suis.

— Alors laissez-vous gâter un peu par madame Lorraine.

— Mais madame Lorraine n'aura rien en retour.

— Et après? Vous êtes là et c'est déjà beaucoup.

— Ah, que j'aime ça, des propos semblables!

Elle souleva sa tête, le baisota puis laissa courir sa bouche sur lui tandis qu'il se rappelait comment s'était nouée et déroulée cette relation. La routine, toujours créatrice de liens, l'avait mené au même restaurant tous les midis depuis la fin de ses tournées provinciales. Longtemps il s'était demandé avec quelle serveuse il voudrait coucher et donc à laquelle il ferait des avances. Il avait éliminé les mariées qui prennent toujours trop de temps à se décider. Il ne s'attaquerait pas non plus aux moins de trente ans, aussi farouches avant l'amour que teignes après. Sept étaient ainsi restées sur les rangs, chacune ayant ses attraits physiques, toutes maternelles, serviables, propres.

Par les regards échangés et les mots entendus, il s'était vite rendu compte que lui-même faisait l'objet de leurs spéculations.

La plus agressive l'avait prévenu qu'une autre à qui il avait fait les yeux doux la veille s'était trouvé un nouvel ami de coeur.

Une fine mouche avait su miser sur sa faiblesse en lui parlant avec intérêt de ses romans.

La sexuelle du groupe avait fait voir ce qu'elle pourrait accomplir.

Une brunette à nez pointu, timide en permanence, avait retenu son attention.

Mais finalement c'est la plus inoffensive qui avait emporté le morceau. Petite, ingénue, diaphane et souriante. C'est donc avec un sourire qu'il ferait l'amour. En fait avec une jeune adolescente de trente ans. Ainsi, d'une part, il ne risquait pas de se faire agresser par une femme à crocs et d'autre part, on ne saurait l'accuser de détournement de mineure.

Un soir ils s'étaient vus. Il avait mis cartes sur table:

"Je ne serai qu'une aventure passagère. Je ne sais pas aimer. Je ne l'ai jamais su. Et je n'en veux rien savoir. Ne va pas croire que je vais m'enfarger et tomber, ce serait une illusion. Mais si tu as le goût des illusions, alors ça te regarde..."

Elle avais pris son discours avec le sourire et un grain de sel en lui disant qu'elle remplirait bien ce rôle de petite amie occasionnelle.

Mais sa candeur même, moins réelle qu'apparente, avait troublé Alain, l'avait vite fait se sentir responsable de sa joie et pour cette raison, leur relation commençait à lui peser. Il lui arrivait de penser comme il serait facile de se laisser servir, de lui laisser mettre un certain ordre qu'il lui commanderait dans tous les besoins matériels, physiques. Son bonheur à elle serait de le jouer, ce rôle, et elle ne s'en défendait pas, tout au contraire.

Parfois il coiffait une discussion avec un vieil ami de l'Etchemin par ces mots:

"Il y a les femmes qui vous servent et il y a celles qui se servent de vous. Les autres sont trop compliquées. Donc le choix s'impose de lui-même."

Et l'ami, archétype du Québécois marié de quarante ans, contestait l'idée avec véhémence sans se rendre compte qu'en plus de la partager dans son inconscient, elle lui avait toujours servi de guide dans ses relations avec l'autre sexe.

La bouche baladeuse lui farfouilla dans un flanc. L'homme sursauta.

— Je m'excuse, j'oublie toujours.

— Vas-y doucement ou fermement mais jamais entre les deux.

Et il retourna à son rêve.

Peut-être, peut-être que la petite Lorraine... Et puis non... Il lui fallait d'abord renouer avec le passé, retrouver ses racines les plus profondes et pour cela, il lui faudrait certes un long bain dans cette rivière qui lui coulait dans la mémoire et par toutes les veines, plus impétueuse que jamais, sauvage et aux eaux lustrales.

*

Elle puait, cette rivière. De lents courants blanchâtres tournaient derrière des roches noires parsemant le lit du cours d'eau déjà bas malgré que juin ne fût qu'en sa première moitié.

Dès qu'il était entré dans la vallée, Alain s'était mis aux aguets afin de repérer un tournant de route, une configuration qui lui permît de s'approcher tout près de l'eau sans avoir à marcher trop longtemps ou devoir franchir les clôtures: question de confort et idée de ne pas avoir l'air suspect.

Qu'importe l'eau glauque et sale puisque c'est de passé dont il était en quête car il était venu là pour plonger dans la rivière du début du siècle et non dans celle-là.

Il poursuivit sa route en oubliant l'intense circulation, la densité des habitations construites le long de la route et de la rivière, les bâtisses industrielles, les troupeaux de vaches gonflées de modernisme.

Par contre, il pensait à la chambre qu'il avait réservée dans le meilleur motel de la vallée. Il l'avait prise pour un mois et renouvellerait l'entente au besoin. Il fallait du confort, du tapis, un lit large et moelleux, une télé, la douche, l'eau chaude pour mieux se concentrer sur la vie un tantinet plus rude des cultivateurs et villageois de 1917.

Et pourtant, ses entrevues avec des vieillards et ses lectures des vieux journaux le rapprochèrent sensiblement de cette époque. Ce n'était qu'hier avec des routes plus poussiéreuses, des appareils de téléphone moins sophistiqués, des poteaux et des fils transportant l'électricité, mais seulement dans les villages, des autos plus lentes et qu'on ne sortait qu'après la débâcle printanière. Joies pures, âmes simples, âmes presque physiques.

Les chapitres prirent forme lentement, laborieusement. Description des lieux, des personnages, événements. Au début, l'auteur avait tout le mal du monde à s'empêcher d'aller fouiller dans les têtes. Un matin, il s'écrivit en grosses lettres sur un grand carton un slogan de travail: "Le coeur et la vie, rien d'autre!" C'est au cinéma qu'il voulait convier son lecteur et pas ailleurs. Il colla son principe dans le miroir lui servant à se raser de sorte qu'il risquerait moins de succomber à la tentation.

Le soir, avant la noirceur, il lui arrivait parfois de partir en exploration des petits chemins des hauteurs, comme dix ans auparavant avec sa maîtresse. Chaque fois qu'il reconnaissait un lieu où ils s'étaient arrêtés, il se demandait ce qu'ils avaient bien pu s'y raconter, n'y arrivait pas. Son esprit ne réussissait pas à se concentrer sur ce temps et n'avait plus d'intérêt que pour les vieux fantômes.

Un jour en arrivant au-dessus d'une petite rivière profondément encaissée, il décida de dompter sa mémoire, de la mener en quelque sorte dans une conduite forcée. En bas se trouvait une entrée conduisant à quelques chalets. Il avait choisi ce lieu une fois ou deux pour leurs jeux ou bien...

— Pour quoi d'autre? se dit-il tout haut en stationnant l'auto devant une chaîne qui barrait l'étroit chemin.

Alors il fouilla dans ses souvenirs. Dix ans, c'est si proche! Mais si terriblement loin! Le décor environnant devait être le même dans son ensemble. Sans doute s'y trouvait-il des changements; mais lesquels? Les trois chalets là, accrochés à flanc de butte de l'autre côté de cette rivière perdue dans son lit rocailleux? Un lieu à devenir riche en brassant la battée. Etait-ce la raison pour laquelle ils avaient choisi d'y calculer leurs caresses et leurs promesses? Au fait, s'y étaient-ils arrêtés en plein amour ou bien en pleine routine?

Se trouvait-il bien là au moins ce pont fragile pour piétons seulement? Etait-il blanc? Ou vert? Ou peut-être brun?

Il ferma les yeux, imagina Denise avec lui. Sept ans qu'il ne l'avait plus revue. De quelle couleur, ses yeux déjà? Ah oui, verts. Non... bleus. Hein? Bruns, voyons! Et puis après!

Elle est là et c'est ce qui compte. Elle a la déprime. Ça dure depuis trop longtemps cette relation qui jamais n'aboutit. Elle pleure, tiens. Elle a fait des folies avec son auto. Ça ne l'émeut pas, lui; curieux! Viviane lui a fait le même cinéma: des menaces embouteillées. L'une a raconté qu'elle avait fait du cent à l'heure et failli se tuer; l'autre a menacé d'avaler cent pilules. Comment lui, l'éternel coupable avait-il pu se rire de leur chantage? Il avait dû sentir confusément que les deux bonnes-femmes se payaient sa gueule.

Tout à coup il entend Denise lui dire:

— Tu sais ce qui m'effraie le plus, c'est de nous voir, âgés, et d'avoir à nous demander ce qui n'a pas marché entre nous, et pourquoi nous avons été tant d'années séparés.

Et il s'entend répondre:

— Mais ça n'arrivera pas, ma chouette, tu sais bien que ça n'arrivera pas.

Il pense que cette phrase manquait peut-être de sincérité. Car à l'époque des grands sentiments, les promesses n'avaient pas leur raison d'être. Et après, au temps de l'habitude, il promettait pour apaiser, pour endormir. Comme on le fait avec les enfants. Comme Joe sait le faire si artistiquement.

Ce cher Joe, il faudrait bien renouer des liens avec lui. C'était un type bien dont il eût suffi savoir se défendre. Avec ce recul d'un an, et maintenant qu'on s'était bien toqué, chacun aurait des positions plus nettes et les échanges pourraient être plus faciles.

Angéline chercherait sans doute à faire voir Alain comme une boîte de Pandore. Quelle importance quand on a fini de se sentir coupable? Si ça devait la soulager de le frapper, pourquoi ne pas lui offrir une poitrine devenue insensible? Elle ne serait pas la première à se vider sur lui. Il suffisait qu'elle fasse un sourire ensuite pour tout effacer. C'est cela que Joe devait aimer d'elle: ses excès. De ce qu'elle pouvait ressembler à Viviane, cette femme!

340

Viviane… où donc pouvait-elle se trouver en ce moment? Où donc ailleurs qu'au travail? Il a su qu'elle avait des troubles cardiaques. Ça lui a fait mal, plus qu'à elle. Il aurait voulu accourir auprès d'elle, lui prendre la main, la conduire aux meilleurs spécialistes du monde. Il ne fallait pas qu'elle reste entre les mains de médecins médiocres. On risquait de l'opérer inutilement comme on l'avait déjà fait. Elle n'avait aucune méfiance envers la médecine et lui en avait pour deux quand ils étaient ensemble. Mais comment l'influencer de loin alors qu'elle lui avait retiré toute confiance deux ans avant qu'ils ne se séparent?

Il l'avait appelée quand même pour l'inciter à se faire voir par un médecin de réputation de Californie. Elle avait objecté les coûts, les pertes d'argent pour absence au travail, et remis à plus tard, aux calendes grecques malgré qu'il eût proposé de payer pour tout.

Il avait pleuré après avoir raccroché. Pas sur lui-même pour une fois. Et maudit toutes choses hors de lui, les circonstances, la vie même, Dieu.

Une main toute en doigts secs et durs cogna sur la vitre juste près de sa tête. Il n'avait pas entendu l'arrivant à cause du moteur de l'auto qui tournait et surtout du ventilateur du tableau de bord qui lui soufflait au visage de l'air climatisé.

Ce bruit imprévu et agressif lui fit bondir le coeur. Des yeux perçants, bleus et vindicatifs, enfoncés dans un visage osseux, rocailleux, le dévisagèrent. L'homme dit avec un signe de tête:

— Qu'est-ce que vous faites là?

Alain actionna le bouton de la vitre qui descendit à moitié.

— Rien de spécial… Je réfléchissais.

— C'est pas tout à fait l'endroit pour ça, mon cher monsieur.

— Ça serait où selon vous, le meilleur endroit pour réfléchir?

— Certain que si c'est pour penser à des plans pour défoncer et pour vider les chalets qui se trouvent là, la place est ben choisie.

— Mon ami, j'ai les mains propres. Tout ce que je suis venu prendre ici, c'est des idées.

— Ben moi j'ai idée que t'es pas arrêté là tout seul pour rien. D'abord c'est quoi ton nom et d'où c'est que tu viens?

— Je suis à Saint-Grégoire...

— Mensonge ça! C'est écrit que ton auto vient de Montréal.

— Oui, mais je suis un gars du coin quand même.

— Je vais prendre ton numéro de plaque et te mettre la police au derrière.

— Écoute bonhomme, laisse-moi finir de m'expliquer et après tu me jugeras. J'écris des livres. Le décor est intéressant. Je reste au motel des Érables. Je peux m'identifier...

— En tout cas c'est privé ici et on n'est pas intéressé par votre présence, fit l'autre sèchement mais un peu plus poliment.

— D'accord patron, je pars, je pars...

Il quitta les lieux en ronchonnant et décida de se rendre dans un bar où il risquerait moins de se faire apostropher.

L'endroit était désert. La seule serveuse qui s'y trouvait et agissait aussi comme barmaid lui dit qu'après neuf heures il y aurait plus de bruits dans l'établissement: celui d'un organiste et l'autre d'une certaine clientèle. Alain prit quelques verres en attendant, parlant de la pluie et du beau temps.

À dix heures, une vingtaine de tables étaient occupées de même que tous les bancs du bar. Alain repéra plusieurs visages qui ne lui étaient pas inconnus, mais pas assez familiers pour leur coller une identité précise. Il salua quelques personnes, fit mine de bien les connaître, sourit à gauche et à droite.

Il faillit avaler aussi le verre quand, y buvant, il reçut dans le dos une claque formidable qui s'accompagna d'un rire énorme.

— Alain Martel, vieille branche, comment ça va? lui dit une voix nasillarde mais bringueballante.

L'interpellé se retourna, aperçut un petit homme mince au nez pointu, vêtu impeccablement, cravate et veste, cheveux égaux et bien placés, paupières lourdes...

Après un court moment d'hésitation, Alain s'exclama, son visage s'éclairant:

— Si c'est pas Jean-Guy!

— En personne! fit l'autre en donnant une poignée de main

qu'il voulut vigoureuse mais qui le fit osciller dangereusement sur ses jambes.

— Ça me fait plaisir.

— Et moi donc! D'abord je veux te féliciter parce que tu nous fais honneur avec tes... livres...

— Certains pensent le contraire.

— Pouah! envoye ça promener! Et tel que je te connais, ça doit pas te faire un pli sur la différence. T'as toujours fait ton chemin en te crissant de ceux qui n'étaient pas contents et ça, je l'admire parce que moi, tu sais, j'ai jamais eu ce courage-là...

Les deux hommes s'étaient connus à l'époque où Alain enseignait. Ils avaient voyagé ensemble pendant une année. Avaient beaucoup discuté de politique, de femmes et d'automobiles. Jean-Guy était affligé d'une grande timidité qu'il combattait régulièrement avec un verre. À cette exception près, rangé en tout comme sur sa personne, il subissait sans mot dire tous les encadrements et c'est la raison pour laquelle il enviait Alain à qui il arrivait de donner des coups de poing aux autorités scolaires.

— Faudrait que tu rajustes tes lumières mon vieux. Un, je me crisse pas autant que tu penses de ceux qui m'agressent. Deux, le vrai courage, c'est peut-être d'envisager la vie comme tu le fais en respectant les valeurs traditionnelles. Les rebelles finissent invariablement par s'embourgeoiser mais entretemps, ils perdent des plumes.

— Tut, tut, tut, tu... me feras pas démordre: t'es un gars au boutte... Et ça me ferait grand plaisir de te payer une bière. Tu connais ma soeur? Elle est là-bas à la table. Viens que je te la présente.

— Je finis ma bière...

— Emporte-la avec toi, envoye, viens!

Il suivit l'autre qui le traînait par le bras. Après les présentations, il fit un signal à la serveuse qui vint prendre la commande.

— Comme ça, Thérèse, tu connaissais pas notre Alain Martel national, dit Jean-Guy à travers un rire pâteux.

— De vue... Des photos dans le journal. D'écoute... quand il était à la radio. Et surtout de réputation.

— Ça peut être flatteur comme ça peut ne pas l'être.

— Ah, c'est flatteur, flatteur, insista Jean-Guy.

Alain était mal à l'aise et pour être assis plus confortablement, il avoua:

— Jean-Guy, je ne veux pas devenir le plus grand auteur du Québec... juste le mieux rétribué. Que l'image que je donne soit bonne ou mauvaise, qu'importe pourvu qu'elle soit rentable! Je me suis enjuivé ces dernières années. Que mon épitaphe soit glorieuse ou pas, je pourrirai dessous de la même manière!

— Maudit Alain! T'as pas changé: toujours aussi surprenant. Te souviens-tu, un matin que la rivière était sortie de son lit à trois milles d'ici...

Jean-Guy entreprit un rappel long et lent de souvenirs qu'Alain écoutait à peine. Il gardait une part de son attention à détailler Thérèse qui hochait souvent la tête et lui jetait des oeillades nerveuses.

Grassouillette, beaucoup de poitrine, nez aquilin, yeux qu'elle gardait volontairement petits, elle s'animait inopportunément de sourires vagues qui pouvaient avoir l'air de contenir un mélange complexe d'un peu d'embarras, d'impatience et d'un plaisir certain.

Pas un seul instant il ne vint à l'esprit d'Alain l'idée qu'elle pût être célibataire. Quelque chose lui disait que cette femme était mère et de plus d'un enfant. Elle avait le type maternel, la douceur de la voix, une certaine retenue, de la modération, de l'équilibre, du contrôle. Et puis des seins aussi gonflés pouvaient-ils ne pas avoir allaité?

D'autres idées farfelues dont l'éclosion était favorisée par le discours chambranlant de Jean-Guy, se baladaient dans l'esprit de l'auteur. Il voyait Thérèse laver du linge à la rivière, le savonner sur une planche, le battre sur des roches. Les blancs l'étaient plus que de la neige et les couleurs éclataient. C'était en 1917...

Alain paya sa tournée. L'autre s'empressa de lui répondre. Thérèse consultait parfois sa montre mais ne disait mot quant à un départ que l'ébriété de son frère nécessiterait sous peu.

Après maints souvenirs embellis, exagérés, allongés par le débit de l'homme ivre, une conversation suivie s'engagea entre les deux autres.

— Avec qui êtes-vous mariée?

— Est-ce que j'ai l'air de ça? fit-elle en riant et sur le ton d'un doux reproche.

— Ma foi oui!

— Eh bien non! Je suis une célibataire endurcie.

Agréablement surpris, Alain l'imagina aussitôt dans son lit. Il pensa qu'elle avait dû voir s'allumer quelque chose dans son regard car elle baissa pudiquement les yeux et dit à voix pourtant claire:

— Je n'ai pas beaucoup vu la présence de Dieu dans vos livres.

— Dieu?

— Enfin... d'un Être suprême.

— Probable qu'il n'y avait pas sa place.

— Mais Dieu n'a-t-il pas sa place partout?

— Non.

— Ah?

— Moi quand je mets le nez quelque part, je tâche d'améliorer les choses, de les fleurir un peu. Lui, il semble que non. Avez-vous remarqué que partout où on parle de Dieu, ça finit par mal tourner?

— Vous êtes un homme qui fait peur...

Jean-Guy l'interrompit:

— Petite sœur, t'en fais pas avec mon ami Alain, c'est un provocateur. Dans une heure, il va te connaître à fond...

Et il se laissa tomber la tête dans les épaules pour somnoler, embourbé dans son cerveau.

— Il en met! dit Alain.

Puis après une pause, il questionna, apprit qu'elle avait délaissé le catholicisme pour une autre dénomination religieuse et qu'elle avait la conviction profonde d'avoir trouvé la bonne voie.

— Oh! moi, vous savez, s'il y a un au-delà, fort probable

qu'on va me faire prendre la porte qui mène à la tour infernale, un endroit en haut duquel je serai tout seul et brûlerai à jamais.

Dans un élan qui lui fit dominer sa timidité, Thérèse plongea ses yeux dans ceux d'Alain pour dire avec des mots appuyés:

— Christ a dit: "Voici, je me tiens à la porte et je frappe; si quelqu'un entend ma voix et m'ouvre la porte, j'entrerai chez lui."

— Et vous l'avez laissé entrer?

— Oui et j'en suis heureuse.

— Mais en plus de Lui, il ne vous manque pas quelque chose d'autre... de plus... visible...

— Comme une famille?

— Par exemple!

— Je suis entre les mains de Christ; Il décidera.

Alain fit des yeux petits, sourit d'un seul côté du visage, tapota la table de doigts éloquents, dit:

— Et si un homme qui a mauvaise réputation, auteur par surcroît, se tenait à votre porte et frappait, est-ce que vous lui ouvririez?

— L'Éternel est pour moi, je ne crains rien...

— En ce cas, donnez-moi votre adresse.

— Si c'était pour parler de Christ, je le pourrais.

— Je vous taquine seulement.

Jean-Guy eut un sursaut d'énergie. Comme s'il avait tout entendu et assimilé, il leva la tête, ouvrit les yeux et marmonna:

— Vous deux, vous feriez... des enfants en santé... peut-être pas les plus beaux du pays mais sains. Sains sans t et saints avec un t...

— Il serait temps que je le ramène chez lui, dit sa soeur lorsqu'après avoir penché en avant à deux reprises, Jean-Guy tomba sur la table, la tête sur les bras.

— C'est pour ça, pour le raccompagner chez lui que vous êtes venue?

— Le pauvre, il est dipsomane et quand il sort, avec personne pour le surveiller, il se ramasse avec les danseuses et... se fait faire les poches... et tout le reste. Sa femme doit s'occuper de ses cinq enfants. Je me fais un devoir de l'accompagner. Je m'arrange toujours pour le ramener avant qu'il ne soit ivre-mort mais ce soir il a bu plus vite.

— Et moi, j'en suis responsable un peu.

— Pas du tout! Il a toujours quelqu'un qu'il connaît et qui lui sert de prétexte à festoyer.

Dans l'avalanche de fleurs que l'autre avait fait rouler sur lui plus tôt, Alain s'était dit comme il avait de l'agrément à revivre dans son coin natal et un vieil adage du directeur de la station de radio où il avait travaillé lui était alors revenu en mémoire: "Mieux vaut être un petit poisson dans un aquarium que d'être une baleine dans l'océan."

La bouffée d'orgueil passée, il s'était trouvé fou d'avoir pensé aussi petit; mais voilà que la révélation de Thérèse le mettait plus durement encore devant sa suffisance. Car Jean-Guy ne l'avait sans doute congratulé que par intérêt personnel, pour se trouver un compagnon de beuverie comme elle disait qu'il en cherchait toujours.

— Vous voulez que je vous aide à l'emmener?

— Ça ne serait pas de refus.

Elle secoua son frère. Chacun le prit par un bras. L'homme parut retrouver un peu de ses forces et réussit à se remettre sur ses jambes. On quitta les lieux sous les regards amusés de la clientèle. L'organiste jouait LA DANSE DES CANARDS.

Une pluie fine tombait. On se rendit à la voiture, une vieille grosse américaine. Jean-Guy fut installé devant. Il se laissa retomber lourdement la tête dans la porte dès qu'elle fut refermée.

— Vous voulez que je vous suive jusque chez lui pour vous aider à le faire rentrer?

— Non... oui... peut-être que, répondit-elle en Normand.

— Allez, je vous suis.

Maison familiale devant laquelle il s'était arrêté cent fois pour faire monter Jean-Guy, maison à souvenirs qui lui donnait quelques pincements au coeur, maison étroite où Jean-Guy devait certes étouffer, songeait Alain en se stationnant dans la rue.

Tout paraissait y dormir et pourtant la femme de Jean-Guy

leur ouvrit la porte avant même qu'ils n'arrivent au pied de l'escalier. Et sur la galerie même, elle le prit en remorque à la place d'Alain.

Deux minutes et Thérèse sortait. Tout s'était passé dans le noir et aucune lumière ne parut davantage aux fenêtres ensuite.

— La femme de Jean-Guy vous remercie d'avoir aidé à le reconduire chez lui. Et elle s'excuse de ne pas vous avoir reconnu tout à l'heure.

— Ça se comprend! Après le temps et dans ces circonstances.

Il se fit une pause qu'elle interrompit en regardant le ciel:

— C'est parti pour pleuvoir toute la nuit.

— Si... on retournait là-bas pour... finir la conversation.

— N... non... Je travaille demain et il est déjà tard.

— Vous restez loin?

— À deux milles... de ce côté-ci de la rivière...

— Avec vos parents?

— Dans la maison paternelle, mais ils sont décédés.

— Seule dans une grande maison isolée: c'est risqué. Si des loups rôdaillent.

— Je vous l'ai dit qu'avec Christ, je ne craignais rien.

— Tout de même, si je vous suis et que je vous attaque, Christ n'interviendra pas.

— Si Christ veut que je sois une victime, alors je le serai.

Il s'esclaffa et dit:

— Dans ce cas, je vous suis.

Elle marcha vivement jusqu'à la portière qu'elle ouvrit en disant:

— Si vous voulez... Ça vous aura permis de connaître le rang du bord de l'eau.

— Je vous taquine encore. C'est agréable de le faire, vous êtes si... maternelle. Je veux dire que vous me paraissez posséder la patience et la douceur d'une mère.

Elle fit des yeux brillants, songeurs, puis s'assit derrière le volant.

Alain se désola. Il eût voulu aller un peu plus loin. Visiblement il lui faisait peur. Il consulta sa montre, fit une autre tentative.

— Peut-être qu'un autre soir?

Elle fronça les sourcils. Il se mordit les lèvres. Pauvre con, il ne lui avait même pas demandé si elle avait quelqu'un dans sa vie. Il réalisa soudain qu'elle donnait toutes les apparences d'une célibataire maîtresse et en attente d'un gars marié. Son éternel Christ était sans doute un amant inavouable.

— En tout cas, disons que je suis au motel des Érables pour plusieurs semaines encore, sinon plusieurs mois. Le soir, je vais faire mon tour au bar. Si vous… j'aimerais bien vous revoir…

Elle fit bouger la portière, la tira vers elle, la rouvrit, dit:

— Suivez-moi. Un petit quart d'heure, le temps d'un petit café.

— Vous avez du décaféiné? Sinon je vais en prendre chez un dépanneur.

— J'en ai.

*

Le style de la maison, sa situation par rapport à la rivière qui fut visible pendant les secondes où ses phares braquèrent dans cette direction, l'isolement: tout concordait en l'esprit de l'auteur avec de semblables scènes planifiées pour son roman en chantier. Pour cela, l'émotion décupla en son coeur. Le plaisir d'une découverte prochaine, celle de l'intérieur de la maison, avait effacé l'espoir, de toute façon bien mince, de faire l'amour avec la jeune femme ce soir-là.

Quand ils furent entrés et qu'elle eut allumé, il commença à s'émerveiller de tant de choses d'hier dont sa mémoire avait perdu les véritables contours. La photographie aux nuances brunes d'un jeune couple de 1900. Un meuble-bibliothèque dont au moins cinquante ans s'inscrivaient dans les fioritures du bois. Un simple banc verni comme un banc de chapelle. Un piano noir, plus jeune que les objets l'environnant; de 1950 peut-être.

Et ce n'était que le début, ce petit salon faisant office de vestibule. Elle attendit, un pied dans l'entrée de la cuisine, qu'il en finisse avec ses oeillades sur les murs de la pièce.

— C'est pas trop moderne, mais c'est mon vieux chez-moi.

349

Ou je devrais dire mon vieux chez-nous.

— Ça fait du temps que je n'ai pas vu plus beau chez-soi. J'en ai l'eau à la bouche.

— Parlant d'eau, j'en ai de la bonne ici. Un puits artésien creusé dans le cap. De l'eau si blanche qu'elle en est bleue. Le café est meilleur, bien meilleur.

— Ça adonne bien parce que j'ai soif à mort. L'alcool me déshydrate en un temps record.

Elle le précéda dans une grande cuisine dont il embrassa la rusticité d'un regard circulaire et rapide. Il vit un mélange incongru de vieilles choses et d'objets de commodité plus modernes. Une cuisinière électrique. Des armoires anciennes mais comme repeintes récemment. Une porte ouvragée donnant certes sur l'arrière-cuisine. Un crucifix centenaire entortillé de rameau tressé. Horloge grand-père. Machine à coudre à pédalier. Set de cuisine dernier cri. Elle désigna une berceuse profonde où Alain s'assit tandis qu'elle se rendait tout droit au comptoir de l'évier pour préparer le café. Arguant leurs différences d'âge, il demanda à la tutoyer.

Puis il la questionna sur son métier tout en refaisant l'exploration visuelle du lieu. Elle agissait comme monitrice dans un centre pour enfants handicapés. Contrairement à ce qu'elle avait laissé croire, elle ne commencerait à travailler qu'à midi le lendemain, ce qui détendit son visiteur car après tout, il ne serait minuit que dans un quart d'heure.

— Je mets des petites grignotines sur la table... Veux-tu t'approcher ou si tu préfères boire ton café en te berçant. Tu as l'air bien là dans cette chaise.

— C'est le paradis... Mais j'aime mieux à table. Comme ça, en plein milieu de la cuisine, d'une aussi grande cuisine, ça va me donner l'impression que je suis le maître de maison... Tu dois trouver que ça fait macho, des paroles comme celles-là, hein?

— Non, non, je crois qu'un homme doit être le maître, le centre, le pivot. C'est là une tradition que j'aime, que je respecte. Y'a aucun machisme dans ça.

L'eau ayant commencé à bouillir, elle en remplit deux grosses tasses massives qu'elle vint déposer sur des sous-plats déjà en place sur la table. Si Alain ne remarqua point l'odeur à peine perceptible du café instantané, par contre le parfum de la jeune femme le grisa autant que sa présence si proche. Dès qu'il en eut la chance, il jeta un furtif coup d'oeil à son corps, à cette poitrine si développée et si prometteuse de sensations fortes.

Il se racla la gorge comme pour s'excuser d'une impudeur qu'elle ignorait et dit:

— J'aime ça chez toi; je m'y sens chez moi.

— On dit ça souvent. C'est qu'à plusieurs ça rappelle leur enfance.

Elle parla de ce qui se trouvait dans la cave, dans la remise et des quatre chambres se trouvant là-haut où menait un escalier tournant et abrupt qui se perdait vite dans un plafond de planchettes vertes. Il blagua sur l'idée de venir y terminer son roman. Elle lui fit donner des détails sur le contenu de LA GRANDE CRUE. Il résuma ce qui était déjà écrit et exposa son plan pour la suite.

— C'est vrai qu'ici tu aurais plus d'inspiration que dans une chambre moderne.

Alain savait que non, que l'important pour lui consistait à se rappeler clairement les choses ou de les imaginer avec netteté et que pour ce faire, il n'était pas requis de les voir alors même qu'il écrivait, mais plutôt de les visualiser les yeux fermés dans un environnement qui ne crée pas la distraction. Mais avait-il seulement essayé de se rapprocher de l'action? Peut-être que...

Quand l'horloge sonna les douze coups de minuit alors que sa tasse n'était qu'à moitié, il s'exclama:

— Comme convenu, je vais partir.

— Prends le temps de finir ton café.

— C'est à dire?

— Le temps de finir.

— Je peux le téter jusqu'à l'aube.

— Disons... une autre demi-heure.

— Parfait... à minuit et trente, je pars. À huit heures, je dois être à ma table de travail.

On parla de Jean-Guy, de ce qui avait changé dans la région

ces dix dernières années, de l'émancipation féminine. Elle finit par demander gauchement s'il était marié.

— Probable que tu ne vivrais pas pendant des mois seul dans un motel si...

Il coupa:

— Séparé. Deux ans. Un heureux solitaire comme toi.

Elle devint songeuse. Pour la rejoindre sur un terrain qu'elle semblait affectionner particulièrement, il proposa:

— Et si on parlait de religion?

Elle s'avança, s'assit sur le bout de sa chaise, fit tournoyer son café en y gardant son regard.

— C'est comme je te disais: j'ai trouvé. Je suis bien en moi-même. Christ me donne mon équilibre chaque jour. Non seulement mon équilibre mais aussi ma discipline.

Le mot transporta l'esprit d'Alain vers d'autres cieux... Paris... Joe qui parle de sa femme à son vieux copain. Cette quintessence de la féminité chez l'épouse de l'homme d'affaires au teint terreux. Cet appel au secours qu'alors il avait voulu lui lancer mais en vain car ne disposant pas de son numéro de téléphone.

Thérèse fit un long exposé sur ses visions de l'être, éclairées par l'Écriture et surtout par Christ. Elle religionna comme un intellectuel philosophe, vibrante du désir de faire partager sa vérité.

L'homme l'interrompit avec des oui, des non et des moues mesurées et à dominante inquisive.

Puis l'heure se fit encore entendre mais par un seul coup.

Alain prit une lampée qui vida ce qui restait de liquide froid dans sa tasse et il fit reculer sa chaise en disant:

— J'ai brisé notre entente d'une demi-heure.

— Tu veux un autre café?

— Oui mais... demain soir.

— Malheureusement je dois me rendre à une exposition d'artisanat.

— Alors jeudi?

Elle fixa le plafond, regarda une hésitation dans son esprit, fit un signe oblique de la tête.

352

— Peut-être... s'il ne survient rien de... particulier d'ici là.

— Comme?

— Je ne pense à rien de précis. Mais on sait jamais.

Alain repensa qu'elle pouvait être la maîtresse d'un homme et qu'elle hésitait pour cette raison, ce qui lui fit ajouter:

— Ou n'importe quel autre soir? Je peux avoir ton numéro de téléphone?

Elle se leva à son tour, montra l'appareil qui se trouvait sur la machine à coudre.

— De toute façon, il est dans l'annuaire.

— O.K. Je t'appelle jeudi, six heures.

— Je serai à faire mon marché de fin de semaine. Appelle à neuf heures.

— Parfait, parfait!

Et il se rendit à la porte, suivi d'elle dont il remarqua qu'elle traînait les pieds. Il se souvint qu'elle avait changé de chaussures en arrivant... Cela remontait à si loin et dans des souvenirs si vagues, quelqu'un marchant ainsi.

Que lui dire en quittant? Que faire? L'embrasser? Elle présenterait la joue. Ce serait froid. Mieux valait lui enserrer la main, l'envelopper avec chaleur. Garder pour plus tard le rapprochement des corps, ne pas le gaspiller, créer le désir comme savaient le faire avec tant d'art, de délicatesse et même de courtoisie les gens d'hier.

— Merci pour le café là, fit-il en tendant la main.

Elle fit le même geste. Sa main était molle, abandonnée. Il la prit comme un objet précieux, la regarda avec intensité puis la couvrit de son autre et serra par à-coups tendres de la paume en disant:

— Il me semble que nous ayons beaucoup à nous dire tous les deux. Il y a en toi quelque chose que je n'arrive pas à définir mais qui... comment te dire... me fascine...

Ce disant, il avait des lueurs mystérieuses au fond des yeux. Elle y décela un signe de Christ, fut sur le point de lui confier sa hâte de voir jeudi venu, mais se contint. Et si elle se trompait. Et si ce feu lointain qui brillait en son regard était diabolique? L'homme n'avait-il pas la réputation d'un être bizarre, noir et solitaire? Quoi qu'il en soit, il fallait répondre à Christ ou à Diable par une grande intensité, la plus grande qu'il lui soit possible de laisser jaillir de son âme par la voie de ses yeux. Elle sut qu'elle avait réussi quand il dit:

— Vrai de vrai, ton regard est d'une profondeur! Bon, bon, me voilà sous le charme, moi un célibataire qui a jeté à la rivière toutes ses aptitudes à s'émouvoir.

Et brusquement il se retira avec des mots carrés:

— À jeudi! Merci! Bonne nuit!

*

Quand il l'appela deux soirs plus tard, elle se fit indifférente:

— Viens dans une heure le temps que je place mon épicerie.

— Je peux t'y aider.

Ce qu'il n'aurait jamais proposé à Viviane.

— Non merci... J'ai d'autres petites choses à faire...

Son doute sur l'existence d'un homme dans sa vie l'effleura encore. Il le chassa.

— D'accord. Je serai là à dix heures.

Il se mit en route plus tôt que requis, se proposant de tuer le temps à rêver devant le spectacle de la rivière éclairée par une lune ronde et plein d'étoiles clignotant à la surface de l'eau.

Il se stationna en bordure du chemin de gravier et regarda la nuit claire donner à la vallée une sérénité que le jour lui enlevait et qu'elle devait avoir à longueur d'année en 1917. Et il fut inspiré pour deux pages de son livre qu'il jeta sur papier là même, à la faveur d'une lampe de poche car il ne voulait pas que la lumière du toit rompît le charme qui transportait son esprit dans la petite histoire en partie connue, en partie subodorée du début du siècle.

En entrant chez elle, il gardait, toujours inscrite dans son visage, la pression qui le baignait corps et âme lorsqu'il restait plongé plusieurs minutes dans une autre époque.

Elle arriva à la porte avec ses mules en mains, pieds nus, cheveux lui tombant sur les épaules. L'autre soir, ils étaient ramassés dans une toque sophistiquée qui lui donnait un air grave. Plusieurs détails nouveaux conféraient à la jeune femme une vive sensualité moins apparente deux jours auparavant. Surtout cette robe bourgogne à encolure ouverte, invitante.

— Fait beau cette nuit, exprima-t-elle en fermant et rouvrant doucement les paupières sur un regard lumineux.

— Pour les mystiques comme toi et moi, c'est une nuit... idéale.

— Mystiques?

— Oui... Toi, tu contemples le futur et moi, je rêve à hier.

Elle jeta ses mules à terre puis les enfila en s'excusant. Il profita des secondes où elle avait la tête basse pour s'approcher. Il la prit par les bras à hauteur des coudes et dit avec une timidité feinte dans la voix:

— Un petit bec d'arrivée, d'amitié?

Elle tendit une joue rubiconde. Il l'embrassa où elle l'invitait à le faire mais lui signala par une vibrante pression des mains qu'il eût aimé autre chose... plus...

Une fois dans la cuisine, il dit:

— J'aimerais bien la visiter au complet, ta maison. Curieux à dire mais le deuxième étage m'intrigue.

Elle gaffa:

— Ma chambre est en bas...

Essaya de se rattraper:

— En haut, c'est pour quand mes frères et soeurs viennent passer une fin de semaine. C'est normal, c'est la maison paternelle. Y'a aussi une chambre à débarras... Viens que je te montre des choses que j'ai exposées hier...

— Quel imbécile j'ai été: j'aurais pu y aller à cette exposition. C'était où? Comment ça une exposition au beau milieu de la semaine? Tu es habile de tes mains?

En répondant à l'avalanche de questions, elle lui montra des travaux de broderie, de macramé et de couture. Il félicita, dit qu'elle devrait en vendre. Elle en vendait à l'occasion mais pas pour l'argent. Il pensa au personnage central de son roman qui avait des pratiques au village, qu'elle fournissait en oeufs, en savon et en beurre, sans compter ces maints ouvrages semblables à ceux de Thérèse.

Il resta le plus près d'elle qu'il le put, rallongeant le temps

355

d'examiner des pièces qu'elle mettait sur la table, s'enivrant de son parfum plus accentué que celui du mardi. Soudain il eut des gestes impulsifs qui le firent se mettre derrière elle et la prendre par l'arrondi des épaules. Il dit avec émotion:

— Tu sais une chose: il y a en moi un bizarre, mais bizarre de sentiment. Si c'était possible, si c'était donc possible, je voudrais que...

Mais il ne termina pas sa phrase et secoua la tête...

— Pardonne-moi... je viens de te connaître et déjà je me laisse emporter. C'est que tu dois être... une femme très exceptionnelle.

Émue, elle dit en bafouillant un peu:

— Dis toujours... Comme tu vois, je... n'ai pas pris la fuite... même s... si tu te tiens... assez proche.

Il comprit l'invitation mais sentit une barrière s'élever en lui. Il eut comme l'impression d'abuser d'elle, de la préparer à un viol accepté...

Mais il ne put réfléchir longtemps puisqu'elle s'était reculée jusqu'à s'appuyer le dos contre sa poitrine. Elle dit:

— Ce qu'on pense intensément, il ne faut pas attendre pour l'exprimer; autrement ça s'altère à cause du temps qui passe, des circonstances...

Alain eut une seconde attaque émotionnelle provoquée par la chaleur de la femme, sa proximité, la blancheur laiteuse de son cou qu'il pouvait apercevoir par delà ses cheveux tant elle était collée sur lui et par-dessus tout, les grisants effluves émanant d'elle.

— Comment dire... C'est très embarrassant...

— Souviens-toi que je ne crains rien car Christ veille.

— J'ai eu comme un immense désir de te voir... enceinte... de moi. Non pas un désir charnel de faire l'amour... Oui... dans un sens... En fait, je veux dire que dans ma tête, je te vois mère d'un enfant, de mon enfant. Tu vas dire qu'on ne peut dire ça à une femme qu'on vient de connaître, que c'est du cinéma, du chantage de pomme... mais pourtant je le sens jusqu'au plus profond de mon coeur. Je te jure que ce n'est pas pour te conter fleurette.

Elle se glissa contre lui en un demi-tour dont seuls des amoureux sont capables tant il requiert peu d'espace. Elle pencha la tête, fit une moue gamine en disant:

— Ah, mais comme ce n'est pas possible...

Elle ne put terminer qu'il lui ferma la bouche avec la sienne. Il bougea la tête à gauche et à droite, retenant celle de la femme, sans que leurs lèvres ne cessent de se toucher, tâchant de lui communiquer toute son âme par le biais d'une intensité charnelle.

— Je m'excuse hein! C'est presque du viol. Je ne voulais pas...

— On n'a pas à regretter un geste quand on n'a pas voulu faire de mal.

— Comment regretter des moments aussi... divins?

Par leurs regards, leurs sourires et ce qui avait précédé, ils surent qu'ils feraient l'amour ce soir-là. Ce n'était qu'une question de temps, d'heures... Il fallait s'y préparer sans en avoir l'air.

— Je te fais un café?

— Plus tard. Finis de me montrer tes travaux.

Il apprit qu'elle avait quelques animaux dans un petit champ et dans la grange derrière la maison. Des poules dont chacune avait un nom. Un veau du printemps dont elle parlait comme de son enfant. Une vache qu'elle mettait en pension chez un voisin cultivateur, l'hiver.

Il ne put comprendre à qui appartenaient réellement les bêtes. Un moment il crut que tout cela pouvait servir de couverture permettant à Thérèse d'entretenir une relation avec quelqu'un qui soit ainsi justifié de venir régulièrement chez elle. C'était la troisième fois qu'il avait un doute, une sorte d'intuition malsaine à son égard et il s'en voulut pour ça. Elle avait droit à sa vie privée, à ses petites joies intimes, à ses vibrations personnelles et cachées. Quel être humain peut vivre sans ça, pensa-t-il.

Elle parla de son travail; lui du sien. Les minutes, les heures s'écoulèrent, agréables et faciles. À minuit, il s'exclama, le coeur en effervescence:

— Et alors, on me le fait visiter le deuxième étage ou bien j'y monte comme un grand? Tout seul dans le noir.

— Y'a rien à voir là. Des vieux lits avec des catalognes dessus. Un rouet. Un gramophone.

— Merveilleux! Tout ça m'intéresse. C'est en plein...

— C'est vrai, j'oubliais. Allons...

Elle monta plus rapidement. Il l'entendit marcher vite en haut. Il arrivait dans la première chambre alors qu'elle-même y revenait déjà après avoir fait une tournée éclair pour vérifier l'ordre et allumer les lumières.

— Comme tu peux voir... ce n'est qu'une chambre.

Alain sourit, le regard vibrant. Toute son enfance de soir et nuit lui remonta alors au visage. Une petite pièce avec pente au plafond. Fenêtre à gros yeux noirs et menaçants à demi-voilée par des petits rideaux minces. Un lit à montants de métal et à matelas incurvé recouvert d'une catalogne à gros carrés multicolores.

— Fait chaud ici, fit-elle remarquer en se déplaçant lentement devant lui vers la porte menant aux autres chambres.

— Le soleil a plombé fort aujourd'hui.

— Et le matin, j'oublie d'ouvrir.

Elle le conduisit dans la chambre suivante puis dans la troisième et revint sur ses pas dans la première.

— L'autre est là, mais je ne la montre pas; c'est un vrai capharnaüm. Et puis il n'y a pas grand éclairage dedans.

— J'irai demain matin... je veux dire la prochaine fois...

— Voilà c'est tout, monsieur curieux!

— Merci beaucoup, madame gentille!

Elle restait debout au pied du lit, dos à lui comme près de la table à son arrivée. Il lui enveloppa les épaules, lui souffla dans les cheveux des mots murmurants:

— Je voudrais me transformer en quelqu'un d'autre pour... pouvoir... pour avoir le droit de... faire l'amour avec toi.

— Je ne suis pas une... aventurière et tu le sais bien, fit-elle sans résister.

Il entreprit de lui frotter les bras depuis le dessus des épaules jusqu'aux coudes dans un va-et-vient intense soutenu par d'autres phrases fébriles:

— Je me demande parfois si nous n'avons pas le devoir d'être heureux quand cela est possible. Quand on ressent le désir aussi puissant et pur que le mien en ce moment... Encore faudrait-il qu'il soit partagé.

— En qui voudrais-tu donc te transformer?

— Comment?

— Oui, tu disais que tu aimerais te transformer...

Ah oui!... D'abord en le père d'une petite fille jolie comme toi. Ça pour avoir le droit de te faire l'amour. Puis en gamin de cinq ans pour... m'endormir dans tes bras. Et ensuite... non... Je ne pourrais te le dire que si... nous étions en train de faire l'amour... Ce serait agréable de déjeuner ensemble demain matin, non? Oh, je ne dis pas cela pour... Enfin si nous étions moins sérieux tous les deux, tu sais ce qu'on ferait? Je coucherais ici, dans ce lit. Et toi en bas, tu dormirais comme un ange de savoir que là-haut, quelqu'un veille.

— Je ne sais pas si... Les voisins... Faudrait que tu caches ton auto... Je veux dire l'avancer peut-être entre la grange et la maison.

Il lui enserra la taille, dit:

— Thérèse, oh Thérèse, quelle merveilleuse épouse tu feras à celui... à l'heureux homme qui saura te découvrir.

Puis dans un geste assez rapide pour qu'il paraisse involontaire, il glissa ses mains ouvertes sur sa poitrine, les plaqua plus haut pour la serrer plus fort sur lui. Elle bougea un peu sur ses jambes comme pour jauger l'ardeur de sa virilité; il la sentit, pensa qu'elle avait la preuve de son désir. Aussitôt elle se libéra en disant:

— Je crois qu'il ne faudrait pas aller plus loin. Je vais te donner mes clefs pour que tu puisses déplacer mon auto.

— Je ne voudrais pas, surtout pas te faire du mal ou du tort. Tu ne le mérites pas; tu es trop bonne.

— Est-ce que tu es vraiment sincère, Alain? Comment peux-tu être si... si aimant si vite?

— Mais c'est à cause de toi, pas de moi! De ta valeur comme femme. Je ne fais que répondre par l'émerveillement à tout ce

merveilleux qu'il y a en toi. Je n'ai plus l'âge où il faut des semaines pour découvrir la vraie valeur d'un être humain. Et tu
es exceptionnelle, que veux-tu que j'y fasse? Que je me taise?
Que je me refoule? C'est pire de ne pas dire le bien que l'on
pense de quelqu'un que d'en dire du mal...

Elle marcha jusqu'à l'escalier, descendit quelques marches,
dit:

— Je vais occuper la chambre de bains un quart d'heure,
vingt minutes, si tu veux y aller avant.

— Non, non, j'irai après. En attendant, je vais lire un peu.

Après s'être occupé des autos, il s'assit dans la berceuse avec
une énorme bible à couverture rouge. Elle sortit de la salle de
bains, vêtue de bleu, d'un maquillage frais, de parfums exoti-
ques et de légèreté. Gardant les yeux pudiquement baissés, elle
désigna une petite lampe en disant:

— Tu pourras la laisser allumée. Je préfère... Quand on se
lève la nuit...

— C'est moins dangereux pour les orteils, coupa-t-il en lui
regardant les pieds.

Mais elle ne s'arrêta que dans le chambranle de la porte pour
dire sans se retourner:

— J'ai mis des serviettes sur l'évier de la salle de bains. S'il te
manque quelque chose, crie...

— Bonne nuit, là!

— Bonne nuit... À demain!

Il fit de longues ablutions, réfléchissant sur le mieux à faire,
se disant qu'ainsi elle mûrirait un petit peu plus car inquiète de
penser qu'il pourrait aller coucher là-haut sans insister davantage dans sa cour. Tiens, pour la torturer un brin, il irait effectivement là-haut en gravissant bruyamment les marches de
l'escalier.

Ce qu'il fit. Resté nu jusqu'à la taille, il redescendit sur la
pointe des pieds et se rendit à la chambre de Thérèse. La porte
était entrouverte. Il aperçut la jeune femme dans la pénombre
créée par une lampe de chevet. Elle était assise dans son lit,
adossée à de gros oreillers, comme dans une attente, perdue
dans une réflexion. Il frappa doucement. Elle sursauta, fit un

oui long et doux.

— Je me suis transformé en petit gars et je viens chercher mon bécot pour la nuit. Je peux entrer?

— C'est un petit peu dangereux, ça, non?

— Si tu veux une promesse, je peux te la faire.

— O.K.

Elle remonta un peu les couvertures quand il s'assit sur le bord du lit qu'il tapota en disant:

— Il est confortable... Je suis allé préparer le mien là-haut... C'est dommage!...

— Dommage?

— Que je doive remonter.

— Ah, il le faut sinon le petit garçon va se faire gronder.

— Et alors le petit bécot?

Elle se désigna le front. Il l'effleura. Puis se rendit à ses lèvres, ne les toucha pas, chuchota:

— Je sens que je me transforme. Dommage que je doive remonter. Mais une promesse est une promesse, n'est-ce pas? À mon âge, un homme est capable de contrôler sa... chair. Je voulais te dire que...

Elle le força à en finir avec ce jeu. D'une main, elle lui avait emprisonné la tête sur ses lèvres et de l'autre, elle lui frappait le dos à poing fermé.

Lui non plus ne voulait plus de ces taquineries et il se sentit libéré de toute retenue, de toute inhibition. Il se mit à la caresser fébrilement ne se questionnant sur les parties de son corps que pour suivre le crescendo du désir en même temps que de l'alimenter. Sa main devinait les voluptés sous le tissu fin qu'il voulut garder sur elle tant qu'il pourrait s'empêcher de faire courir ses doigts sur sa peau.

Mais quels seins elle avait: si... charnus! Et une taille moins épaisse que prévu. Il approcha sa caresse de son pubis, tournoya, frôla... Il recula sa tête pour prendre un nouvel élan.

— Garde les yeux fermés, je... me prépare...

Et il finit de se dénuder puis s'allongea auprès d'elle. Des automatismes, des routines, des techniques guidèrent alors ses mains. Il les utilisa tous. Les corps se trouvèrent, se touchèrent, quémandèrent. Il la pénétra en pensant qu'il ne pourrait tenir plus d'une minute ou deux tant son sexe brûlait maintenant. Il fallait penser à quelque chose qui puisse le ralentir. Ne pas bouger. Redonner les rêves à l'esprit. Ne lui souffler à l'oreille qu'une douce chaleur pour que la femme ne soit pas arrêtée dans sa progression. Il resta dix, vingt, trente secondes en dehors du lieu et du temps, à voguer au-dessus de la vallée comme un fantôme de 1917. Les eaux en tumulte se calmèrent. Pour un temps en tout cas. Elle le ramena à leur communion en sussurant:

— Tu as dit qu'en faisant l'amour avec moi, tu aurais le désir de te transformer en quelqu'un d'autre?

Il balbutia:

— Que tout mon corps... devienne liquide et aille se réfugier dans ton... ventre...

Et il entreprit un mouvement de va-et-vient en répétant la phrase qu'il avait redite à plus d'une déjà:

— Que... tout... mon... corps...

Il accéléra. Elle bougeait la tête. Il augmenta encore le tempo y accordant sa voix:

— Que... tout... mon... corps...

— Attention Alain, je t'en prie, n'éjacule pas... Je ne prends pas la pilule... Je pourrais tomber enceinte...

Le cri d'une colère immense, totale, universelle lui assourdit chaque cellule du cerveau. Les mots en furent: "Ah ben Christ!" Il les retint derrière ses dents serrées en même temps qu'il se retirait d'elle comme si le sexe de la femme s'était transformé soudain en bouche de piranha. Et il le bâillonna, ce sexe trompeur, de sa main ouverte, ce qui lui permit de sentir les gouttelettes pré-éjaculatoires. Et la montée en lui se termina à mi-chemin en un malaise qui ajouta sa touche déplaisante à son immense frustration.

"Pourquoi m'a-t-elle fait ce sale coup!" ne cessait-il de se demander. "On a discuté d'avortement et elle sait que je serais incapable de l'envisager pour un enfant issu de moi." "C'est-il Dieu possible qu'elle ait voulu me jouer un tour de cochon?" "Quelle belle manière de mettre la patte sur un homme!"

"Non mais qu'est-ce que je suis venu foutre ici, moi?"

— Par chance que tu m'as averti à temps! dit-il dans un filet de voix.

— Je pense que je me suis laissée prendre à un grand rêve irréalisable... C'est pour ça que je ne voulais pas que tu couches en bas...

— Qui sait, peut-être que dans deux mois, chacun sera fin prêt pour... un enfant. Le temps de se laisser apprivoiser par l'idée... Faisons l'amour oral en y pensant; qu'en dis-tu?

C'était la meilleure solution qu'il avait trouvée pour ne plus avoir à parler. Il se perdit la tête entre ses jambes, lécha par devoir, fidèlement, sans même se rendre compte qu'elle aussi lui prodiguait des caresses valables. Ne restait d'ardent en lui qu'un sentiment d'avoir été abusé. En même temps que grandissait une inflammation dans son urètre, il se répétait mentalement une phrase propre à faire diminuer celle irritant son esprit: "Christ est peut-être en elle, mais moi je suis en Christ!"

*

Au nom de son travail, il partit peu après le déjeuner en promettant d'appeler en fin de journée. Ce soir-là, après souper, il se rendit au bar du motel et Thérèse ne lui vint pas en mémoire. Car un autre passé devait l'emporter, quinze ans en arrière, celui-là.

De retour des toilettes à son banc du bar, il vit qu'une jeune femme était assise à la place voisine. L'éclairage ne lui permit pas de la reconnaître sur-le-champ et il se rassit en remerciant le hasard car sans son absence temporaire, elle se serait sans doute installée un peu plus loin. L'approche se trouvait ainsi déjà faite.

Il eut à peine le temps d'avaler une gorgée de bière qu'une voix de femme imbibée d'une douce colère lui dit sur le ton du reproche:

— Eh bien, on ne reconnaît pas ses anciennes élèves? C'est peut-être parce qu'elles ont l'air ancien?

Il se tourna, aperçut ce petit visage fin, rond, aux yeux

rieurs, en tous points pareil à celui de l'adolescente qu'il avait eue dans ses cours l'année de l'exposition universelle de 1967.

— Si c'est pas Diane!... Diane Lapierre...

— Mais embrasse-moi, vieux professeur de je ne sais plus quoi!

Il lui enveloppa les joues de ses mains ouvertes comme un enfant prend un cadeau précieux et ils s'échangèrent une bise aussi bruyante que joyeuse.

— Ah, que c'est bon de te revoir, Diane!

— Jamais je n'aurais imaginé en venant ici ce soir rencontrer mon plus grand chum du bon vieux temps!

— T'as raison de dire que ça fait le temps et que je suis vieux. Quarante ans, ma chère, quarante!

— Ah oui c'est terrible comme t'es vieux! Tout ridé, plissé comme une patate de l'année passée.

— Et toi, t'as pas changé d'un poil malgré tes trente-deux années bien sonnées, hein?

— C'est tout ce que tu peux dire... J'ai été opérée dans ma cicatrice... Tu te souviens, celle que j'avais sur le ventre pas loin de...

— Tut, tut, tut, fit Alain en regardant tout autour. Si on savait que... on m'accuserait de détournement de mineures.

— Après quinze ans la faute est prescrite. Et puis je suis majeure maintenant.

— Dis-moi, qu'est-ce que t'es devenue? Qu'est-ce que tu fais de bon? Tu veux un drink?

— Maintenant je vis à Montréal. Je suis venue voir ma maman. Tu la connais; faut qu'elle voie sa fille au moins deux semaines par année.

— J'en reviens pas Diane! Mais t'as pas changé, pas du tout...

— Reviens-en, reviens-en. Je commence à avoir des rhumatismes...

— T'es aussi folle que t'étais.

— Et toi donc!

— Me semble que je suis comme ça rien que quand t'es là, dit-il en ayant l'air de réfléchir.

— Tu fais parler de toi pas mal dans le coin. J'ai lu ton roman à sensations... sensations au pluriel. Ouais, ouais, ouais... Hum, hum...

— Parlons de toi. Toujours pas mariée parce que tu serais sûrement pas ici ce soir toute seule.

— Crois-le ou non, je l'ai été. Pas de contrat de mariage là, mais... c'était tout comme. Trois années à faire la popote pour mon petit chouchou. Incidemment, sais-tu comment il s'appelait, mon petit chouchou de mari pas marié? Devine...

— Tonton Macoute? Trudeau? Lévesque? Je ne sais pas, je ne suis pas devin.

— Crois-le ou pas, il s'appelait Alain Martel.

— Ça se comprend! s'écria Alain. Tu devais t'ennuyer de moi et le premier venu portant mon nom, t'as décidé de le dorloter.

— Tu t'imagines, moi, Diane Lapierre, chouchouter un homme?

— Why not?

— Parce qu'ils ne le méritent pas.

— Tiens, tiens, une petite féministe...

— Réaliste... Je sais maintenant que les hommes n'ont pas de coeur.

— Plus un homme est vrai, moins il est romantique si c'est ce que tu veux dire. Mais je peux te répondre que plus une femme vibre, moins elle pense. Vous nous demandez d'être beaux, intelligents, forts et romantiques: tu penses pas que c'est un peu trop exiger d'un même bonhomme? Nous autres, on vous demande juste d'être belles. De toute façon, ça serait difficile d'en vouloir plus...

La jeune femme échappa un rire qu'elle-même perçut un peu trop bruyant et lui fit mettre la main devant la bouche. Mais la musique d'orgue l'avait enterré.

— Les hommes manquent de coeur; les femmes manquent de tête: c'est la complémentarité parfaite.

— J'ai toujours dit ça. Mais c'est si rare une femme qui veut l'admettre. Je devrais t'épouser. Je te demande en mariage.

— Ça m'intéresse.

— Alors c'est pour quand?

— J'ai un chum en ville. Laisse-moi m'en débarrasser et ensuite on regardera à ça de plus près.

— Tu l'as pas emmené avec toi?

— Si tu penses! Je l'ai assez sur le dos comme ça.

— Tu sais ce qu'on devrait faire pour fêter notre rencontre?

— Dis...

— Se prendre deux bouteilles de champagne et monter à ma chambre.

— Parfait! Je vais appeler ma maman pour lui dire que je ne rentrerai pas cette nuit; autrement elle s'inquiéterait.

— Tu vas lui dire avec qui tu es?

— Certainement!

— Elle va envoyer la police... tu sais, détournement de pucelles.

— Peut-être que j'ai pas de tête mais j'ai passé le cap des trente ans: c'est l'âge où une femme devient majeure.

— J'ai trois bières derrière la cravate: j'espère que ça fera pas un trop mauvais mélange avec le champagne.

Diane fit le geste de l'appeler de l'index. Il se pencha sur elle. Elle lui murmura à l'oreille des paroles qu'il ne saisit pas et qu'elle dut répéter. Mais elle les prononça si fort qu'elle crut être entendue par des voisins de banquettes et les termina dans un rire pointu:

— On va faire l'amour avant de prendre du champagne: ça va te faire digérer.

Alain lui tendit la clef et lui dit de se rendre à la chambre tandis qu'il prenait les arrangements pour les bouteilles.

— Je vais t'attendre à la réception. Je ne veux pas entrer dans la chambre nuptiale sans mon mari.

— O.K.

Trois minutes après, il la retrouvait dans le lobby du motel. La réceptionniste lui dit:

— Monsieur Martel, vous avez un message.

— De la part de qui?

— Une madame Thérèse... je ne sais plus. Je vais voir dans votre casier.

— Pas la peine, j'ai son numéro. Je vais la rappeler. Merci là!

Il prit sa nouvelle compagne par les épaules et ils marchèrent comme des amoureux de longue date dans le couloir menant à leur chambre.

— Thérèse, c'est une de tes conquêtes?

— Le mot est un peu fort, hein? C'est plutôt elle qui m'a conquis. Mais je suis comme la Russie, tu sais: on me conquiert puis mon hiver les chasse.

— Es-tu toujours marié? Qu'est-ce que tu fais par ici? M'as-tu dit que t'étais à Montréal? Ben oui, c'était écrit dans ton roman olé olé...

— Je te défends bien de dire ça. Y'avait rien de gratuit dans ce livre.

— Bon, bon, sûrement, sûrement. Et alors, t'es toujours marié?

Ils furent trois jours à rire au lit. Puis Alain eut un appel de Lorraine qui annonçait son arrivée dans la ville et son désir de passer deux jours avec lui. Diane dit qu'elle devait partir de toute façon. Ils s'échangèrent leurs coordonnées à Montréal et Laval. Il lui donnerait signe de vie quand il serait de retour là-bas à moins qu'il se décide à s'installer à demeure dans sa région natale.

Quand il eut mit le point final à son roman, début septembre, il eut envie de s'en aller. Il reviendrait plus tard. Sur la route, à deux milles de la ville, il reconnut au loin, de l'autre côté de la rivière, la maison de Thérèse et il se souvint alors qu'il avait oublié de la rappeler. Alors il se dit tout haut:

— Bah, c'est mieux comme ça! Peut-être qu'elle a un amant dans le voisinage, un homme marié qui va soigner ses poules.

*

En septembre, il renoua avec ses amis juifs et se remit en contact avec Aline toujours aux prises avec les mêmes problèmes: son mari phallocrate et son éternel besoin de s'échapper de sa coquille.

Et il revit régulièrement Lorraine et Diane, ajustant la fréquence des rendez-vous à ses désirs et aux nécessités de son travail.

Il décida de passer Noël dans la solitude et la paix. Au soir du vingt-quatre, devant un téléviseur dont il avait coupé le son, il fit son bilan annuel, financier, affectif, moral, de santé.

Car il y avait loin, se dit-il, entre un certain équilibre maintenant atteint et sa longue marche à Versailles deux ans auparavant et ce jour du dernier Noël alors qu'il avait pendu LES GRANDS VENTS.

Quatre femmes avaient été en lui cette année-là. Madame sourire, Lorraine, la petite amie sans complication, capable de se contenter du moindre bon mot. Diane la fofolle qui lui avait donné tant et tant de plaisir en toutes circonstances. Aline, l'intellectuelle prisonnière avec qui il faisait si bon remuer des idées une fois par semaine devant un repas de brasserie. Et Viviane qu'il savait aimer encore et toujours et que pour cette raison, il s'arrangeait pour ne revoir qu'en de rares et nécessaires occasions. Deux ans avaient passé depuis leur séparation et elle était toujours libre... comme lui. Peut-être s'attendaient-ils l'un l'autre sans se l'avouer.

Pour un amant de la liberté, quelle situation eût pu mieux convenir? N'avait-il pas souvent pensé et déclaré que pas une femme ne pouvait à elle seule combler un homme?

Elles étaient quatre à l'attendre sans l'attendre.

Le jour suivant, il conçut le plan d'un nouveau roman qu'il projetait d'écrire au cours de l'été. Une sorte de rêve, de fantaisie poétique sur les thèmes de Noël, de l'attente, de la solitude, proche du quotidien par certains aspects mais aussi à d'autres volets symboliques et mystérieux sous des dehors pourtant anodins. Il mit sur sa feuille de nombreux matériaux. Le nombre de pages. Le dosage des éléments. Un chapitre entièrement intellectuel. Un autre purement émotionnel. La part de la fatalité. L'univers psychologique. À travers ce rassemblement, les personnages se dessinaient et une fois encore, il projeta son esprit dans le corps de la figure centrale, un routier-poète incapable d'être malheureux plus longtemps qu'un enfant.

Puis il se concentra de longues heures pour assembler le tout en une structure assez solide pour tenir debout. Après l'effort, il se laissa tomber dans un sommeil profond qui dura une demi-journée.

1983

Bien malgré lui, son frère le fit revenir une fois encore dans sa région natale.

Alain s'agenouilla près de la tombe et parla mentalement à celui qui était mort l'avant-veille, débarrassé enfin d'un corps misérable.

"Content pour toi, mon vieux Fernand! Malgré que je doive te dire que je ne t'envie pas beaucoup. Je me demande si je saurais mourir, moi. Tu le sais, j'apprends tout à force de pratique et par itération. Si j'étais un plus grand esprit, je pourrais sûrement mieux apprivoiser la mort. Ou bien si j'étais célèbre. As-tu remarqué comme les présidents, les vedettes de cinéma et autres grands de ce monde, meurent dans une haute dignité, de façon marquante? Je ne sais pas... on dirait que leur fin est plus... originale. Ils savent, eux, les chanceux.

Non, je ne suis pas prêt. J'ai trop à faire. Et puis vois-tu, je me sens libre de ce temps-ci. Malgré les bouffées d'orgueil, d'émotion, malgré tout...

En tout cas... C'est à peu près ce que j'avais à te dire. Merci encore pour les coups d'épaule dans mes années de pensionnat.

Je pourrai pas te les rendre mais... On est-y bien couché là-dedans? Ça paraît confortable, un cercueil... En tout cas. Ouais, ben je vais aller saluer la parenté. Je pense qu'ils sont tous arrivés. Salut!..."

Prière terminée, Alain se leva, serra quelques mains. Belle-soeur, neveux à qui il offrit ses condoléances. Puis frères, soeurs et leurs conjoints à qui il ne savait trop que dire puisqu'il avait droit autant qu'eux à des voeux de sympathie. En avançant de l'un à l'autre, il se disait que l'occasion était en or pour revoir plein de gens qu'il avait connus dans son enfance et qu'il n'avait pas revus depuis quinze, vingt et même trente ans dans certains cas. Sans doute que la plupart lui feraient prendre un coup de vieux mais peu importe puisque de les voir et de leur parler remuerait en lui un trésor de souvenirs chers.

Les personnes étaient rangées comme des soldats au garde-à-vous, adossées au mur à la droite du défunt. Alain progressa lentement devant elles jusqu'à se trouver face à un visage inconnu sans même un air de famille pour le faire reconnaître. Il ne tendit pas la main, n'ayant pas à le faire. Et il jeta un coup d'oeil plus loin afin de savoir si c'en était fini des proches. Son visage alors s'éclaira, rayonna. Il se dira plus tard qu'aucun procédé cinématographique n'eût pu, à ce moment-là, donner à son image plus de brillance que son front, ses yeux, ses traits de figure avaient dû en exsuder au spectacle éblouissant qui s'offrait à son regard.

Elle se tenait droite comme un échalas, superbe, souriante, plus belle encore que dix ans auparavant le jour où il l'avait vue pour la première fois dans un couloir de l'école où il enseignait. Elle leva la main gauche, l'agita doucement en écartant les doigts et dit:

— Hola! cher Alain, comment vas-tu?

Il eût voulu fermer les yeux, secouer la tête pour s'assurer de la justesse de sa vue mais il se contint et son élan le fit ciller en lui conférant un air poupin. Il s'approcha et, oubliant l'entier environnement, s'exclama:

— Comment vas-tu... toi?

Mais il avait oublié son nom et s'en voulut l'espace d'un

éclair. Et il oublia qu'il avait oublié. Et puis après? Après quoi? L'embrasser? Elle tendait la main, souriait comme une enfant confiante. De ce qu'elle était restée jeune! Comment donc son mari n'était-il pas à ses côtés?

Tout son intérieur de tête était devenu fouillis; Alain y reconnaissait pourtant la même réaction qu'il avait eue dans ce corridor de 1973 en voyant venir cette exotique beauté dans sa robe bleue à grandes fleurs dont les courbes magnifiques avaient moins de grâce que celles de la jeune femme si sensuellement drapée.

Une étrangère! De quel ciel sortait-elle donc cette inconnue aux yeux noirs et bridés, à la peau sud-américaine, au nez d'Indienne, aux lignes de déesse, aux cheveux de jais comme ceux d'une Espagnole. Seule une Gitane pouvait réunir autant d'attraits divins: si gracile et svelte.

Elle avait fait un large sourire, dit bonjour et poursuivi son chemin, laissant Alain pantois, à se demander ce que lui-même avait bien pu dire, répondre. On lui avait appris que la jeune femme était l'épouse de son cousin et cette nouvelle l'avait flatté. Elle était Mexicaine, avait émigré au Québec pour cause de mariage, poussée en cela par des parents croyant que leur fille avait déniché le gros lot en épousant un blond gringo.

— Ça me fait bien plaisir de te voir mon cher cousin, dit-elle avec l'accent espagnol qui décuplait son charme.

Il lui serra la main, ne la lâcha plus, s'emballa, s'électrisa:

— Et moi donc chère cousine! Comme tu es éclatante!... Une... île... une île... verdoyante et exotique... Bon Dieu de bon Dieu... Qu'est-ce que je lui ai fait au bon Dieu pour qu'il crée une femme aussi ravissante, aussi... ensoleillée et surtout qu'il la donne à mon cher cousin plutôt qu'à moi? Non mais la justice en ce bas monde, où est-elle? Je sais que Bernard est un esprit brillant, sa réputation est bien établie mais précisément, ce sont toujours les mêmes qui ont tout.

Sa volubilité était si grande qu'il n'avait pas remarqué sur le coup qu'elle souriait moins et faisait des moues contrariées.

— Mais on dit que tu en as plusieurs, toi, des femmes? coupa-t-elle avec un regard ironique.

— Qu'est-ce que c'est que ça? Je n'en ai aucune. Je suis solitaire comme un clou dans le désert.

— Et moi aussi, je suis fine seule. Mais c'est Bernard qui fait le clown, pas moi.

Alain perdit son sourire, dit, désolé:

— Ah ça, je n'en savais rien... Bon, ça change un peu ce que je viens de dire... Séparés?

— Divorcés. Il vit avec une autre. Ils ont même un enfant. Et moi je suis seule mais libre comme tu le disais dans ton premier roman. Et je dois te dire que ce livre a beaucoup influencé Bernard.

— J'ai pas écrit mes livres pour semer la zizanie dans les ménages. Si on les prend comme béquille pour agir, ça...

— T'en fais pas, ça l'a seulement poussé à agir un peu plus vite.

Refroidi, Alain prit conscience qu'il lui tenait la main depuis trop longtemps en égard au lieu et aux circonstances. On s'interrogerait. À la campagne, ces choses-là se remarquent, se racontent, se rallongent.

— Nous devrions discuter de tout ça plus à fond. Et puis je voudrais bien que tu me parles de ton travail, de l'école et de tous ceux que j'y ai connus. Tu ne pars pas tout de suite?

— À la fermeture tout à l'heure.

— Tu me promets de ne pas te sauver? Je vais faire la tournée, saluer un peu des vieilles connaissances et ensuite on prendra une bonne jase.

Elle approuva d'un signe de tête qu'elle accompagna d'un sourire intense.

Il s'éloigna sous le choc, ravi mais soucieux, l'esprit aux interrogations. Quel était donc son nom déjà? Devrait-il s'essayer à la conquérir? Un morceau de choix comme celui-là risquait de lui coûter cher. Elle avait du caractère; elle ne devait pas être facile à manipuler.

Pareil défi ne pouvait que le provoquer et il avait bien envie de se mettre à l'oeuvre pour le relever.

Après la parenté, il connut l'agrément de reconnaître des dizaines de personnes et de leur serrer la main. Leurs condoléan-

376

ces n'étaient que prétexte à converser un peu. Il remarqua le plaisir évident que ces gens avaient de revoir pour quelques minutes un enfant de la paroisse. Les poignées de mains, les lueurs dans les regards, les sourires puis les mots: tout en eux disait leur approbation de ce qu'il était devenu. Et alors il eut au coeur un sentiment qui l'avait déserté depuis longtemps, chassé un matin par un hypocrite mépris d'ordre intellectuel: de la fierté. Il n'en revenait pas d'entendre chacun lui prodiguer des encouragements, de l'appui moral. Quel que soit le contenu de ses ouvrages, quels que soient le temps et la distance qui le sépareraient d'eux, il pourrait compter éternellement sur leur indéfectible soutien assis sur leur fierté de lui.

Alors il remercia le ciel de n'être pas né dans une ville où l'homme est isolé dans une forêt d'êtres marchants et n'y a pour famille que sa famille.

Devant une femme qu'il admirait particulièrement pour son sens des affaires et son intelligence il se souvint tout à coup du nom de sa jolie cousine: Carmen. Comment n'y avait-il pas songé puisque la moitié des Mexicaines portent ce nom? Mais était-ce bien cela? Il se renseignerait auprès de son neveu: lui, devait bien savoir puisqu'il fréquentait l'école où elle enseignait.

— Carmen Menezes, lui dit le grand adolescent avec un regard complice. Elle vous intéresse?

Il s'enquit d'elle pour moins risquer de commettre d'autres impairs. Le jeune homme en dit beaucoup de bien mais confia le plus important: elle était vraiment libre.

— Mais pas facile d'approche, hein, mon oncle! Farouche comme une biche...

"Chatte échaudée craint l'eau froide!" songea Alain mais il dit:

— Je suis doux comme un agneau. Les biches, je les approche en douce et les apprivoise.

— En ce cas-là, peut-être...

Le plus tôt qu'il le put, il retrouva la jeune Mexicaine, suivit une conversation soutenue, chaleureuse et souvent bruyante. On ne manquait pas de respect pour le défunt, on oubliait simplement qu'il s'en trouvait un en ce lieu. Elle l'invita pour un café chez elle le lendemain soir. La bise qu'ils échangèrent en se quittant dépassait en intensité celles de l'amitié simple.

Le salon était maintenant désert sauf les préposés à l'entretien. Alain prit trois secondes pour aller saluer le défunt.

"Merci vieux frère... Pour Carmen, je veux dire..."

Le temps parlait plus de renaissance qu'il ne se prêtait à un enterrement: ciel bleu, air pur, soleil radieux. Il n'était pas tombé un seul flocon de neige de l'hiver et pourtant janvier arrivait à mi-chemin. Et malgré ce temps clair, le froid se supportait aisément.

Alain avait l'esprit absent quand le cercueil fut mis en terre. Son regard planait sur tout le cimetière à la recherche de certains passés. Dès que les assistants eurent commencé à se disperser, il entreprit une tournée des pierres tombales. Il s'entretint avec tous ceux qu'il avait connus. Et il quitta les lieux en se disant que décidément, l'endroit, au contraire de l'abominablement triste Père-Lachaise, avait quelque chose de confortable: ces grands espaces entre les monuments, une intéressante vue sur des terres cultivées et des bocages, les ombres des bâtisses du coeur du village tout près.

Jusqu'au rêve romantique d'être enterré sur une colline rimouskoise au-dessus du grand fleuve, était resté effacé par celui du bien-être qu'on devait ressentir à dormir chez soi.

Quelques heures plus tard, Carmen lui parlait de son pays, de sa chaleur, de ses montagnes et de ses ciels.

Alain avait prononcé quelques mots d'espagnol à son arrivée. Ça l'avait rendue nostalgique. Et elle l'avait alors conduit, par l'intensité de ses phrases, droit au coeur de sa ville. Il avait écouté avec les yeux d'un blanchon. Elle avait parlé disertement sans s'arrêter, pendant une heure, de chacun des membres de son imposante famille.

Puis elle fit un point-virgule par une phrase résumant tout le propos qui avait précédé:

— C'est pauvre chez moi, mais on y est heureux...

Il l'interrompit pour lui dire dans une sorte de conseil aimant:

— Pourquoi rester ici? Qu'est-ce qui te retient donc dans ce pays blanc?

— L'argent, rien d'autre.

— Tes étudiants, tes amis.

— Il y a des jeunes aussi dans mon pays... et des amis.

— Et qu'est-ce qui n'a pas marché avec ton mari?

Dans une volubilité faite de colère, de larmes, de justification proprement féminine, de gestes éloquents et parfois d'un va-et-vient fréquent dans la cuisine où ils étaient attablés, Carmen se vida le coeur d'une complainte qu'elle semblait avoir chantée des centaines de fois.

Autant Alain avait été séduit par ses propos sur le Mexique, autant ceux-ci sur son mariage le laissaient froid.

Ils passèrent leur troisième heure ensemble, sur un terrain commun, connu des deux: l'école où elle enseignait et tout cet univers étroit.

À minuit, il consulta sa montre alors qu'elle avait le dos tourné et s'affairait à faire chauffer une tarte aux pommes qu'elle avait cuisinée exprès à son intention après son travail. Quand le dessert fut servi, il soupira profondément en regardant l'heure une autre fois.

— Après avoir mangé, je vous quitte, chère cousine. J'ai quatre bonnes heures de route pour rentrer chez moi.

Il espérait une proposition de rester. La maison, qu'elle lui avait fait visiter dans la soirée, comportait deux chambres libres. Une seule à part celle de Carmen était occupée par son fils adoptif.

— Oui, parce qu'après minuit, un homme commence à me faire peur. Heureusement il y a mon fils pour me défendre...

— C'est pourtant à cette heure-là qu'un homme commence à être moins dangereux.

— Il y en a dont la réputation est comme ci comme ça, hein?...

— Tu parles de moi?

— Ouais.

— Chaque bonhomme a ses bons côtés, tu sais. Et les miens rient sous cape.

Il huma, déclara:

— Elle sent bon, cette tarte. Comment elle est?

Carmen en avait pris une bouchée qui paraissait lui rouler dans la bouche:

— Affreuse!

Il goûta et pensa la même chose, mais il dit:

— Elle n'est pas si mal; mais quand je te regarde les yeux, alors elle est exquise. Je sais bien qu'avec ta beauté tu es habituée aux compliments mais sache que moi, je n'en fais jamais à moins de penser très fort ce que je dis. Et je t'en donne la preuve en agréant à l'idée que la tarte est ordinaire. Mais bon Dieu comme la femme elle, est extraordinaire! Je suis ébloui, estomaqué...

— Ça me surprend d'entendre des mots pareils dans la bouche d'un Québécois. Ils sont tous empesés comme du celluloïde, froids comme leur hiver.

— Tu n'aimes pas beaucoup ce pays, hein?

— Mais c'est terrible, toute cette glace!

— Ça n'empêche pas qu'il puisse y avoir des braises à l'intérieur des maisons et des coeurs.

— La neige, quelle horreur!

— Je suis né entre soleil et neige: comment être chagrin ou de l'un ou de l'autre?

— Le soleil, c'est de la santé; pas la neige.

— C'est du racisme, ça, taquina-t-il.

— Ça n'a rien à voir.

— Si tu n'acceptes pas la neige, tu n'acceptes pas non plus ceux comme moi qui en sont le produit.

— Mais vous vivez dans des glacières.

— Et toi dans un four.

— N'oublie pas qu'on vient au monde pour le soleil, nus...

— Oui mais avec une tête pour se confectionner des vêtements et se protéger des intempéries.

— En Amazonie, les peuplades vivent sans vêtements.

— S'il n'y avait que l'Amazonie... Tu veux que je te dise, chère cousine, tu es aigrie par la vie comme moi je l'ai été un bout de temps et comme le sont tous ceux qui connaissent une séparation ou un divorce. Si tu te sentais si mal chez nous, y'a pas d'argent qui te ferait rester.

— Tu as dû me trouver morose ce soir, hein? J'ai parlé tout le temps et rien que pour me plaindre.

— Ce qui compte, c'est demain, c'est ton coeur, ce sont tes talents en tout...

— Pas en tartes, c'est sûr...

— Une nouvelle recette, c'est toujours risqué.

— Tu peux la laisser si tu veux. Aimerais-tu autre chose? Un sandwich peut-être?

— Merci, faut que je m'en aille! J'ai des choses importantes chez moi demain.

Malgré un long retrait, elle ne le retint pas. Et il reprit la route avec un mal de tête qui le décida vite à prendre une chambre dans un motel.

Mais tout le jour suivant, il revit la jeune femme par son imagination. Il détermina la valeur qu'elle pourrait représenter pour lui s'il lui venait quelque matin l'idée saugrenue de sacrifier sa liberté. Et du même coup, il fit une réévaluation du mot liberté.

Carmen avait tout d'une enfant, d'une mère, d'une maîtresse mais par-dessus tout, elle pourrait être pour lui une sorte de fenêtre sur le monde. Elle lui montrerait l'espagnol. Il pourrait aller dans son pays, chez elle, trois, quatre mois par an. Ils avaient tous les deux le goût de vivre en plusieurs pays étrangers, de voir, d'apprendre, d'explorer...

À midi, il mangea à Québec dans une brasserie d'un centre commercial. En faisant tournoyer sa soupe pour qu'elle refroidisse un peu, il ruminait:

"Et si je lui proposais de... d'unir nos vies!"

À six heures du soir, il mangeait dans un restaurant de Laval et pour que sa soupe paraisse un peu plus chaude, il la poivrait en pensant:

"Non mais veux-tu me dire ce qui m'est arrivé de quasiment tomber en amour en allant à des funérailles?"

Puis il éternua alors même que passait tout près sa serveuse, une petite brunette aux yeux coquins qui dit:

— Vous n'êtes pas malade au moins?

— Pas mal malade! Mais c'est curable et je vais me soigner. D'habitude, je guéris vite.

Rendu chez lui, il dépouilla son courrier. Parmi les lettres reçues ces trois derniers jours, il y en avait une en provenance de Rimouski. C'est la première qu'il ouvrit. Elle contenait un faire-part de naissance. Stéphanie avait accouché d'un fils.

Alain accrocha la carte bien à la vue derrière une plaque de commutateur en se promettant de faire parvenir un petit cadeau au jeune couple pour qui il avait une admiration à la mesure de leur bonheur. Et il se rassit en disant tout haut:

— Dépêche-toi de vivre, Luc! Plus tu auras accumulé de vécu, plus tu pourras en écrire. L'univers de l'écrivain, c'est la vie et rien d'autre. L'intellect, la sémantique, la dialectique, tout ça c'est de la merde pour écrivassiers pondeurs d'oripeaux.

Ce qui lui fit penser pratique. Le moment était venu pour lui d'écrire un nouveau roman. Il sortit ses sujets classés en filière, réfléchit sur chacun. Un seul exerçait sur lui un attrait puissant: ce fait réel vécu par un homme du passé auquel il s'identifiait et bien plus encore après ses récentes conversations avec ceux de son ancienne communauté paroissiale.

Au siècle dernier, un jeune Écossais épris de liberté, mais desservi par un mauvais sort, s'était mis à dos et le système judiciaire et le pouvoir politique. Malgré le soutien de sa communauté, il avait dû se battre en solitaire, vivre deux ans caché, traqué. Le système avait eu le dernier mot et s'était bien vengé de celui qui avait osé vouloir vivre en marge des normes de la société de l'époque.

En son coeur et son esprit, Alain rapprochait du sien le combat de cet homme. N'avait-il pas lui aussi l'appui du public? N'était-il pas une menace, un élément indésirable dans la faune du livre. Le personnage du siècle dernier avait eu mauvaise presse dans plus de cinquante pour cent des média; pour un auteur, le silence des média n'est-il pas aussi mauvaise presse?

Grondait en lui la même révolte devant l'injustice qu'en son frère d'il y a cent ans. Comment ne pas trouver pourri un système soutirant à un auteur des impôts substantiels pour les transformer en bout de ligne en subventions généreuses aux gros éditeurs dont Edi-Québec, le plus grand ami du régime? Et Grandet, le maître-chanteur du monde dit culturel, faiseur de pipe attitré de l'intelligentsia?

Sa dernière pensée lui fit relever la tête pour jeter un autre coup d'oeil au faire-part blanc avec, au centre, ce petit visage plissé qui ressemblait à tous les nouveaux-nés.

— J'espère que ton cher papa va se décider à reprendre sa plume, hein? C'est par un essai qu'il faudrait dénoncer. Moi, je suis romancier. Et tu sais, un roman, c'est pas pris au sérieux par ces messieurs; y'a que les femmes pour en saisir le sens profond. Et ce que l'homme ne comprend pas, il le méprise...

Il prit son stylo pour mettre sur papier les grandes lignes de l'ouvrage. Le résumé de l'affaire dont il disposait lui paraissait bien mince. Il prit la décision d'aller dans les jours suivants là même où l'événement s'était produit afin d'y glaner tous les renseignements possibles. Après avoir consulté les journaux de l'époque et rencontré les passionnés de l'affaire, il revint chez lui avec trois livres relatant toute l'histoire: l'un écrit en vers; le second se voulant une chronique exacte des faits et un troisième proche d'un roman. Il les lut et relut, relevant toutes les contradictions qui foisonnaient d'un ouvrage à l'autre et en comparant avec les journaux d'alors.

Et une fois de plus, il s'embarqua sur sa machine à explorer le temps, ne quittant son bureau de travail que pour manger et dormir et, une fois la semaine, rencontrer Joe pour traiter avec lui d'affaires routinières.

Aline, Lorraine et Diane tour à tour le visitaient, chacune comme lui y trouvant son change par une évasion qu'il leur prodiguait plus par le récit des aventures de son héros que par leur rencontre physique. Il n'était qu'un élément de leur double vie puisque l'une avait toujours son mari et les deux autres leur ami.

Il avait dit à Carmen qu'il retournerait là-bas vers la fin du mois. Janvier s'était écoulé, froid. Février, doux. Mars, s'achevait dans le même temps incertain qu'il avait duré. Et il n'avait plus eu d'autres contacts avec la belle étrangère.

Dans les derniers jours, il émergea de son univers comme un sous-marin fait surface, périscope dehors observant les horizons. Alors la réalité reprit ses droits. Le premier problème auquel il voulait faire face fut celui d'une relative baisse des ventes de ses livres et du succès mitigé de LA GRANDE CRUE, celui pourtant qu'il préférait parmi tous ses ouvrages.

Une autopsie du rapport des ventes lui fit voir des probabilités de réponse. Le sujet en était moins accrocheur que celui des autres. La couverture plus sombre. Chacun dans le domaine du livre subissait les contrecoups de la récession. Gavé d'une lecture qu'avait favorisé un budget de divertissement plus restreint, le public se relançait maintenant dans des dépenses plus frivoles. Effarouché comme tant d'autres par la crise, le distributeur avait sensiblement réduit ses services alors même qu'il aurait dû les améliorer.

Pour en faire une analyse plus exhaustive, Alain discuta de la question avec Joe lors de sa visite hebdomadaire.

Son ami et lui ne se parlaient plus de la même manière. La foudroyante expansion de son entreprise, leur brouille, l'ouverture par Joe d'une maison d'édition: tout cela avait modifié leurs relations. Et les échanges étaient maintenant tranchés, rapides, rangés comme des colonnes de chiffres.

Alain montra son rapport que l'autre parcourut en un clin d'oeil.

— Tu ne peux pas toujours faire des hits sinon tu deviendrais millionnaire trop vite.

— Avant toi?

— Probablement!

— C'est mon ambition.

— À deux, ç'aurait été deux fois plus vite.

— Ah, lâche-moi ta rengaine! Sérieux, là, qu'est-ce qui a moins bien marché avec mon dernier?

— De quoi tu te plains? Ton tirage initial est le double de ce que font les éditeurs et il achève de s'écouler.

— C'est quand même loin des précédents.

— Les lecteurs ont moins aimé.

— Les lettres reçues sont aussi favorables...

— C'est toujours le même problème et tu le sais très bien. Quelqu'un qui publie ses propres produits n'a pas de crédibilité auprès des média. Aucun d'entre eux ne parle jamais de toi ou de tes livres. Tu ne pourras donc jamais espérer un succès soutenu pour la simple raison que le jour où tu traiteras d'un sujet moins brûlant que celui de la vie de couple ou le suicide chez les jeunes, sans l'appui des média, ton livre passera vite et les ventes seront beaucoup plus lentes. Un produit qui est mal ou pas exposé parce que son rythme est plus lent, parce que les gens n'ont pas été conditionnés à l'acheter, ne peut pas bien se vendre. On a parlé de ça dix fois. Passer à l'assaut des média, voilà ce qu'il te faudrait faire mais tu ne le peux pas. C'est un sale travail d'éditeur. Tu m'as vu mettre sur ma liste de paye les deux recherchistes du canal dix. Et l'animateur du show culturel, je lui ai refilé deux billets d'avion pour Paris. Comment veux-tu que ces gens puissent me refuser quelque chose désormais?

— Ça coûte moins cher à Edi-Québec. Il a une faveur pour trois fois rien, lui. Je l'ai vu opérer. Un petit souper avec le recherchiste, une bouteille de vin et l'affaire est dans le sac.

— Sauf que moi, je ne suis pas le petit copain du premier ministre. J'ai moins de contacts de ce côté-là et j'ai moins d'années dans le métier. Or je suis pressé d'arriver.

— Je ne procéderai pas de cette façon.

— Qu'est-ce qu'il y a de malhonnête?

— C'est un grenouillage qui me tombe sur le coeur.

— Voilà de l'orgueil d'intello!

— Peut-être...

— Rappelle-toi que les livres les plus vendus ne le sont pas à cause de leur contenu ou de leur auteur mais à cause de l'éditeur. On n'est pas au dix-neuvième siècle mais à une époque de communications rapides, et la circulation d'une oeuvre dépend d'abord de son exposition. T'as vu LE RACOON qui fait un malheur en Europe et ici. Un autre succès d'éditeur. J'ai entendu le directeur littéraire de la maison affirmer lui-même que le livre est des plus ordinaires. Que s'est-il passé? L'éditeur avait un gros contact en Europe. On a imposé le livre là-bas via un club de livres. On est revenu ici avec des gros chiffres, ce qui a ébloui les idiots de critiques et de journalistes. Et le public a marché parce qu'on a dit et redit que si l'Europe avait aimé, ce devait être pareil ici...

— Il reste que c'est un bon livre.

— Je n'en doute pas... mais qui n'aurait pas fait long feu par lui-même, sans la force d'un éditeur pour le faire avancer.

— De toute façon, je m'en tire.

— De quoi tu te plains, alors?

— J'ai la même maudite peur de l'avenir que ta femme. Faudrait que tout soit toujours à la hausse.

— Si tous les hommes d'affaires avaient réagi comme toi l'an dernier, la moitié d'entre eux se seraient suicidés.

— Je suis un auteur d'abord.

— Qu'est-ce que c'est, un écrivain, selon toi?

— C'est un raté à califourchon sur une tour et qui dit au monde de manger de la merde. Ou si tu veux, un gamin mal élevé pris pour vivre dans une peau d'adulte. Ou encore un famélique géophage qui pleure sur lui-même... À toi de choisir!

— T'as une haute opinion de toi-même.

— C'est pour ça qu'il me faut faire des affaires le tiers de mon temps. Ça me fait oublier le mufle qui se cache dans ma plume et surtout ça m'aide à le supporter et à vivre avec.

Joe commençait à s'endormir. Comme si les paroles d'Alain avaient été soporifiques, les paupières lui tombaient et il semblait faire des efforts pour les rouvrir. Alors il changea brusquement de position, se mit les deux mains à plat sur le bureau pour dire:

— Et puis... comment vont les amours? La Diane, les autres? Y'en a une nouvelle?

— C'est venu tout près en janvier.

— Qui c'était?

— Un bijou. Une perle rare.

— Et tu as gaspillé ta chance encore une fois?

— Oui... Non... Une femme trop bien, c'est dangereux. Des fois je me dis que ça m'en prendrait une difficilement endurable...

386

— Comme la mienne?

— Justement!... Elle me provoquerait à produire.

— Au contraire, elle t'en empêcherait. C'est une personne effacée qu'il te faut, serviable comme une esclave, silencieuse...

— Une vraie femme d'intérieur! Aussi bien m'importer une Haïtienne, ça coûterait moins cher.

— Et alors, cette fille, qui est-elle, que fait-elle?

Alain raconta ce qu'il en savait. À la fin de son récit Joe lui tendit le récepteur de téléphone en disant:

— Appelle-la tout de suite.

— Non... Qu'est-ce que t'as toujours eu à vouloir me jeter dans le lit d'une femme? Jaloux de ma liberté ou quoi?

— Tu es malheureux dans ta solitude. Et puis ça te prend quelqu'un pour t'aider à te battre. La vie est une dure lutte. Regarde autour de toi: t'es tout seul à te battre tout seul.

— Sais-tu Joe, chaque fois que je sors d'ici, c'est presqu'en pleurant. Tu me rends pitoyable à mes propres yeux et ça m'arrache des larmes.

— C'est pour rendre service à l'auteur que je le fais. Les écrivains, ça vous prend ça. Sois heureux que je joue le rôle d'un éditeur; je ne suis même pas payé pour le faire.

— Je devrais t'inscrire sur ma liste de paye comme tu l'as fait avec les recherchistes de la télé.

— Bonne idée, ça!

*

Deux soirs après, plongé dans l'émendation de ses textes, Alain reçut un appel. La voix n'eut pas à s'identifier puisque l'accent l'avait fait pour elle.

— C'est Carmen.

— J'avais deviné.

— Je voulais savoir si tu n'étais pas mort.

— Voyons donc!

— Janvier, février, mars: pas de nouvelles. Alors je me suis dit que tu étais parti au loin.

— C'est précisément cela: à cent ans d'ici.

— Ah bon?

Il prit dix minutes pour lui résumer son livre. Quand il eut terminé, elle dit:

— Ç'a l'air intéressant.

"J'ai cru que ça l'était!" pensa-t-il. Mais il dit:

— Je peux me permettre de vanter l'histoire puisque c'est pas moi qui l'ai inventée. Comme je te disais, le personnage a réellement vécu...

Elle l'interrompit:

— Et alors, tu es venu faire un tour et tu ne m'as pas appelée?

— N... non. Si, une fois. Mais ce fut un aller-retour pour affaires.

— On sait bien: avec les Québécois, l'amitié passe loin derrière les sous.

— J'y suis allé en plein coeur de jour alors que tu étais au travail.

— Oui, oui... C'était juste pour te taquiner un peu.

Il s'empressa de faire dévier la conversation sur elle, ce qui lui permit de réfléchir épisodiquement sur l'opportunité de renouer avec elle et sur le but à atteindre.

Au départ il avait eu le goût d'une aventure avec cette fleur du sud perdue au pays de l'hiver. Puis, un sentiment qu'il avait jugé dangereux, ayant fondu sur lui, il était retourné dans son cocon. Et voilà qu'elle venait secouer sa torpeur. Pas besoin de soupeser bien longtemps la question: il cueillerait la fleur et point à la ligne. À trente-cinq ans tout de même, elle savait ce qu'elle faisait. Il se rappela qu'il avait été touché par sa peur gamine et que cela l'avait fait vouloir se rapprocher d'elle plus par le coeur que par le corps. Il l'avait trouvée vulnérable, ce qui avait éveillé en lui un sentiment de responsabilité paternelle. Elle avait souffert; il avait senti le besoin de lui faire oublier. En quelques heures à peine et, les funérailles aidant, elle avait transformé l'aventurier en futur mari. Mais lui, aidé par la distance et sa machine à explorer le temps, avait réussi à effacer tout cela. Il saurait bien résister à d'autres attaques.

Sa logique analyse lui démontrait hors de tout doute qu'il pourrait rester l'attaquant, le conquistador et qu'une fois la conquête bien acquise, il retrouverait certes le chemin du retour.

— Tu sais que nous parlons depuis une heure? Ça va te coûter une fortune.

— Quelle importance? Pour moi l'amitié passe avant les sous.

— Touché!... Sais-tu qu'en t'écoutant, il m'est venu à l'idée que je devrais retourner là-bas en fin du mois de mai pour une noce...

— Ton neveu? Bien sûr que je le sais puisque j'y serai invitée, semble-t-il. Il dit que j'ai été son prof préféré et qu'il ne peut penser à se marier sans que je sois là.

— Populaire, populaire!

— J'aime mes élèves et ils me le rendent.

Puis elle prit un ton autoritaire et un débit rapide.

— Ce qui ne veut pas dire qu'ils font ce qu'ils veulent. Je suis très sévère, hein!

— T'as pas l'air de quelqu'un qui se laisse marcher sur les orteils.

— Sûr que non!

— À bien y penser, j'ai affaire là-bas et je vais donc m'y rendre avant la fin du mois. Que dirais-tu d'un petit souper quelque part?

— Peut-être... Oui... Mais un petit souper pas plus.

— Je ne suis pas un ogre, mon enfant.

— C'est pourtant ce que disent ceux qui t'ont connu.

— Ils jasent, ils jasent. Et qu'ils jasent!

— J'ai posé quelques questions à gauche, à droite.

— Ah oui, la vieille scie qui voudrait que je prenne les femmes pour des objets de consommation!

— C'est ça.

— Ils ont bien raison, je te préviens.

— Mais alors je ne veux pas aller manger avec toi!

— Je ne te violerai pas en public. Je fais toujours ça en des lieux plus discrets...

*

389

Le jour venu, véritable barrage d'artillerie, il eut le soleil, l'air doux et un ciel d'une clarté inhabituelle, pour précéder son arrivée. Et pour y ajouter sa touche personnelle, il lui fit envoyer une exagération de fleurs.

— Ça n'a pas de sens, dit Carmen après qu'il fut entré en désignant l'arrangement qui remplissait un grand espace de la table.

Il croisa les mains, les porta à sa bouche, plissa le front comme quelqu'un qui réfléchit.

— Pour moi des fleurs n'expriment pas l'amour ou ci ou ça, mais l'admiration que j'ai pour celle à qui je les destine. Et c'est le plus gros bouquet que j'ai jamais offert à quelqu'une. Et voilà!

Elle l'embrassa. Il fit l'indifférent pour bien montrer que les fleurs ne constituaient pas un investissement et ne commandaient donc pas la reconnaissance.

Une heure plus tard ils échangeaient au-dessus de coupes remplies du meilleur vin de la carte. Il arrivait à son esprit de rire de son manque parfait d'imagination dans le processus de la séduction. Il n'avait pas su trouver mieux que les fleurs, une bonne bouteille et une pénombre musicale. Mais comme la recette avait de longues preuves de faites, il ne s'en voulut pas trop de la facilité qu'elle portait en son usage. Et puis quoi de plus efficace avec une latino-américaine au coeur à fleur de peau?

Il avait réservé la même chambre où il avait écrit LA GRANDE CRUE un an plus tôt. À son arrivée, il s'y était reposé une heure, lisant dans les carrés de miroir tous ces souvenirs qu'aussi bien les personnages du roman que les vrais y avaient inscrits. Pourquoi n'y avait-il pas emmené Thérèse? Ah oui, Thérèse qu'il n'avait jamais revue. Thérèse: son passé qu'il avait fui à bride abattue. Thérèse, la maternelle qui lui avait presque joué un tour pendable. Cette histoire avait un siècle déjà...

Son esprit revint à la table aux étincelances romantiques. Le temps était venu de faire un autre petit pas en avant.

— Je sais bien que tu vas dire non, mais tu ne le devrais pas.

Vraiment tu ne le devrais pas. Tu veux qu'on aille à ma chambre une petite demi-heure tantôt.

— Je... ne vois pas pourquoi. On peut très bien retourner chez moi.

— Pour discuter un peu... en toute tranquillité!

— Écoute Alain, je ne suis pas une Québécoise pour tomber comme ça si facilement dans le lit d'un homme...

— Ah, si tu penses que c'est pour ça, alors...

— Tu es un homme; je suis une femme... Non?

— Semble... Écoute, c'est un motel là-bas. Si je te touche, tu cries et me voilà accusé de tentative de viol.

— Une femme qui accepte de suivre un homme dans sa chambre, hein? C'est vieux comme le monde cette histoire.

— Et si je te donne ma parole?

— Mais j'ai peur, tu comprends?

— Regarde-moi dans les yeux. Non, mais est-ce que j'ai l'air d'un... vilain personnage?

Il fit un regard intense. Elle se résigna avec une voix gamine:

— Une heure pas plus?

— Tu peux me faire confiance, pleine et entière confiance.

Dès qu'elle fut entrée, elle prit place à la table ronde. Lui de l'autre côté se dit qu'il serait de bonne guerre de la ''psychologiser'' en l'obligeant par des questions à retourner dans son enfance. Elle raconta dans les moindres détails du vécu de vingt, trente ans auparavant.

Il fut à nouveau frappé par la densité du tissu familial qui l'avait environnée alors et jusqu'à son mariage. Le second élément fondamental de sa vie était la religion. D'incroyables symphonies de sentiments forts s'étaient jouées depuis sa naissance en elle et autour d'elle à l'ombre du clocher et sous le toit qui avait abrité ses rêves d'enfant. Peu échappait à ces encadrements.´

Deux heures avaient passé depuis leur arrivée. Il le lui fit remarquer.

— J'ai manqué à ma parole, mais je n'en suis pas responsable. Tes récits m'ont fait perdre la notion du temps.

— Je te le pardonne volontiers. Mais il faut s'en aller. Mon fils va s'inquiéter. Et puis une meilleure tarte que l'autre fois nous attend à la maison.

Alain se dit qu'il valait mieux ne pas forcer les choses. Le fruit tomberait bien de lui-même le moment venu. Il y aurait une noce puis celle d'un autre neveu un mois plus tard. Son insatiable besoin de soleil et de chaleur serait juste à demi comblé par le printemps. Et lui ferait le reste.

*

Même les excès de vitesse n'avait pas empêché leur retard au mariage. Il stationna l'auto en plein chemin entre deux colonnes de véhicules.

— Je ne suis pas responsable; j'étais prête une heure avant, fit Carmen, le ton jovial.

Il lui répondit par une grimace affectueuse.

— Une minute de plus ou de moins ne changera rien au fait que nous ne soyons pas à l'heure, n'est-ce pas? Alors laisse-moi te regarder.

Un petit chapeau à calotte arrondie lui calait jusque sur le front, ombrageant ses yeux, des yeux qu'elle bourra de douceur.

— Tu as l'air d'une petite fille... Comme Meggie dans Les Oiseaux. Tu es mon fruit défendu. Je suis le père Ralph.

— Ça viendra plus vite pour nous deux que pour eux. Tu es loin d'être un curé et je ne suis plus tout à fait une enfant.

Il soupira, regarda dehors, dit:

— Tu as remarqué comme on la voit de loin cette église? Quand j'étais petit, elle m'apparaissait comme un jouet juché sur sa butte et je me disais, chaque fois que je l'apercevais depuis mon village, que j'aimerais bien lui voir le dedans... Tu sais combien de temps il m'aura fallu pour finalement la visiter?

— Non?

— Ce sera la première fois que j'y mettrai le nez et les pieds dans quelques minutes.

— On ferait mieux d'y aller. Tu sais, dans mon pays, on se fait pointer du doigt quand on est en retard à l'église.

— Ah, le Seigneur a dit que les derniers seraient les premiers. Et tu vois où j'ai stationné l'auto? De cette façon, nous serons les premiers à suivre les mariés.

Au moment de franchir le seuil des portes grandes ouvertes, Carmen se tourna pour jeter un regard sur les bleus lointains. Elle s'exclama sur un ton rempli de nostalgie:

— Si tu n'es jamais venu dans cette église, moi, c'est ici que je suis venue à la messe du dimanche pendant cinq ans au début de mon mariage.

Au cours de la cérémonie, elle pleura. Alain en eut le coeur chaviré. Ne devrait-il pas lui montrer d'autres horizons, lui faire pointer le doigt vers d'autres lointains moins fumeux, moins mouillés? Et pourtant à son tour il fut projeté vers son passé. Il se revit deux, trois, cinq mariages plus tôt... Et sa gorge devint moutonneuse. Il la dénoua en secouant la tête comme un cheval se débarrasse de ses éternuements. Il ne fallait pas caresser la douleur comme Carmen le faisait toujours, mais la tuer, l'extirper de son coeur et la jeter loin comme un rien.

À la noce, elle dansa. Toutes les danses. Son corps paraissait bâti pour cet exercice: félin, langoureusement nerveux. Infatigable. Fière. Admirée en secret.

À la voir ainsi transformée, transportée, Alain se dit que le moment arrivait de lui faire une proposition directe. Son psychisme à cause de tout ce romantisme attaché à un jour de noce et son métabolisme à cause de la danse devaient atteindre un point maximum de réceptivité. C'est ce soir-là qu'elle le recevrait non plus chez elle mais en elle. Ou jamais! Alors il l'invita à une marche sous les étoiles au cours de laquelle il disait des phrases sentimentales qu'il lui demandait de traduire en espagnol. L'une d'elles, sur le chemin du retour, fut:

— Faire l'amour avec toi serait comme d'aller dans ton pays et d'y vivre en te protégeant, en te gardant... jalousement.

Elle le répéta dans sa langue sur un débit rapide. Alain n'en accrocha que des mots épars. Mais ça n'avait aucune importance. C'était plus grand que le ciel, plus beau que les étoiles, plus clair que la lune. Elle ajouta aussitôt:

— Le moment n'est pas encore venu... Peut-être que si notre sentiment l'un pour l'autre... grandit...

Il coupa dans une grande exclamation à bras ouverts:

— Mais je t'aime, moi!

Elle le prit dans ses bras, l'embrassa chaleureusement, dit:

— Pour ce qui est de moi, je sais, je sens que ça viendra. Encore un peu de temps et tu verras.

*

Une quinzaine plus tard, il la conduisait à une autre noce. Cette fois au pays du héros de son dernier roman. Sur le chemin qu'empruntait le cortège des automobiles suivant et accompagnant les nouveaux mariés, il proposa une visite au cimetière perdu sur un chemin de traverse, où se trouvait la tombe du hors-la-loi dont il se sentait plus que le frère pour l'avoir suivi à la trace pendant les quatre mois pluvieux du dernier hiver. Elle fit un sourire d'approbation.

Ce soir-là, il prit une chambre pour deux. Quand ils y furent, elle s'adonna à un long rappel de ses souffrances antérieures entrecoupé d'épanchements de larmes. En fin de compte, Alain lui dit, ému:

— Dors bien; ça ira mieux demain!

— Tu me pardonneras, mais cette histoire de cimetière cet après-midi, ça m'a bouleversée. Je ne peux m'empêcher de penser à tous ceux de ma famille qui sont morts. Ma grand-mère surtout. Quelle femme!

— Sois sans crainte, ma chouette, à quarante ans, on sait être patient. Et puis tu vaux la peine qu'on attende longtemps...

Quand la lampe fut éteinte, il se dit:

"Me voilà retrempé en pleines années cinquante. Pas touche avant le mariage... Et puis après? Si les gens savaient que deux divorcés de notre âge couchent dans la même chambre sans faire l'amour, quelle rigolade! Mais qui le leur dira?"

Avant qu'ils ne s'endorment, elle parla des moeurs de son pays:

— Si les gens de chez moi me voyaient dans la chambre d'un homme sans être son épouse, je serais déshonorée et ma famille aussi.

— Est-ce à dire que si je t'accompagne là-bas, il faudra que je couche dans une autre chambre.

— Non seulement ça, mais à l'hôtel.

— Tu pourrais leur expliquer que le monde ne se limite pas à leurs montagnes?

— Ils ne comprendraient pas. Ma mère voudrait mourir et mes frères t'assassineraient.

— C'est pour ça que tu couches dans l'autre lit?

— Non... je t'ai expliqué...

*

Au matin, Alain se rendit à la fenêtre et, sans faire de bruit, il entrouvrit les tentures pour jeter un coup d'oeil à Sherbrooke, cette ville qu'il avait piétonnée pendant deux ans au temps où son pays et celui de Carmen étaient plus rapprochés par les valeurs.

C'est ici qu'il situerait l'action de son prochain roman, de cette fantaisie de Noël sur la solitude qu'il créerait au coeur de l'été à venir. Comment le pourrait-il avec cette nouvelle et combien riche présence dans sa vie? N'écrire la solitude que de mémoire? Imaginer une tristesse de vivre et la nourrir de projets à deux? Pour la première fois il lui faudrait simuler un roman plutôt que de le vivre...

*

Dans les semaines suivantes, leur communication devint plus intense et assidue. Un jour il lui écrivait. Le jour suivant elle téléphonait. Puis c'était à lui d'appeler.

Un projet d'abord flou s'était précisé dans le coeur d'Alain. Chaque jour le faisait se décanter. En lui, Carmen diminua de plus en plus d'être femme et se transformait en clef vers le monde, en instrument de liberté. Grâce à elle, avec elle, il deviendrait international, irait alimenter sa plume en son pays, étudierait les langues en Europe... Cette vision qu'il n'avait pas prise au sérieux quelques mois auparavant devenait échéancier, calendrier.

Il fit part de ses intentions à ses amies. Chacune lui souhaita bonne chance avec un sourire sceptique. Carmen lui avait dit qu'il était maintenant le seul et qu'elle ne pouvait s'attendre à moins en retour. Renoncer à l'amour physique avec d'autres ne lui pesait pas lourd puisque les folâtreries n'avaient plus les attraits ni les agréments de jadis. Mais encore faudrait-il qu'elle-même compense par une présence un peu plus physique. Il l'invita donc à venir chez lui pour une fin de semaine.

Elle parut dans la porte, devant un halo de clarté, sombre dans sa peau de soleil, éblouissante dans le noir pur de ses yeux et de ses cheveux lustrés, superbe dans un ensemble blanc tout lacé aux cuisses, aux coudes, aux épaules, comme par des mains d'Indienne.

Ils s'embrassèrent avec certitude.

Le soir ils furent reçus chez une soeur d'Alain. Souper dehors. Vin. Soirée au bord de la piscine. Baignade. Plus l'heure avançait, plus elle rayonnait.

Ç'avait été ça, la vie de ménage de Carmen dans les dernières années. Et lui se plaignit d'une migraine grandissante, affecté qu'il était par une journée torride et une nuit non moins lourde.

Au retour, après une douche, ils se retrouvèrent enfin dans le même lit. Elle laissa aussitôt voir son ardeur. Il dit:

— Tu ne m'en voudras pas si on attend à demain? Je suis littéralement épuisé et j'ai la tête pleine d'échardes.

— Qu'est-ce qu'il y a? Tu ne me trouves pas...

Il lui mit un doigt sur la bouche.

— Chut, petite folle! Tu sais ce que je pense de toi, je te l'ai dit cent fois. Demain matin, je serai reposé et je n'aurai pas cette migraine terrible. Et il fera moins chaud. Et tout, et tout... Viens, donne-moi un petit bec fraternel...

Il lui effleura les lèvres en lui disant bonne nuit et il se retourna pour essayer de relâcher ses nerfs et si possible trouver le sommeil.

Il se réveilla tôt, la tête à moitié aussi grosse que la veille, et que vrillaient des élancements pénibles. Il se rappela avoir bougé des centaines de fois pour se trouver un espace vital dans un lit pourtant grand format.

396

Le mieux qu'il jugea à faire était de se lever et d'aller prendre sa douche avec le plus de discrétion possible pour ne pas la réveiller. Puis il s'habillerait et s'en irait l'attendre au rez-de-chaussée dans une salle de séjour, seule pièce climatisée de la maison où elle aurait refusé de dormir parce que la trouvant trop froide.

Le bruit d'une valise qu'on dépose sans précaution le sortit de sa somnolence. Il consulta sa montre sut qu'il avait dormi là près de deux heures. La fraîcheur du lieu, le repos et les comprimés pris au lever avaient chassé son mal de tête.

Elle déposa un sac ouvert sur un meuble et y fouilla bruyamment. Alain s'approcha et la prit par la taille.

— Comment va ma Mexicaine préférée ce matin?

Elle resta muette et continuait de faire semblant de chercher. À sa froideur, il devina aussitôt qu'elle avait mal pris son incapacité de la nuit précédente.

— Tu es un peu amère, n'est-ce pas?

— C'est dur à avaler pour une femme que de se voir refusée par un homme.

— Je ne t'ai pas refusée, j'étais malade.

— Je sais que tu ne veux pas de moi: n'en parlons plus!

— Mais Carmen, depuis le début... depuis dix ans que je te veux...

— Moi, je n'étais pas prête.

— Cette nuit, c'était mon tour. La tête me fendait; je manquais d'air; j'étais à plat.

— Un Mexicain aurait quand même pu, lui.

— Hélas! je ne suis qu'un pauvre Québécois... Un homme de neige et de glace avec une pipe comme seul point chaud.

— On sait bien, tu ne me trouves pas à ton goût, je suppose?

— Tu as un corps de déesse et tu es belle comme un astre et tu le sais. Mais je te le redis: pas même la femme de Lucifer à qui j'aurais vendu mon âme n'aurait pu réveiller mon corps la nuit passée.

— Ne parle pas ainsi, tu me fais frémir.

— C'est l'air frais.

— Une vraie glacière chez toi. Tu es bien le cousin de ton

cousin.

— Allons au lit avec dix couvertures. Tu n'auras pas froid et je ne crèverai pas parce que l'air ambiant ne me fera pas contracter les méninges: logique non?

— J'ai pensé que tu pouvais avoir une maladie. Un homme qui vit seul, on ne sait jamais.

— Je t'en prie!

— En tout cas. Il est dix heures et à une heure, je m'en vais.

— Tu as tout ton dimanche non?

— Non, non, non. Je ne veux pas conduire de noirceur.

— Pars à quatre heures, ça suffira.

— J'ai des choses à faire chez moi. Et puis j'ai froid ici.

— Tourne-toi vers moi.

— Non.

— Comme tu voudras. Mais la petite fille-caprice je vais lui donner une bonne fessée...

Elle se tourna, le repoussa doucement pour dire, l'oeil triste:

— Je te demande pardon, je... Il y a tant de choses en toi qui me rappellent Bernard. Pas en toi mais autour. Ce salaud-là, il est venu m'arracher à mon pays. Imagine-toi à ma place, perdu à des milliers de milles de chez toi, à vingt ans, sans connaître la langue, les coutumes...

Alain hocha la tête et fit des yeux tristes qui stimulèrent la jeune femme à continuer de lui raconter ses déboires. Mais il pensait: ''Bon Dieu non! Ça recommence! J'en ai pour deux heures à pleurer à ses lamentations''.

Quand elle fut partie, il s'assit dehors sous un soleil outrageant à se parler à lui-même avec des gestes désabusés. ''Quinze ans que je me suis fait asticoter par une Québécoise, c'est pas une Mexicaine qui va prendre la relève.''

Puis il écrivit une longue lettre de rupture dans laquelle il fit ressortir tout ce qui les séparait: leur pays, leur passé, leurs rêves, leur philosophie de la vie. Il termina par:

''J'appartiens à demain; tu appartiens à hier; restons-en là pour aujourd'hui.''

Quand l'enveloppe fut scellée, il se sentit prêt à mettre sur papier les premières pages de son nouvel ouvrage car il avait retrouvé les outils nécessaires pour mener sa tâche à bien: la solitude et la liberté.

*

L'été disparut. Il déménagea de quartier. L'automne se précisa. Le roman fut achevé, mis sous presse.

Un samedi, peu après le souper, il reçut un appel. La voix, d'une douceur à laquelle il ne s'habituait pas, dit:

— Monsieur Martel, est-ce que vous me reconnaissez? C'est Luc de Rimouski.

— Mais bien sûr! Comment vas-tu?

Et il se mordit les doigts de n'avoir pas donné signe de vie après réception du faire-part de naissance qu'il avait mis quelque part Dieu sait où lors du déménagement.

— Ça va et vous?

— Moi, je mène la vie la plus ordinaire et moche qui soit. Elle pourrait s'intituler: D'un Livre à l'Autre.

Il fit un résumé succinct de ses occupations puis demanda, joyeux:

— Et toi, t'as repris la plume?

— Non, c'est encore plus loin que la dernière fois où je vous ai parlé. Je suis devenu représentant pour un distributeur de livres.

— Dans le bas du fleuve?

— Je vis à Hull.

— Avec ta petite famille?

— Oui.

— Viens-tu dans notre bout parfois?

— Je vais jusqu'à Saint-Jérôme.

— Mais pourquoi tu ne pousses pas un peu plus loin jusque chez moi?

— Peut-être que je le ferai! Et vous, qu'est-ce que vous avez publié depuis LA MORT ROSE?

— Trois autres bébés dont un tout récemment et un autre dans dix jours.

— LA MORT ROSE, c'était fort ça, très fort.

— Je te remercie. En fait j'y ai mis tout mon coeur et surtout le livre m'a vidé de mes penchants suicidaires. Tu sais, écrire, c'est la meilleure thérapie qui soit. Par chance que je l'ai fait, sinon je serais dans ma tombe. Chacun devrait écrire tout ce qui lui fait mal. Ça libère bien plus qu'une conversation, qu'un paradis artificiel ou qu'un psychiatre ou que la religion ou même, je pense, que l'amour. Parce que l'amour, en tout cas pour moi là, ça attache, donc ça étouffe, donc ça tue... Bon, me voilà encore reparti pour la gloire! Et toi, tu aimes ça, ce métier? Depuis quand?

— Six mois... Non, je n'aime pas. Ça n'a aucune espèce de signification pour moi. Je le fais parce qu'il faut bien vivre et manger. Stéphanie a fait sa part longtemps; maintenant c'est à mon tour.

— Ton fils et sa mère, ils vont bien?

— Très bien.

— Et toi, mon paresseux, tu n'as pas repris la plume!

Luc ne fit pas de commentaire et il aiguilla la conversation en direction de son interlocuteur comme il le faisait toujours. Et une fois de plus Alain se laissa aller à lui raconter par le détail ses états d'âmes, ses luttes et ses rêves.

Il résuma son dernier livre paru puis il parla de celui sous presse:

— Mon personnage est un camionneur. Un peu comme toi. Lui, c'est un gars de dix-huit roues qui fait l'aller-retour Sherbrooke-Boston. Pour moi, camionneur c'est un métier de solitude et c'est pour ça que je l'ai choisi pour mon personnage. Bon, mon bonhomme, il a une petite famille dont un accident le sépare. Et c'est un rêveur... Comme toi. Et comme moi.

— Et ça finit comment?

— Très bien. C'est un livre tout le contraire de LA MORT ROSE. C'est fantaisiste parfois mais d'autres fois, c'est proche de la réalité. Surtout c'est plus positif...

— LA MORT ROSE, ce n'est pas négatif... c'est... fort... très fort...

— Tu vas préférer mon nouveau... Parce que c'est bien plus heureux. Moins noir... Je placote, placote... Tu me laisses pas trop aller sinon ça va te coûter une fortune en frais d'appel.

400

— Il faut justement que je vous quitte parce qu'il arrive quelqu'un ici. De la visite.

— Promets-moi de venir faire un tour quand tu vas passer dans le bout.

— J'essaierai...

— Beaucoup de bonheur avec ta petite famille! Crois-moi, c'est une bien plus grande valeur que tous les rêves qu'on peut avoir; c'est ce que j'ai voulu exprimer dans mon roman de Noël... En tout cas, je t'attends. Et puis notre projet, faudra sortir ça de la glacière!

— O.K...

*

Un mois plus tard, Alain reçut à son casier postal une lettre qui lui était adressée personnellement et non à sa maison d'affaires comme d'ordinaire. De Rimouski. Une main féminine. Encre verte. Pouvait-il s'agir de Louise si longtemps après? Qui d'autre? En tout cas, puisqu'elle venait de Rimouski, ce devait être beau dedans. Il ne la lirait qu'une fois rendu à son bureau. Et il la mit dans la poche de son veston contrairement aux autres qu'il déposa négligemment sur la banquette de son auto.

Après avoir déjeuné en ressassant de doux souvenirs, il retourna chez lui. Des problèmes à régler lui firent oublier sa lettre et il ne se rappela que le soir. Pour la lire, il baissa le volume de la télé et se cala dans son divan.

"Monsieur Martel,

Je vous écris, commandée par un devoir et par un état de conscience.

Samedi soir le cinq novembre dernier, Luc vous téléphonait, histoire de faire un bilan. Ce sera son dernier appel. Le lendemain, il se suicidait dans son camion.

Il serait très important pour moi de savoir quelle fut la teneur de cet appel qui a duré, je le crois, une bonne heure et demie.

Depuis ce jour tout n'est que nuit, interrogations, cris.

Peut-être qu'en trouvant réponse ou semblant de réponse je pourrais émerger de l'interminable cauchemar. J'ai pensé que vous pourriez m'y aider. Aidez-moi s'il vous plaît!

Stéphanie.''

Les principaux éléments de sa conversation avec Luc lui revinrent en mémoire. Sans aucun doute que l'échange avait été incitatif puisque l'autre avait un tempérament suicidaire, ce qu'Alain ignorait pourtant. Pas une seule seconde il ne se sentit la moindre responsabilité dans cette tragédie. Depuis le début il avait voulu aider le jeune homme, lui montrer une voie, les problèmes rencontrés, en faire le témoin de sa dure recherche d'un certain équilibre permettant à l'handicapé émotionnel qu'il était de surnager.

Luc avait-il trouvé les défis trop grands à relever. Sûr qu'il manquait gravement de confiance en lui mais n'est-ce pas le lot de tous ceux qui écrivent? Alain avait toujours été sauvé par son agressivité et Luc semblait n'en avoir aucune.

Une foule d'idées éparses, chacune susceptible d'expliquer une petite partie du drame, erra jusqu'à l'heure du coucher dans son esprit. Avant de s'endormir, il se surprit de sa réaction stoïque à une nouvelle qui, deux ans plus tôt, l'aurait plongé dans une profonde crise de remise en question. Elle était bien révolue l'époque de sa mise au banc des accusés par lui-même. Mais il n'avait pas envie non plus de trouver des coupables ailleurs. Car, qui blâmer de cette mort, sinon le sort? Sans doute s'en trouvait-il des dizaines qui dans leur légitime recherche de survie avaient contribué à tisser la trame de la tragédie. Lui, Alain, d'avoir publié LA MORT ROSE. Stéphanie dans les gestes du quotidien. Le nouveau-né par sa simple présence. Un patron de Luc qui lui aurait adressé des reproches. Ceux de l'université qui avaient collé sa thèse! Grandet à cause de l'ensemble de son oeuvre? Les littérateurs québécois? La littérature? La société?

Tous avaient tissé la trame, certains comme Grandet ignorant jusqu'à l'existence de Luc et n'ayant pas à la connaître. Mais la chaîne, ç'avait été Luc lui-même qui l'avait fournie. Ni l'une ni l'autre n'auraient dû être modifiées et leur rencontre était justement ce coup du sort qui avait provoqué l'issue tragique.

Et puis s'agissait-il d'une tragédie? Qu'aurait pu construire un Luc sans orgueil? Pour faire oeuvre valable, n'est-il pas requis de se croire méritant? Non, c'est l'amour de soi-même qu'on veut tuer par le suicide parce qu'on le trouve excessif... malgré que...

Le sommeil eut gain de cause sur sa péroraison laissée en plan.

Au matin, une nouvelle vision de l'événement lui apparut: celle de l'homme d'action. Stéphanie lui avait demandé de l'aide; il fallait qu'il bouge. Il l'appela, prit un rendez-vous qu'il oublia volontairement jusqu'au jour dit. Et il chassa aussi de son esprit ce drame qu'il ne se sentait pas de taille à comprendre à fond. Cinq jours plus tard, il arrivait au centre-ville de Rimouski sans avoir vu autre chose de tout le voyage que le ruban monotone de la route et celui de ses pensées sur le sujet de son prochain ouvrage.

Il appela Stéphanie pour lui faire préciser le lieu de son logement. C'était au-dessus d'un dépanneur et y menait un long escalier extérieur. En l'empruntant Alain se remémora le petit logement du début de sa vie de ménage avec, dans la gorge, une grosse boule de nostalgie.

Viviane serait là-haut à baigner la petite. Elle pleurerait d'ennui, lui reprochant de l'avoir laissée seule trop longtemps. Il se sentirait impuissant, coupable, triste, mais il répondrait qu'elle n'avait pas à dicter sa conduite. Chacun accuserait l'autre de l'étouffer, de le rapetisser. Et pourtant...

"Mais il reste à jamais au fond du coeur de l'homme deux sentiments divins plus forts que le trépas: l'amour et la liberté, dieux qui ne mourront pas."

Il s'arrêta sur la dernière marche, regarda les environs, laissa l'air lui glacer les yeux. Sans les refermer, il murmura:

— Et pourtant... je t'aimais...

*

— A Noël je vais tourner la page, avait dit Stéphanie quand Alain avait repris la route après une conversation qui avait vite fait comprendre à son visiteur que seul le temps et rien que lui pouvait aider la jeune femme à se sortir de sa nuit.

Ce vingt-cinq décembre, il eut une pensée pour elle au moment d'entreprendre ses bilans annuels. Dans l'ensemble, l'année avait été moins bonne que la précédente.

Les ventes avaient été plus faibles. Avec son service de presse, il n'avait rien réussi de mieux qu'avant. Des amis s'étaient faits plus rares parce que pris par leurs affaires. Une fois de plus, il avait presque perdu les pédales à cause d'une femme. Et pour finir, Luc.

Malgré tout, il terminerait en meilleur accord avec lui-même. S'il attribuait de plus en plus tout le mal qu'il avait pu faire à sa recherche de survie, comment rattacher à des vices coupables les gestes qu'il réprouvait chez d'autres?

Dire du mal de quelqu'un, c'est avoir peur de soi-même. L'espace vital est si étroit dans la jungle du livre qu'on arrive souvent à s'y entredévorer. Les intellectuels qui le plus souvent ne savent ni administrer ni fabriquer, doivent bien se défendre avec leurs moyens soit leurs idées et c'est parce qu'ils se sentent démunis qu'ils affichent tant de supériorité. Tous les gueulards ont beaucoup à cacher: insécurité, faiblesse, vulnérabilité.

Qui d'indispensable en politique, en littérature, en édition, en journalisme, en amour?

C'est à la recherche d'une plus grande objectivité qu'il s'attellerait en 1984. Il continuerait de s'arrondir les coins sans pour autant s'imputer des responsabilités ne devant pas lui échoir sans raison spécifique.

Il mit un terme à sa réflexion sur ses bilans en disant tout haut:

— Si mes griffes ont blessé quelqu'un, que Dieu leur pardonne car moi, j'ai fait ce que j'ai pu pour les retenir.

Puis il écrivit sur une feuille blanche:

"La vraie liberté, c'est d'être bien dans son équilibre. Et cela on le comprend par soi et en son temps."

Et en dessous, il ajouta les grands principes qui le guideraient durant l'année à venir.

"Un: écrire de mon mieux et à mon rythme sans orgueil et sans défi."

"Deux: m'inspirer de l'acharnement au travail de Viviane, de l'intelligence d'Aline, du sourire de Lorraine et de la simpli-

404

cité de Diane en toutes mes entreprises.''

''Trois: ne plus jamais chercher à démasquer ceux qui cachent un vice en accusant quelqu'un d'autre de le posséder.''

''Quatre: garder toujours présente à l'esprit l'idée que les pourfendeurs tombent tous un jour ou l'autre sur leur propre glaive.''

''Cinq: faire du profit.''

Ça suffisait. Qu'il garde présentes toute l'année ces lignes directrices et alors, succès ou échec ne garderaient pas de signification propre.

Décision majeure pourtant: il tâcherait de se rebâtir une vie de couple afin d'élargir un peu son cosmos dont l'étroitesse lui pesait de plus en plus et pour éviter que son coeur ne devienne trop coti. Et ainsi prendrait donc fin à l'âge de quarante-deux ans son interminable crise d'adolescence.

Finie la rébellion!

Domptées les passions!

Dehors la misogynie!

Chapitre 7

1984

Mais avec qui refaire un bout de vie, bout plus difficile, à fréquents troubles physiques bénins ou graves, bout de fin?

Question d'apparence complexe mais à réponse simple. La plus susceptible de lui faire une compagne valable serait celle qui accepterait. Pas une inconnue cependant mais quelqu'un qui le connaisse depuis assez longtemps pour savoir à quoi s'attendre et bien connaître celui avec qui elle s'embarquerait...

Quatre candidates: Viviane, Aline, Lorraine et Diane. Il ferait une sorte de concours que chacune ignorerait pourtant. La plus vive à répondre serait l'élue. Mais il fallait tenir compte du temps de réflexion requis par chacune à cause de sa situation et de leur relation passée.

La lente Viviane aurait six mois. Aline, la prisonnière, quatre. Lorraine, deux. Et Diane, la farfelue, qui risquait d'accepter trop vite disposerait d'une semaine.

Le premier août entre six et sept heures du soir, il saurait à quoi s'en tenir car à chacune lors de sa proposition, il aurait dit qu'il lui laissait jusque-là pour lui donner sa réponse puisqu'il partirait ce soir-là en voyage d'un mois avant de revenir s'installer dans sa nouvelle demeure qu'il offrirait d'ailleurs à sa nouvelle compagne.

"Jeu cruel!" lui dit une voix intérieure.

"Mais pas du tout puisque chacune l'ignorera!"

"C'est prendre des femmes pour des numéros!"

"Non, parce que celle qui acceptera sera celle qu'il faut à mes côtés et qui sera bien d'y vivre."

"Et si par hasard deux d'entre elles acceptaient, hein?"

"Alors j'en choisirai une."

"Et l'autre?"

"Je lui dirai que j'ai changé d'avis; elle n'en mourra pas."

"Et si elles l'apprenaient?"

"Mais qui donc le leur dira?"

*

Un dimanche de la mi-janvier, il eut Viviane à souper. Il lui avait demandé de choisir un restaurant de la meilleure qualité. Des promesses de lendemains qui chantent n'auraient pu avoir d'écho en elle qu'associées à un 'ici-et-maintenant' qui brille. Presqu'un repas d'apparât!

La table offrait un étoilement qui s'installa dans les yeux féminins. Le lieu du monde où elle se sentait le plus chez elle était une table: pour la servir ou pour s'y asseoir.

— Il a fait un de ces soleils aujourd'hui, hein?

— Ah oui!

Le maître d'hôtel déposa les cartes de menu puis se retira après un petit geste déférent.

— Tu connais l'endroit, non? demanda Alain sans penser que la réponse pouvait lui pincer le coeur.

— Oui... Je suis venue avec quelqu'un...

— Ah!

Elle vit l'ombre sur son front et se hâta de le rassurer.

— Il y a une de mes amies qui adore les grands restaurants. Comme je lui ai rendu bien des services, elle m'a offert un repas ici déjà.

Alain sourit un peu. Même si c'était un pur et clair mensonge, il appréciait sa main tendue pour l'empêcher de se sentir triste.

Quatre ans qu'ils ne s'étaient presque pas vus. Chacun avait épisodiquement rassuré l'autre par personnes interposées. Une phrase-clef avait été répétée par les deux, usée à la corde:

"Je ne sors pas; je travaille sans arrêt." Un observateur eût dit qu'ils avaient eu l'un pour l'autre une fidélité du coeur à toute épreuve.

Ils jasèrent de pluie et de beau temps et surtout de la teneur du menu. Elle donna son opinion sur plusieurs mets, ce qui montrait qu'elle était venue là plus d'une fois. Puis elle se rendit compte d'avoir gaffé et dit ingénument:

— Je dis ça d'après Nicole: chaque fois qu'elle va au restaurant elle m'en parle, et ici, c'est son endroit préféré.

Il eût voulu lui dire qu'elle n'avait pas de comptes à lui rendre, qu'elle n'avait pas à s'excuser d'être venue souvent à cet endroit, mais il se ravisa. Elle n'aimerait pas qu'il la confonde, même pour un motif noble.

Après l'entrée, il jugea le moment opportun de lui lancer sa proposition. Aussi bien le faire sans trop d'approches. Brutalement. On aurait ensuite plus de temps pour en discuter; sa réceptivité ne serait pas meilleure plus tard. Elle dirait non. C'était toujours son premier mouvement. Puis elle digérerait lentement, longuement. Puis il lui rafraîchirait la mémoire chaque quinzaine jusqu'au moment de la réponse finale.

— J'ai décidé d'acheter une maison. Pas ce qu'il y a de mieux, mais pas ce qu'il y a de pire. Sous les arbres pour mon travail. Grand terrain. Grande. Et j'aurai quelqu'un pour y vivre avec moi. Une personne autonome. Qui soit capable de me laisser vivre dans mon univers. Avec qui j'échangerais des services le plus également possible. Pas un mariage mais une symbiose...

— C'est quoi ça?

— Une union durable et profitable pour chacun.

— Je suppose que tu vas m'annoncer notre divorce?

— Non, parce que c'est toi que je veux avec moi.

— Pauvre toi, tu sais bien que ça n'ira jamais, nous deux!

— Tu vis seule depuis quatre ans: ça ne changerait pas tellement. Je serais là mais tu ne me verrais pas. Je partirai en voyage plusieurs mois par année...

— Je ne serais plus libre.

— Autant que maintenant! Si dans la maison les quartiers de chacun sont bien définis, si nous avons chacun notre chambre de bains, si j'ai des locaux isolés du bruit, tu rentreras à l'heure que tu voudras. Pour ce qui est du quotidien, de la popotte, de l'entretien, du lavage, on va trouver une formule pour éviter les tiraillements, pour que chacun y trouve son compte. Ce que nous ne voudrons pas faire, nous prendrons quelqu'un pour s'en occuper et ainsi de suite.

— Mais... c'est pas une vie ça?

— Mais oui, c'en est une! C'est un juste milieu, une formule d'accommodement pour deux personnes qui s'aiment assez pour ne pas s'étouffer, se dominer, abuser l'une de l'autre. Toi et moi, on a essayé les deux grandes formules de vie: le mariage traditionnel avec partage de tout et la solitude avec toute la désolation qui l'accompagne. Entre les deux extrêmes, il y a cette formule. Pourquoi ne pas au moins l'essayer?

— Je n'y crois pas du tout.

— Nous nous verrons juste assez pour ne pas nous écoeurer comme dans un ménage traditionnel, pour nous apprécier longtemps; chacun aura la sécurité de la présence de l'autre; si je suis parti depuis trois mois à Londres ou ailleurs, tu sauras, parce que nous avons survécu bien plus longtemps à l'épreuve de la séparation, que je reviendrai. Et puis nous partagerons quand même beaucoup: nos souvenirs, nos problèmes, nos joies et parfois même, si ça adonne, nos corps. Mais sans peur, sans jalousie, sans pleurs, sans haine.

— Toi, Alain, le pourrais-tu? Sérieusement le pourrais-tu? Tu n'as pu supporter que j'aie quelqu'un...

— Ni toi non plus que j'aie eu quelqu'une... Mais tout ça est fini, enterré. C'est maintenant et demain qui comptent. Ce que je propose, c'est une adaptation de nos personnes bien caractérisées, de notre couple, à des données d'aujourd'hui. Ta grande erreur, c'est d'avoir voulu vivre le mariage comme il y a un demi-siècle; la mienne de l'avoir voulu comme dans un demi-siècle. Nous n'étions pas plus de ce monde il y a cinquante ans que nous ne le serons dans cinquante.

— Mais le sentiment, lui? Deux êtres ne peuvent pas vivre comme des étrangers dans une même maison. Autant se séparer. Ce que tu dis, on l'a fait pendant deux ans et c'est justement pour ça que tu es parti.

— Je n'étais pas exorcisé ni toi non plus probablement. Et maintenant nous le sommes.

— À quoi ça sert si on ne s'aime pas?

— Moi, je ne te ferais pas une proposition pareille sans t'aimer. Et toi, puisque tu n'es pas en amour, semble-t-il, et que tu as évité de t'y laisser prendre, pourquoi ne pas l'essayer, ma formule? Et si ça ne va pas on trouvera autre chose.

— Comment peux-tu aimer quelqu'un que tu as vu au plus douze fois dans quatre ans?

— Tu as toujours été là. Chaque semaine par notre fille. Chaque semaine par mon rêve. Je suis endormi. Tu es là, proche. Tout à coup tu t'en vas. Et je veux te retenir. Mais tu pars pour toujours. Alors je me désespère. Et je crie si fort que je me réveille. Et je pleure jusqu'au matin. Pas besoin de plus, moi, pour savoir que j'ai quelqu'un dans la peau. Parce que le rêve, il est aussi présent aujourd'hui qu'il y a quatre ans.

— Tu veux jeter un coup d'oeil sur la carte des vins?

— Donne...

— Les prix sont un peu élevés, je trouve...

— Pas d'importance!... Pour en revenir à ce que je disais...

— Il y en a un que j'ai toujours voulu essayer...

— Viviane, je t'en prie, laisse faire le vin; ce que j'ai à te dire est bien plus important.

— Je m'excuse... Tu sais que je suis superficielle. C'est une intellectuelle qu'il te faudrait, pas une femme comme moi.

— Les intellectuels ont la contradiction mortellement ennuyante... Enfin pas tous... En tout cas. Il regarda au loin, poursuivit:

— La maison, je te l'offre.

— Et si je te dis de partir au bout de trois mois.

— Tu ne le feras pas, je le sais.

— On est prisonnier des cadeaux qu'on reçoit.

— Bizarre que tu craignes plus pour ta liberté que moi dans le temps!

— Les goûts se développent avec l'usage.

Il dit songeur en regardant autour:

— C'est un endroit pour aider à les développer, ici.

Elle ne réagit pas. Il eut subitement une interrogation qu'il émit tout haut:

— Ton corps est-il toujours aussi beau? Tes seins se sont-ils... alourdis avec l'arrivée de... la quarantaine?

Elle se redressa sur sa chaise, répondit:

— Suffit de se surveiller.

Son mouvement tendit sa blouse. Il regarda sa poitrine, dit:

— Je voudrais bien m'en assurer.

— Si c'est pour ça que tu m'as invitée, tu te trompes.

— Je n'ai jamais invité qui que ce soit à souper avec des idées derrière la tête.

Il pensa qu'elle prendrait le mensonge comme lui avait pris le sien plus tôt. Elle fit un sourire sibyllin. Il dit:

— Chanceuse, toi, d'être plus belle qu'à vingt ans!

Elle baissa les yeux et, mine de rien, ramena la conversation aux mets de la carte. Il la suivit quelques minutes puis la redirigea à son propos:

— Dans six mois, tu me donnes ta réponse. Pas huit, six. Tu as tout le temps de réfléchir.

— Je peux te répondre tout de suite: c'est non.

— Faudra que tu me dises non aussi dans six mois.

— Qu'est-ce qui te fait croire que je pourrais accepter?

— Ta vie depuis quatre ans.

— Je ne suis pas faite pour toi.

— Personne ne l'est. Le dicton le plus faux et le plus fou c'est: "Nous sommes faits l'un pour l'autre." Personne n'est fait pour personne.

— Tu me parles comme si j'étais un homme d'affaires.

— Non, comme à une femme d'affaires.

— Tu ne voudrais pas qu'on en parle une autre fois?

— D'accord! C'est précisément ce que je veux, moi aussi.

414

On regarde encore cette carte?

*

Deux mois plus tard, à la même table, il discutait avec Aline. Comme cinq ans auparavant, elle se plaignait de son mari dominateur.

— Tu es la plus intellectuelle des femmes de ma vie et curieusement tu es la plus enchaînée.

— Tu me l'as dit cent fois. Brasser des idées c'est comme de se promener dans un labyrinthe: plus on avance, plus on recule.

— Tu veux un peu de vin?

— Il a le front de me dire depuis quelque temps de le lui faire savoir, le jour où je pourrai gagner mon pain toute seule.

— Ça, c'est intolérable!

— C'est bien plus des idées comme celles-là qui chosifient une femme que ce qui peut se passer au lit. Au lit, son plaisir quand on le veut, on le trouve. Mais de se faire rapetisser moralement, y'a rien de pire. Et ça, c'est typique aux hommes de quarante ans d'ici...

— Merci madame!

— Je sais bien que tu ne dévaloriserais pas une femme de cette façon, toi, mais peut-être que tu le ferais d'une autre... Sans t'en rendre compte. Il ne s'en aperçoit pas, lui, comme il blesse quand il me dit ces choses-là.

En un clin d'oeil, Alain réévalua sa décision de faire la même proposition à quatre femmes différentes. Et il la garda.

Au dessert, il fit un laïus sérieux:

— Toi et moi on s'entend comme larrons en foire depuis cinq ans. Vrai? Je suis en mesure financièrement, affectivement, moralement d'envisager la deuxième partie de ma vie. Tu abordes aussi un virage: vrai?

— Moins technologique que celui dont parle ce cher P.Q.

— Eux autres, ils virent tout le temps. Non, mais vont-ils finir de se qualifier eux-mêmes de poseurs de gestes historiques.

— Jusqu'au maire de Saint-Hermas qui se glorifie d'avoir posé un tuyau d'égoûts 'historique'!

Elle éclata de son rire bruyant qui attira l'attention de quel-

415

ques tables. Alain en profita pour montrer plus de profondeur dans son propos:

— Toi et moi avons exactement les mêmes idées sur ce que devrait devenir la vie d'un ménage qui veut durer, vrai? Dans nos discussions, nos ondes se croisent souvent. Je te répète toutes ces choses que tu connais déjà pour en arriver à ceci: je t'invite à venir vivre avec moi...

— Tu sais bien que ce n'est pas possible.

— On va travailler en collaboration... Tu seras correctrice de textes, traductrice, attachée de presse, et... Mon égérie quoi! Je t'offre une maison moitié-moitié. Je te donne quatre mois pour t'y préparer.

— J'aimerais dire oui, mais c'est non couru d'avance. Parce que ça n'est pas si facile...

— Ça, j'ai déjà entendu. Tout ce que je te demande, c'est d'y songer. Tu me diras non dans quatre mois.

*

En mai, il acheta sa maison. Telle que voulue. Grande. Ombragée. Entourée de grands liards. Il l'annonça à Viviane et Aline, leur faisant accepter de la visiter quand il l'occuperait en juillet.

Soixante jours après sa soirée avec Aline, Lorraine s'asseyait à la table du projet du même restaurant grand luxe. Il fit sa proposition.

— Je ne te donnerais pas un oui final comme ça ce soir, mais j'ai le goût d'accepter, fit-elle avec un rire-sourire.

— Attention, je ne suis pas facile à vivre. Je serai souvent parti. Je ne serai pas un mari fidèle. Je serai souvent sur de longues périodes un très mauvais amant. J'ai besoin de tranquillité...

— Évidemment que c'est un pensez-y bien!

— Tu te souviens la première fois que j'ai couché avec toi? Je t'ai mis cartes sur table comme ce soir.

— Je suis quand même tombée en amour et j'ai souffert...

— Alors réfléchis, réfléchis avant de dire oui.

— Tu la veux pour quand la réponse?

416

— Le premier août...

*

Un soir de juillet il fit le tour de sa propriété. Tout lui parut impeccable d'ordre masculin. Seulement les pièces qu'il occupait étaient meublées. La femme qui l'habiterait mettrait ses affaires et sa touche dans ses propres quartiers.

Viviane fut la première à la visiter.

Depuis janvier, il n'avait pas cessé de lui faire valoir tous les avantages de son plan.

Au moment de son départ, il lui dit:

— Je me suis fixé le premier août pour recommencer à neuf. Je veux que tu m'appelles entre six et sept heures du soir étant donné que je pars en voyage de recherche aux Etats-Unis ce soir-là.

— C'est pas dit que je vais y repenser.

— Je t'appellerai la veille pour t'y faire penser. C'est ce jour-là que je veux ta réponse. Et si tu ne me téléphones pas alors je comprendrai que c'est non.

*

Le jour suivant, ce fut Aline.

— J'aime bien ta maison, fit-elle sur le pas de la porte. Je trouve ça drôle ton idée de vouloir une réponse le premier août...

— Pour moi c'est une sorte de symbole... symbole de recommencement.

*

Lorraine eut son tour.

— J'y pense, j'y pense, fit-elle.

*

Une semaine avant le jour J, il reçut Diane au restaurant puis la conduisit chez lui où, après l'amour, il lui dit:

— Si t'as le goût de déménager tes pénates ici, la porte sera ouverte. Une condition: tu m'appelles mercredi prochain entre

417

six et sept heures.

— Je déménage demain.

— Non, non... Le premier août entre six et sept pour me dire oui.

Elle fit un gros rire surpris.

— Je vais peut-être partir en voilier avec Gilbert la semaine prochaine.

— Si tu ne m'appelles pas, ça voudra dire qu'on manque le bateau.

*

Le dernier jour de juillet, il les rejoignit toutes afin de rappeler à chacune sa promesse de le rappeler le jour suivant. Il insista pour qu'on le fasse à l'heure qu'il avait choisie. Il savait bien que chacune aurait refusé son offre avec véhémence si elle avait connu le fin mot de l'histoire et donc su l'existence de trois autres candidates mais ce serait son secret éternel. À moins qu'il ne reçoive plusieurs appels...

Quinze minutes avant l'heure dite, il brancha son téléphone et mit l'appareil sur une table à dessus de verre près du divan sur lequel il s'allongea pour réfléchir et se détendre.

Il avait besoin de se pencher à nouveau sur le problème du choix. Qui aurait priorité advenant quatre réponses? De laquelle avait-il le plus besoin?

Viviane, la compagne aux souvenirs, celle qu'il aimait toujours sans savoir pourquoi. Mais à quarante ans quand on a le moindrement de cervelle, on ne base pas ce qu'il reste à vivre sur un sentiment aussi dangereux que celui-là.

Aline, la femme qui donnait tant de sécurité à sa pensée tout en l'aiguillonnant pourtant. Il devait ne pas perdre de vue cependant qu'il s'en était maintes fois pris à ce volet intellectuel qu'il portait en lui-même. Se pourrait-il qu'elle soit trop égale à ce niveau?

Lorraine au sourire éternel qui le servirait fidèlement sans jamais rien lui exiger en retour. Pourrait-il vivre en paix avec lui-même de se laisser ainsi dorloter?

Et Diane, l'épicurienne non encombrante. La physique avec

qui il faisait un, deux matches de tennis par semaine? Oiseau sur la branche, elle risquerait de s'envoler aussi aisément qu'elle se serait perchée.

Il recommença ses évaluations avec d'autres données. Laquelle pourrait être la plus utile à son travail d'auteur?

Viviane était celle qui pouvait le mieux brasser l'émotionnel en lui.

Aline le conseillerait avec bonheur sur son style, le contenu de ses ouvrages, la façon d'aborder les sujets, l'évolution des personnages.

Lorraine saurait lui arranger un environnement propice à l'écriture et à le maintenir.

Diane, au besoin, le sortirait de son univers et de la belle façon. C'est elle qui saurait le plus lui donner le repos du guerrier après de durs efforts de concentration.

Et encore d'autres arguments. Des images. Des visages. Des corps...

Il perdit la notion du temps. Quand il la retrouva, il était six heures et demie. Il commençait à sentir la faim. Le silence du téléphone ne le surprit pas. On n'appellerait qu'à la toute dernière minute; c'était bien féminin.

Il sourit, s'assit, allongea des jambes satisfaites jusqu'à pouvoir s'accrocher les pieds à la table à côté du téléphone. Il voulut faire le vide dans son cerveau, juste pour être bien... en attendant. Mais il n'y parvenait pas. Alors autant l'occuper, cette tête, avec quelque chose de l'extérieur. Il s'étira jusqu'au bras du divan et attrapa le télécommandeur à distance qui s'y trouvait. Il alluma le téléviseur et commença à faire la tournée des canaux pour voir de quoi il retournait à chaque poste. La magie de l'électronique rendait fier de son pouvoir l'enfant qui se trouvait en son for intérieur. Il eût aimé commander le New Jersey, jouer à la guerre sans en avoir l'air comme un sérieux militaire, contrôler des canons, viser, atteindre le but. Une voix lui dit qu'il était mal de faire mal. Une autre le rassura en lui disant que de briser l'autre pour se défendre, soi, c'était louable et puisque de toute manière, tuer à la guerre était généralement un accident malheureux et regrettable et regretté... par presque tous... tous les bien-pensants...

Le canal dix diffusait en reprise un Quincy. Toutes les télés américaines étaient en pleines nouvelles. Radio-Québec annonçait son retour imminent sur les ondes du soir. À la télé française, une table ronde discutait de la nécessité et de la non-utilité pour un Français de plus de cinquante ans d'apprendre la langue arabe.

Il arrêta l'image sur les petites annonces.

Sept heures moins quart. Il sourcilla. Par contre il se sentait soulagé. Il n'aurait certainement pas quatre appels, d'où le problème de choisir serait amenuisé. Et si l'idéal se produisait: un seul appel!

Il retourna à la télé française. Au moins l'animatrice était jolie: noire, décidée, fine.

Sept heures moins cinq. Il pensa: "C'est maintenant ou jamais!"

À Radio-Canada s'achevait une reprise d'Avis de Recherche. Suivit une annonce de carte de crédit. Puis une autre d'aliments surgelés.

Sept heures. Il soliloqua:

— Ont-elles pris ma proposition pour un jeu? N'y ont pas cru? Ou bien Diane sera partie en bateau? Et Viviane et Lorraine? Chacune avait congé le mercredi. Et Aline qui pouvait appeler à sa guise par son appareil de journaliste?

Une idée lui vint. Bonne, la jugea-t-il. Il appellerait chacune et quand elle aurait répondu "allo" et qu'il aurait reconnu la voix, alors il raccrocherait sans rien dire. On se douterait que c'était lui mais tant mieux! Ce serait à chacune un rappel discret.

Seule Viviane pourrait ne pas répondre elle-même malgré qu'elle soit chez elle. Il l'appela la première. Elle répondit.

Aline répondit ensuite.

Puis Lorraine.

Il se mit à espérer que Diane fût absente. Pour la garder en réserve au cas où aucune des trois autres ne se manifesterait.

Déception! Elle était bien là.

Après avoir raccroché, il se mit à tourner en rond. Une demi-heure de grâce qu'il leur donnerait, pas une minute de plus. Il faisait le pied-de-grue derrière le divan, bras croisés, télécommandeur gardé en main.

"Pas une de vous n'est la reine de Saba. Mon offre est intéressante pour chacune. Pour qui se prennent-elles ces bonnes-femmes, hein?"

Parfois, de sa main crispée tenant le télécommandeur, il jetait au téléviseur une menace qui se transformait en changement de chaîne.

Il se mit à parler tout haut, à adresser des reproches à chacune:

— Aline, t'aimes ça te faire manger la laine sur le dos par ton coq en pâte? Toi, Diane, qui boulottes, vis-à-vis de trois fois rien toute la vie? Lorraine, t'es bien dans ton trois-pièces bruyant? Et toi Viviane, ça te plaît de mourir à travailler? Vous la cajolez votre insécurité, femmes masos? Osez donc le décrocher votre foutu téléphone et composer mon numéro... Parce qu'après la demie, hein, c'est fini. Out! For ever!...

— Émancipation de mon cul!

Sa rogne le reconduisit auprès du téléphone sur lequel il mit une main, celle de sa montre qui allumait ses inexorables et détestables traits noirs des secondes. Il tapota longuement le plastique beige.

Sept heures et demie.

"Merde de merde!" émit son esprit surchauffé.

Il pitonna sur le télécommandeur, s'arrêta à un quizz américain. Guerre de deux familles. Les gagnants: ceux dont la pensée se rapprochait le plus et le plus vite de la pensée populaire. Éloge du conformisme: en sucettes, en bons points, en bécots et en sourires. Et avec l'ordinateur mis au service de la routine parcellée en questions.

Il s'engonça à nouveau dans le moelleux de son divan, se fit douceur:

— Je saurai t'aimer comme tu le désires, cette fois, Viviane... Aline, tu te sentiras valorisée... Diane, tes fantaisies seront les miennes... Lorraine, je te protégerai comme mon enfant...

L'animateur dit:

— Les cinq meilleures réponses au tableau. Voici la question: "Nommez un lieu où il faut s'abstenir de rire trop fort."

Huit heures moins quart.

Huit heures moins dix.

À huit heures moins cinq, le téléphone se fit entendre.

Alain décrocha, ému, mit deux bonnes secondes à dire "allo".

— Jacques? fit une voix féminine mal assurée.

— Alain Martel.

— Mes excuses, monsieur, je me suis trompée de numéro.

FIN

Suivent les arguments des autres ouvrages du même auteur :

DEMAIN TU VERRAS
LE SANG DES AUTRES
UN AMOUR ÉTERNEL
CHÉRIE
NATHALIE

On retrouve normalement ces romans dans les librairies. Sinon, on peut les commander à l'adresse suivante :

ANDRÉ MATHIEU
C.P. 351
SAINT-EUSTACHE, QUÉ. J7R 4Z1
(adresse permanente)

LE SANG DES AUTRES
(OU COMPLOT)

A cause de la demande, le plus controversé des romans de l'auteur, COMPLOT paru en 1979, est publié à nouveau sous le titre LE SANG DES AUTRES. Il s'avère une satire GLOBALE et FÉROCE tournant autour de la querelle «fédéralisme-souveraineté». Les têtes d'affiche politiques y deviennent les têtes de Turc d'un auteur à la plume acide qui revêt d'une impitoyable camisole de force ces hommes bizarres qui nous gouvernent.

Xénophobie, trahisons, complots type nazi, holocauste sont le quotidien et le lot des acteurs du drame : les méchants Anglais et les pauvres Québécois. Tout s'y passe et se termine dans une apothéose de feu et de sang qui conduira Lévesque à embrasser un fédéralisme inconditionnel et Trudeau à chanter l'indépendance.

Les jeunes trouveront dans ce livre une histoire d'amour (à l'image même du mariage) entre Mélanie du clan OUI et Jean du clan NON qui se battent avec délices.

Ce roman s'adresse particulièrement à ceux qui sont assez forts pour ne pas se laisser «avoir» par l'hypocrisie des hommes politiques. Également à ceux qui aiment rire dans l'horreur. Enfin à ceux qui peuvent pleurer sur le tragique destin de ces infortunés politiciens condamnés à se nourrir bien malgré eux du sang des autres...

Comme toile de fond : le référendum de 1980... ou bien au autre à venir. Le prochain peut-être...

UN AMOUR ÉTERNEL retrace l'inavoué et l'inavouable d'une époque charnière riche en émotions, prodigue de situations aussi simples que suaves.

Entourée de sa mère qui est servante de curé, et de l'abbé Ennis, un homme bienveillant, Esther vit heureuse dans son univers au coeur du village dont les balises sont l'église, la salle publique, le couvent et sa maison : le presbytère.

Arrive un nouveau vicaire qui va bouleverser sa vie et faire naître en chacun d'eux un sentiment sublime que leur présence sous un même toit rendra parfois dangereux pour leur salut.

C'est sur cette toile de fond brûlante qu'est racontée l'année sainte (1950) dans la vie de ce prêtre sans cesse confronté avec la mort omniprésente et la vie qui palpite en lui et dans l'âme de la jeune maîtresse d'école.

De la veillée au corps à la messe de minuit, en passant par les « petites vues », l'arrivée d'un Français de passage, une vente à l'encan et combien d'autres incidents du quotidien, UN AMOUR ÉTERNEL c'est un retour dans le temps chantourné par l'auteur au fil de ses souvenirs.

CHÉRIE raconte l'histoire de deux soeurs : la mystérieuse, l'insondable Lina surnommée Chérie, infirmière angoissée, et Annie, la malléable enseignante.

Bien que liées par une affection généreuse, elles en arriveront contre leur gré à se déchirer jusqu'au drame pour l'amour d'un homme qui impose aux autres son échelle de valeurs et qui, dans une inconscience paisible étouffe lentement la tranquille vie familiale qui aurait pu être la sienne.

C'est alors que Mélanie et Isabelle, d'exquises petites filles quémandeuses d'affection deviendront les jouets dc circonstances particulièrement dramatiques.

Émaillé d'une tendresse aux accents pathétiques, CHÉRIE darde le coeur et fait souvent pleurer.

L'auteur de DEMAIN TU VERRAS, COMPLOT, UN AMOUR ÉTERNEL, propose ici un ouvrage qui laisse au lecteur une grande soif de compréhension humaine car, avec une rare profondeur, il analyse l'âme tourmentée de certaines femmes de notre temps...

André Mathieu — le suicide d'une adolescente — Nathalie

Éditions André Mathieu

En cette soirée de 22 décembre, Nathalie Tremblay, une séduisante adolescente se pendit dans le sous-sol de la demeure familiale.

Elle avait quatorze ans et deux mois.

Ce roman retrace la vie émotionnelle de Nathalie à partir de son journal, de ses poèmes et de lettres qu'elle écrivit à ses amies et à un professeur qu'elle aimait.

Nathalie Tremblay a réellement vécu (sous un autre nom). Elle a beaucoup écrit et l'a fait merveilleusement. Par la plume de l'auteur, vous partagerez sa solitude, sa désespérance mais aussi sa tendresse.

De plus, ce roman biographique braque l'objectif sur une terrifiante épidémie qui frappe l'Amérique d'aujourd'hui : le suicide chez les adolescents. Il le fait mieux comprendre et dilue tout au long des chapitres des moyens de le prévenir.

Enfin, ce livre aide à saisir cette intense soif d'amour et de compréhension humaine qui remue au fond du coeur des jeunes.

Nathalie, c'est un peu chaque adolescente. Donc ce roman, c'est aussi le vôtre... ou celui de votre enfant... ou de quelqu'un que vous connaissez bien.

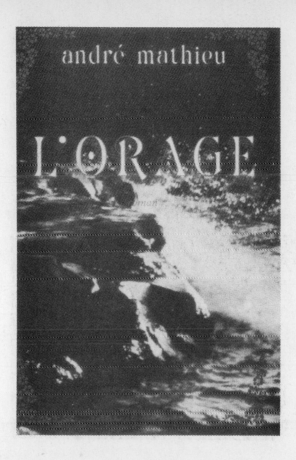

andré mathieu

L'ORAGE

C'est la farouche détermination d'une mère pour assurer seule la survie de sa famille qui constitue le coeur de ce roman, le sixième de l'auteur.

S'y retracent les pas chancelants de cette femme vers une «certaine» libération à une époque (1917) qui ne le permettait pas.

Clarisse vit à travers son mari et ses enfants. À l'instar des femmes de son temps, c'est à travers eux qu'elle trouve sa raison d'être. Mais, le malheur aidant, elle arrache peu à peu son identité à une vie impitoyable faite d'accidents, de coups du sort, de difficultés à dompter la nature, sentiments combattus, maladie...

Avec un courage digne de nos aïeux, elle surmonte les énormes embûches parsemant sa route et apprend à ne dépendre que d'elle-même pour assurer son bonheur.

Gisla: un petit cimetière près de Lac Mégantic. Là repose depuis un siècle le plus fameux hors-la-loi de toute l'histoire du pays.

Donald Morrison fut pourchassé par des centaines de policiers, miliciens et chasseurs de prime de tout acabit. L'affaire tint toute la province en haleine, ébranla jusqu'au gouvernement Mercier lui-même.

Pendant deux ans (1888-1889), le fugitif dut trouver refuge dans les cabanes à sucre, granges, greniers des maisons, grands bois des hautes terres, montagnes des cantons. C'est en ces lieux qu'il donnait rendez-vous à Marion, une jeune fille des environs qui partageait avec lui une passion décuplée par le danger et par la nécessité de vivre en secret leur amour de plus en plus profond et douloureux.

A Noël, un routier séparé des siens se souvient, rêve, imagine...

Une petite fille frappera à la porte de son coeur.

L'ENFANT DO fleure l'amour et la poésie, la tendresse et le rêve, la tristesse et la solitude, la douceur et la beauté. C'est un roman de Noël qui explore un coeur d'homme seul.

Pour tous ceux qui ont vécu, vivent ou vivront un jour la solitude.

ÉDITIONS ANDRÉ MATHIEU INC.
C.P. 351
Saint-Eustache, Qué.
J7R 4Z1

Achevé d'imprimer
en mai mil neuf cent quatre-vingt-quatre
sur les presses de l'Imprimerie Gagné Ltée
Louiseville - Montréal.
Imprimé au Canada